ZOO

Tego autora

DOM PRZY PLAŻY
DROGA PRZY PLAŻY
KRZYŻOWIEC
MIESIĄC MIODOWY
RATOWNIK
SĘDZIA I KAT
SZYBKI NUMER
OSTRZEŻENIE
BIKINI
REJS
POCZTÓWKOWI ZABÓJCY
(z Lizą Marklund)
KŁAMSTWO DOSKONAŁE
WYCOFAJ SIĘ ALBO ZGINIESZ
DRUGI MIESIĄC MIODOWY
ZOO

Kobiecy Klub Zbrodni

TRZY OBLICZA ZEMSTY
CZWARTY LIPCA
PIĄTY JEŹDZIEC APOKALIPSY
SZÓSTY CEL
SIÓDME NIEBO
ÓSMA SPOWIEDŹ
DZIEWIĄTY WYROK

Alex Cross

W SIECI PAJĄKA
KOLEKCJONER
JACK I JILL
FIOŁKI SĄ NIEBIESKIE
CZTERY ŚLEPE MYSZKI
WIELKI ZŁY WILK
NA SZLAKU TERRORU
MARY, MARY
ALEX CROSS
PODWÓJNA GRA
TROPICIEL
PROCES ALEXA CROSSA
GRA W KOTKA I MYSZKĘ
JA, ALEX CROSS
W KRZYŻOWYM OGNIU
ZABIĆ ALEXA CROSSA
ALEX CROSS MUSI ZGINĄĆ

Michael Bennett

NEGOCJATOR
TERROR NA MANHATTANIE
NAJGORSZA SPRAWA

Private Investigations

DETEKTYWI Z PRIVATE
DETEKTYWI Z PRIVATE: IGRZYSKA

JAMES PATTERSON
MICHAEL LEDWIDGE

ZOO

Z angielskiego przełożył
ŁUKASZ PRASKI

Wydawnictwo
A. Kuryłowicz

Tytuł oryginału:
ZOO

Redakcja: Beata Kołodziejska

Zdjęcie na okładce: © 2015 CBS Broadcasting Inc. All Rights Reserved.

Projekt graficzny okładki: Wydawnictwo Albatros Andrzej Kuryłowicz s.c.

Skład: Laguna

ISBN 978-83-7885-391-6

Książka dostępna także jako e-book

Dystrybutor
Firma Księgarska Olesiejuk sp. z o.o. sp. j.
Poznańska 91, 05-850 Ożarów Mazowiecki
tel. (22) 721 30 00, faks (22) 721 30 01
www.olesiejuk.pl

Wydawca
WYDAWNICTWO ALBATROS ANDRZEJ KURYŁOWICZ S.C.
Hlonda 2A/25, 02-972 Warszawa
www.wydawnictwoalbatros.com
Facebook.com/WydawnictwoAlbatros | Instagram.com/wydawnictwoalbatros

2016. Wydanie I
Druk: Read Me, Łódź

*Dla Archackich
M.L.*

Prolog

To wszystko dzieje się w zoo

1

Zoo w West Hollywood
Los Angeles, Kalifornia

Zoo i ogród botaniczny w Los Angeles są położone w Griffith Park zajmującym tysiąc sześćset hektarów, na których znajdują się dwa pełnowymiarowe pola golfowe, muzeum Autry National Center oraz napis HOLLYWOOD. Jest raczej zaniedbaną atrakcją turystyczną niż instytucją ochrony fauny i flory.

Finansowane z mało stabilnego źródła, czyli miejskiego budżetu, przypomina mocno wysłużone wesołe miasteczko. Przy zbielałej od słońca betonowej promenadzie stoją przepełnione kubły na śmieci. Nierzadko można poczuć smród łajna dolatujący z klatek, gdzie w bezlitosnym kalifornijskim słońcu, nie zważając na krążące nad nimi muchy, zwierzęta leżą nieruchomo i patrzą przed siebie szklanym wzrokiem.

Na północny wschód od głównej bramy znajduje się wybieg dla lwów otoczony betonową fosą pokrytą szlamem. Kiedyś – gdyby mocno przymknąć oko – być może przypominał skrawek parku Serengeti. Dziś jednak przez brak dbałości o jego utrzymanie, niedobór funduszy i pracowników wygląda na miejsce, jakim jest w rzeczywistości: wybetonowaną zagrodą,

9

która jest wypełniona ubitą ziemią i obramowana sztuczną trawą oraz drzewami z plastiku.

Pięć po ósmej rano na wybiegu, pozornie pustym, jest już gorąco. Słychać tylko lekki szelest, gdy jakiś ciemny, wężowy kształt przesuwa się wolno tam i z powrotem w kępie wysokiej sztucznej trawy. Dźwięk i ruch ustają. Po chwili zza głazu ze sklejki w odległości piętnastu metrów wyskakuje coś wielkiego.

Mosa, lwica z zoo w Los Angeles, z zawrotną prędkością pokonuje wybieg i zmierza w kierunku poruszającej się trawy, wpatrując się w nią jasnożółtymi oczami. Ale zamiast skoczyć w trawę, w ostatnim ułamku sekundy przewraca się na ziemię. Wzbijając kłęby kurzu, obraca się na grzbiecie o trzysta sześćdziesiąt stopni i znów staje na czterech łapach.

Głęboko w trawie leży Dominick, towarzysz Mosy. Z dwóch mieszkających w zoo lwów południowoafrykańskich to on jest samcem alfa. Starszy od Mosy, potrząsa królewską rudawą grzywą i obrzuca samicę chłodnym spojrzeniem. W ciągu ostatnich kilku tygodni wydaje się coraz bardziej spięty i czujny, nie ma nastroju do zabawy. Na chwilę przymyka oczy, po czym wraca do machania ogonem w wysokich źdźbłach trawy.

Mosa zerka na niego, a potem patrzy w stronę tylnego ogrodzenia na dużą gumową piłkę do ćwiczeń, którą niedawno dał im jeden z opiekunów. Wreszcie, ignorując piłkę, wolno pochyla się, by wtulić nos w grzywę Dominicka i liznąć go na znak przeprosin i szacunku.

Wielkie koty leżą obok siebie pod nieskazitelnym błękitem kalifornijskiego nieba. Mosa czyści sobie zakurzone poduszki masywnych łap. Jeśli tego ranka można dostrzec jakąś wskazówkę, że coś jest nie tak, to nie kryje się ona w tym, co robią lwy, ale w tym, czego nie robią.

U lwów, podobnie jak u innych żyjących stadnie ssaków, ważną rolę w porozumiewaniu się odgrywa wokalizacja. Lwy wydają dźwięki podczas rywalizacji seksualnej, sporów terytorialnych i koordynacji obrony przed drapieżnikami. W ciągu ostatnich dwóch tygodni Mosa i Dominick wydawały coraz mniej odgłosów. Teraz prawie cały czas milczą. Lwy wyczuwają opiekuna dużo wcześniej, zanim brzęknie ogrodzenie z siatki czterdzieści metrów za nimi. Kiedy do ich nozdrzy dochodzi zapach człowieka, reagują zupełnie inaczej niż dotychczas. Podnoszą się. Ich ogony sztywnieją. Zwierzęta stawiają uszy, a ich sierść wyraźnie jeży się na grzbietach.

Podobnie jak wilki, lwy polują i czatują na zdobycz w zorganizowanych grupach. Zachowanie tych dwóch wskazuje gotowość do zaatakowania ofiary.

Dominick wysuwa się z trawy na nieosłoniętą część wybiegu. Nawet jak na samca jest olbrzymi – prawie dwieście trzydzieści kilogramów wagi, ponad dwa i pół metra długości i metr czterdzieści wysokości. Król dżungli wietrzy, a pochwyciwszy jeszcze raz woń człowieka, rusza w jego stronę.

2

Terrence Larson, pomocnik opiekuna wielkich kotów, otwiera zewnętrzną bramkę z siatki ogrodzeniowej prowadzącą na wybieg lwów, wsuwa haczyk w oczko, aby się nie zamknęła, i wciąga do środka czerwone plastikowe wiadro z karmą. Muskularny mężczyzna w średnim wieku, oganiając się od much, taszczy śniadanie dla lwów złożone z dziesięciu kilogramów kości goleniowych i pokrojonej w grubą kostkę krwistej wołowiny.

Po kilkunastu krokach Larson, były technik oświetleniowy z Paramount Pictures, rzuca mięso przez wysoką do piersi gęstą drucianą siatkę na końcu ogrodzenia. Mięso ląduje na ziemi z mokrym plaśnięciem. Larson przewraca wiadro do góry dnem i siada na nim obok otwartego zewnętrznego ogrodzenia. Wie, że powinien stać za zamkniętym ogrodzeniem i stamtąd oglądać jedzące lwy, ale jest weekend święta Czwartego Lipca i wszyscy szefowie są na urlopie, więc w czym rzecz?

Siedzenie z lwami o poranku, przed otwarciem zoo, to dla Larsona najlepsza chwila w ciągu całego dnia. Tommy Rector, kierownik sekcji wielkich kotów, wolał mniejsze, bardziej ruchliwe i uczuciowe zwierzęta – jaguary i rysie – lecz Larson, odkąd w wieku siedmiu lat odwiedził cyrk Ringling Brothers, co na zawsze zmieniło jego życie, jest zapalonym miłośnikiem lwów. Jego zdaniem, to zwierzę nie bez powodu symbolizuje potęgę, niebezpieczeństwo i tajemnicę; nie bez powodu musieli z nim walczyć słynni siłacze – na przykład Samson czy Herkules. Siła, wdzięk i nadnaturalne piękno lwów nie przestają go zdumiewać, choć pracuje przy nich już od piętnastu lat. Podobnie jak podczas pracy w branży filmowej, Larson często mówi znajomym, że nie może uwierzyć, iż naprawdę płacą mu za to, co robi.

Z kieszeni na piersi służbowej bluzy w kolorze khaki wyciąga paczkę parliamentów, a gdy wsuwa do ust papierosa i zapala, z motoroli przypiętej do bocznej kieszeni krótkich spodni dobiega przenikliwy sygnał alarmowy. Sięga po radio, próbując się domyślić, o co chodzi, ale w tym momencie przez trzaski przebija się piskliwy głos Ala Ronkowskiego z ekipy technicznej; wścieka się na kogoś, kto zajął jego miejsce na parkingu.

Larson ni to parska śmiechem, ni to prycha z pogardą, po czym ścisza radio i wydmuchuje nosem dwie szare smugi dymu, przyglądając się trawie na drugim końcu wybiegu, który ma długość sześćdziesięciu i szerokość trzydziestu metrów. Zastanawia się, gdzie, u diabła, mogły się podziać dwa lwy. Kiedy otwiera bramę, Mosa zwykle czeka na niego jak domowy kot, który biegiem wpada do kuchni na dźwięk elektrycznego otwieracza do puszek.

Słysząc plusk, Larson wyrzuca niedopałek i wstaje. W panice.

Co? Nie!!! W fosie?

Wysoka skarpa i taras uniemożliwiają lwom wejście do fosy, ale ta ochrona nie zdołała powstrzymać kiedyś jednego z nich przed skąpaniem się. Sprowadzenie przerażonej i przemoczonej Mosy na suchy ląd zajęło pracownikom zoo dwie godziny.

Tego mu tylko potrzeba, gdy akurat nie ma szefów, a w pracy jest połowa personelu. Bawić się w ratownika blisko dwustukilogramowego wkurzonego i całkowicie przemoczonego lwa.

Wchodzi do klatki bez ubezpieczenia: zdecydowanie wbrew zasadom, ale w rzeczywistości stale robi się takie rzeczy. Szybko otwiera bramkę dla opiekunów i biegnie na skraj skarpy.

Po chwili oddycha z ulgą, widząc jedną z zielonych piłek do ćwiczeń unoszącą się na powierzchni wody. Zapomniał o tych głupich zabawkach. Na szczęście nie stało się nic więcej. Mosa w jakiś sposób zdołała przerzucić piłkę nad tarasem. I tyle. Uff.

Odwracając się od krawędzi skarpy, Larson nagle nieruchomieje. Stoi jak skamieniały nad brzegiem fosy. Dokładnie między nim a otwartą bramką w ogrodzeniu siedzi Dominick: nieporuszony, miarowo machając ogonem, utkwiwszy złotobursztynowe oczy w twarzy Larsona. Jego śniadanie leży nietknięte obok. Siedzi, ogromny i milczący, i wpatruje się w Larsona obojętnymi oczyma barwy ognia.

Larson czuje suchość w ustach, gdy potężny kot pochyla się naprzód, a potem cofa, jak markujący cios bokser.

Przyjmuje pozy, tłumaczy sobie spokojnie Larson, starając się w ogóle nie ruszać. Oczywiście stary kocur jest po prostu zaskoczony jego obecnością na swoim terytorium. Larson wie, że na wolności ten dwudziestoletni tetryk już dawno zostałby zabity przez młodszego rywala, który miałby chrapkę na samice w jego stadzie.

Larson dochodzi do wniosku, że ma mały kłopot. Zastanawia się, czy skorzystać z radia, ale rezygnuje. Przynajmniej na razie. Był już w klatce z Dominickiem. Staruszek po prostu zgrywa ważniaka. Za chwilę znudzi go ta gra w cykora i zacznie jeść. Dominick zna Larsona od wielu lat. Zna jego zapach, wie, że nie stanowi zagrożenia.

Poza tym w najgorszym wypadku Larson ma za plecami fosę. Wystarczą trzy kroki i będzie bezpieczny. Zsunie się ze skarpy, być może złamie nogę w kostce i mokry i upokorzony zaczeka na innych opiekunów, ale kiedy się zjawią, jego kości wciąż będzie okrywać skóra, a wnętrzności nadal będą w środku, gdzie woli je zatrzymać.

– Już dobrze, dobrze, stary – mówi Larson, po czym szepcze „ciii", jak gdyby usypiał dziecko. – Lubię twoją Mosę, ale nie jest w moim typie.

Larson zauważa ruch po lewej, właściwie bardziej go wyczuwa, niż widzi. Odwraca się w tę stronę i dostrzega coś płowego i masywnego, co wyskakuje z trawy, wzbijając w powietrze słup kurzu, nabiera prędkości i mknie w jego stronę coraz większe.

Opiekun nie zdąża zrobić nawet kroku, gdy Mosa skacze na niego. Jej łeb uderza go w pierś jak potężny taran. Z jego płuc natychmiast uchodzi całe powietrze, Larson unosi się i ląduje na plecach trzy metry dalej.

Oszołomiony leży na wznak. Serce wali mu jak oszalałe i Larson obawia się, że to zawał. Ale przestaje o tym myśleć, gdy tuż przy jego uchu rozlega się cichy, zdławiony pomruk Mosy.

Sięga po radio, lecz w tym momencie Mosa kładzie łapy na jego ramieniu i wgryza mu się w twarz. Długie górne kły

15

przebijają mu oczy, a dolne siekacze bez trudu zagłębiają się od dołu w jego szczęce.

Mosa miota ciałem Larsona jak bezradną szmacianą lalką, trzymając go zębami za głowę. Kiedy skręca mu kark z trzaskiem do złudzenia przypominającym odgłos łamanego ołówka, ten dźwięk jest ostatnią rzeczą, jaką mózg Larsona rejestruje przed śmiercią.

3

Mosa z gardłowym warknięciem puszcza martwego opiekuna. Pazurem prawej przedniej łapy, przypominającym kciuk, wydłubuje jak wykałaczką kawałek mięsa spomiędzy zębów. Kiedy zlizuje krew z warg, na ziemi ląduje to, co zostało z zegarka Larsona.

Dominick, który już się pożywił, rusza biegiem w kierunku otwartej bramki. Na końcu korytarza między ogrodzeniami lwy mijają maleńką klatkę zabiegową, do której wpychają je opiekunowie, gdy zwierzęta potrzebują pomocy medycznej. Nie będą za nią tęsknić.

Szybko pokonują felidarium. Na przeciwległym końcu, przy gumowych wężach, jest niska bramka, a po drugiej stronie biała betonowa ścieżka. Mosa i Dominick zwinnie i lekko jednym susem przeskakują bramkę i już po chwili pędzą pustą promenadą zoo. Potem przesadzają kołowrotki przy wejściu i okrążając parking, zmierzają do najbliższej kępy dębów i orzechów Griffith Park.

Szybko wspinają się na porośnięte krzewami wzgórze i zbiegają z niego truchtem. Gorący wiatr znów przynosi zapach człowieka. Chwilę później dostrzegają jego źródło na jednym z torów gry pola golfowego. To przystojny i młody czarnoskóry mężczyzna w czerwonej koszulce i czarnych spodniach. Przed pójściem do pracy postanowił zaliczyć dziewięć dołków. Jest wyraźnie zaskoczony widokiem lwów na polu golfowym.

Dominick rzuca się naprzód, przewracając na bok mężczyznę, który gubi buty. Śmiercionośne zęby wyrywają golfiście prawie całą szyję, tryska fontanna krwi.

Zwierzę puszcza martwego człowieka i wolno się cofa, gdy widzi radiowóz zbliżający się do pola od północy. Chce zostać i zaatakować, ale wie, że ta skrzynka pełna ludzi jest zrobiona z tego samego zimnego i trudnego do sforsowania materiału co jego klatka.

Lwy biegną w stronę lasu, aby ukryć się wśród drzew. Na szczycie wzniesienia Dominick przystaje na chwilę i spogląda na miasto. Poniżej rozciąga się Los Angeles, brązowe pole zamieszkane przez ludzi, drgające w zasnuwającym je dymie i nadciągającym upale, którego granice rozpływają się we mgle.

Zapach jest silniejszy i dochodzi ze wszystkich stron. Z biurowców i domów, z ulic, z maleńkich samochodów sunących po autostradach. Powietrze jest nim przesycone. Ale zamiast od niego uciekać, Dominick i Mosa, żądne krwi, ruszają biegiem w jego kierunku, szukając łapami oparcia na zboczu.

Księga pierwsza

Początek końca

Rozdział 1

Obudziłem się roztrzęsiony.

Z początku wpadłem w panikę, myśląc, że mam udar albo coś podobnego. Potem otworzyłem oczy i z ulgą przypomniałem sobie, że to nie ja się trzęsę. Trzęsło się moje mieszkanie.

Zza ściany zakurzonych przemysłowych okien obok łóżka dobiegał odgłos przypominający łomot, jaki wydaje pułk olbrzymów rytmicznie uderzających kolbami karabinów o beton podczas musztry paradnej. Ale to nie byli poczciwi żołnierze marines w zielonych mundurach. Wiedziałem, że źródłem huku, który mógłby wskrzesić zmarłego, jest kolejka linii metra numer 1 Broadway–Siódma Aleja, jadąca nadziemnym odcinkiem, który przebiegał obok mojego nowego mieszkania w Harlemie – loftu na czwartym piętrze. Jeszcze nie przyzwyczaiłem się do tego pociągu.

Skrzywiłem się, zakryłem głowę poduszką. Bez sensu. Tylko w Nowym Jorku trzeba płacić za przywilej spania przy wiadukcie.

Ale byłem tak spłukany, że nie stać mnie było nawet na narzekanie. Usiadłem. Nie mogłem sobie nawet pozwolić na spanie. Nie stać mnie było nawet na myślenie o pieniądzach. Wydałem wszystko, a nawet więcej; moją zdolność kredytową szlag trafił. W tym momencie widziałem przed sobą tylko jeden cel, który za wszelką cenę musiałem osiągnąć, koncentrując na nim całe swoje życie: zrozumieć to, zanim będzie za późno.

Nie zawsze było jednak tak beznadziejnie. Zaledwie dwa lata wcześniej nie tylko miałem mieszkanie, które się nie trzęsło, ale dostałem szansę szybszego uzyskania doktoratu na Uniwersytecie Columbia. Byłem ulubieńcem na wydziale ekologii, ewolucji i biologii środowiskowej i miałem sukces w zasięgu ręki, czując już zapach kontraktów na książki, przyjęć, ciepłych posad uniwersyteckich.

Wtedy właśnie zetknąłem się z pewnym zdarzeniem – inni uznali je za pomyłkę – które odmieniło moje życie.

Coś zauważyłem. Coś, co odbiegało od normy. I czego nie mogłem zignorować.

Tak się czasem zdarza. Życie płynie jak bajka i nagle widzisz coś, co nie mieści się w żadnej kategorii. Co zaczyna wypełniać każdą twoją myśl, każdą chwilę snu i jawy.

Przynajmniej tak się stało w moim przypadku. Stałem u progu wspaniałej kariery naukowej, kiedy nagle zacząłem się zmagać z czymś, o czym nie mogłem przestać myśleć, czego nie potrafiłem się pozbyć, nawet gdy mój świat walił mi się na głowę.

Wiem, że to brzmi jak czyste wariactwo. Zadatki na wybitnego intelektualistę w połączeniu z obsesją i odrzuceniem tradycyjnie pojmowanego sukcesu zwykle zapowiadają dość marny koniec. Na pewno tak było w przypadku Teda Kaczyńskiego, Unabombera, i Chrisa McCandlessa, bohatera książki i filmu *Wszystko za życie*, który umarł w autobusie.

Nie byłem jednak malkontentem ani mistykiem, który stara się nawiązać bliski kontakt z wyższą rzeczywistością. Bardziej przypominałem Kurczaka Małego, specjalizującego się w biologii ewolucyjnej Kurczaka Małego, który odkrył, że niebo naprawdę się wali. Tyle że nie chodziło o niebo, ale o coś więcej. Waliło się życie biologiczne. Życie zwierząt. Działo się coś bardzo, bardzo dziwnego i bardzo, bardzo złego, a mówiłem o tym tylko ja – głosem wołającego na puszczy.

Zanim jednak uprzedzę fakty, nazywam się Oz. Na imię mam Jackson, ale kiedy ktoś nosi takie nazwisko jak ja, nie używa imienia. Niestety, mój ojciec też jest znany jako Oz, podobnie jak moja mama, trzy siostry, stryjowie i wszyscy kuzyni ze strony ojca. Wprowadza to pewne zamieszanie na spotkaniach rodzinnych, ale to nie ma nic do rzeczy.

Chodzi o to, że zacząłem obserwować pewien globalny problem, któremu w dużej mierze poświęciłem życie i który próbowałem zrozumieć.

Wiem, brzmi to pompatycznie, ale obawiałem się, że jeśli mam rację – a po raz pierwszy w życiu miałem szczerą nadzieję, że się mylę – rozpoczęła się ogólnoświatowa zmiana paradygmatu, przy którym globalne ocieplenie przypominało niedzielny spacer po ekologicznym ogrodzie społecznościowym.

Rozdział 2

Wyskoczyłem z łóżka w szarych, pogniecionych spodniach od piżamy, którą podarowały mi linie Air France przy okazji niedawnego lotu do Paryża. Ogoliłem się, wziąłem prysznic, wyszorowałem zęby, po czym znów włożyłem elegancką francuską piżamę. Praca w domu ma swoje zalety. Zgoda, słowo „praca" sugeruje, że na niej zarabiałem. Ale to był inny rodzaj pracy. Tak czy inaczej, piżama była naprawdę wygodna.

Wychodząc z sypialni, sięgnąłem po jeszcze jeden cenny przedmiot wiszący na klamce – wełnianą czapkę w kolorze strażackiej czerwieni, którą zdobyłem przy okazji niedawnej wyprawy na Alaskę. Naciągnąłem ją na głowę i rzuciłem się na podłogę, żeby zrobić codzienną setkę pompek. Tego zwyczaju nabrałem jeszcze przed college'em, przy okazji innego wyjazdu – czteroletniej służby w wojsku.

Po porannej gimnastyce ruszyłem do swojej pracowni. Włączyłem listwy zasilające, a następnie telewizory, ustawione w rzędzie na metalowym stole roboczym znajdującym się pośrodku industrialnego pokoju. Miałem w sumie osiem telewizorów. Część nowoczesnych z płaskimi ekranami, ale w większości gruchoty, które wygrzebałem ze śmietników, kiedy telewizja przeszła na sygnał cyfrowy. Za nimi kłębił się gordyjski węzeł przewodów, którymi były podłączone do dekoderów kablowych i satelitarnych oraz kilku laptopów i serwerów. Zmodyfikowałem je z pomocą kilku znajomych elektroników, tworząc największy, najbardziej odjechany system rejestracji wideo.

Kiedy czekałem, aż wszystko zacznie pracować, otworzyłem pierwszą tego dnia puszkę red bulla. Następna kolejka linii numer 1 spowodowała przyspieszenie akcji serca, wzbijając obłok kurzu z parapetów. Możecie mnie nazwać świrem – śmiało, nie będziecie pierwsi – ale po pierwszym szoku nawet polubiłem tło dźwiękowe, jakie zapewniał mi w mieszkaniu nowojorski system transportu publicznego. Nie wiem dlaczego, ale odkąd byłem małym dzieckiem aż po czasy, gdy dostałem stypendium Rhodesa na Uniwersytecie w Oksfordzie, mój nadpobudliwy mózg zwykle pracował pełną parą, gdy dookoła panował ogłuszający hałas. Oldskulowe AC/DC to były moje klimaty. Metallica i Motörhead, z dźwiękiem podkręconym na maksa.

Patrząc spod zmarszczonych brwi na rozjaśniające się ekrany, przypomniałem sobie, jak mój ojciec, porucznik nowojorskiej straży pożarnej, oglądał wieczorne wiadomości. Po jakiejś dużej akcji na Bronxie przychodził do domu, siadał przed telewizorem i w trakcie pierwszej reklamy, po jednej czy dwóch butelkach piwa Miller High Life, mawiał:

– Oz, synu, czasami wydaje mi się, że ten nasz świat to po prostu jedno cholerne zoo.

Na ekranach przede mną zaczęły się pojawiać zwierzęta. Całe mnóstwo zwierząt. I wszystkie zachowywały się bardzo źle.

Ojcowie chyba rzeczywiście wszystko wiedzą najlepiej, bo działo się właśnie coś takiego. Świat zmieniał się w zoo bez klatek.

Rozdział 3

Sadowiąc się na swoim skórzanym krześle na kółkach z wyprzedaży używanych sprzętów, wziąłem czysty notatnik z nowego pliku na stole po prawej, nacisnąłem przycisk długopisu i napisałem datę.

Podkręciłem dźwięk w telewizorze numer cztery.

– „Wczoraj odnaleziono ciała zaginionego siedemdziesięciodwuletniego myśliwego i jego pięćdziesięciojednoletniego syna – powiedziała reporterka telewizji WPTZ w Plattsburghu w północnej części stanu Nowy Jork. Atrakcyjna brunetka w czerwonej kurtce trzymała mikrofon jak kieliszek wina. – Mężczyźni najprawdopodobniej zostali zabici przez baribale w trakcie nielegalnego polowania w okolicach Lake Placid".

Na ekranie ukazała się relacja z konferencji prasowej, na której wypowiadał się młody funkcjonariusz policji stanowej. Króciutko ostrzyżony, chudy. Chłopak ze wsi, czujący się nieswojo przed kamerami.

– „Nie, na pewno nie można ich było uratować – powiedział policjant. Spółgłoski b i p wymawiał prosto do mikrofonu. – Obaj mężczyźni od dawna nie żyli i zostali częściowo zjedzeni. Ciągle jednak nas zastanawia, jak to się stało. Każdy z nich miał naładowaną broń".

Na koniec oświadczył, że ojciec i syn byli znanymi kłusownikami i z upodobaniem stosowali nielegalną metodę polowania na jelenie, wykorzystując psy, które zapędzały zwierzęta w zasadzkę.

– „Oddaję ci głos, Brett" – oznajmiła brunetka.

– Niedobrze, Brett – powiedziałem.

Ściszyłem czwarty telewizor i nastawiłem głośniej odbiornik numer osiem. Pik, pik, pik – rósł rządek zielonych pasków na ekranie.

Zaczynał się właśnie program informacyjny na NDTV, anglojęzycznej indyjskiej wersji CNN.

– „Wczoraj w Kerali podczas tresury słoni zginął kornak – powiedział prezenter w średnim wieku. Miał wąsik i włosy zaczesane w bollywoodzkim stylu. Było w nim coś z Clarka Gable'a. – Uprzedzam, że zdjęcia, jakie państwu pokażemy, są drastyczne".

Nie żartował. Patrzyłem, jak słonica przywiązana do pala na placu w wiosce wdeptuje w ziemię drobnego człowieczka. Potem owija trąbę wokół jego nogi i wyrzuca go wysoko w powietrze.

Prezenter wyjaśnił, że do ataku doszło w chwili, gdy rozdzielono matkę z małym słoniątkiem podczas metody tresury zwanej *phajaan*.

Słyszałem o tym. *Phajaan*, polegający na katowaniu zwierzęcia, to najpopularniejsza metoda tresury słoni w wiejskich rejonach Indii. Słoniątko zostaje oddzielone od matki i umieszczone w klatce. Mieszkańcy wioski tłuką je gorącymi żelaznymi prętami i kijami nabijanymi gwoźdźmi. Brutalne tortury trwają tak długo, aż zwierzę pozwoli się dosiąść człowiekowi albo umrze.

– Chyba mamusia nie zaliczyła pomyślnie programu, stary – powiedziałem do umierającego na ekranie tresera słoni. Jednak clou programu była wiadomość z ostatniej chwili, którą nadał Fox News w telewizorze numer dwa. Lala Barbie poinformowała mnie, że dwa lwy z zoo w Los Angeles nie tylko zabiły swojego opiekuna i uciekły, ale zagryzły też jakiegoś faceta na pobliskim polu golfowym. Zobaczyłem kilku funkcjonariuszy policji Los Angeles uzbrojonych w M16, którzy zamknęli kordonem wysadzaną palmami ulicę, a za nimi kręcili się specjaliści ze straży ochrony zwierząt w białych kombinezonach.

– „Ostatni raz widziano lwy w dzielnicy La Brea niedaleko Beverly Hills" – szczebiotała Megyn Kelly, nie odrywając nieobecnego wzroku od telepromptera.

Rzuciłem długopisem. Byłem wkurzony, po prostu wkurzony. Swędziała mnie skóra, serce waliło jak młotem. Czy wszyscy śpią? Zostali zahipnotyzowani? Są na haju? Cholera jasna, wszyscy się naćpali?

Znów chwyciłem długopis i nagryzmoliłem w notatniku litery tak mocno, że przedziurawiłem kartkę.

K O C Z !!!!!!!!

Potem rzuciłem notatnikiem przez cały pokój.

– Ludzie, kiedy zaczniecie słuchać?! – wrzasnąłem do swojej ściany mediów.

Przyszła pora na kolejną porcję kofeiny.

Rozdział 4

Przez kilka minut siedziałem pochylony na krześle, oddając się terapeutycznej wściekłości, którą kipiałem. Słuchałem dobiegającego zza okna huku kolejki jadącej na północ, a potem kolejki jadącej na południe. Następnie poszedłem na drugi koniec pokoju, podniosłem notatnik i wróciłem do pracy.

KOCZ: konflikt człowieka ze zwierzętami. To była teoria, nad którą pracowałem.

Otóż byłem przekonany, że zmienia się zachowanie zwierząt na całym świecie. W dodatku nie na lepsze. W najmniejszym stopniu. Coraz więcej gatunków na każdym kontynencie zaczynało się nagle zachowywać hiperagresywnie wobec jednego konkretnego zwierzęcia.

To my byliśmy ich wrogiem. Ty i ja. Ludzie. Człowiek, człowieku.

Fakty nie budziły wątpliwości. Od Rumunii po Kolumbię, od Pirenejów po Góry Skaliste, od St. Louis po Sri Lankę nastąpił gwałtowny wzrost liczby ataków zwierząt na ludzi. Przeróżnych zwierząt – lampartów, niedźwiedzi, wilków, dzików. Ściślej mówiąc, w ciągu ostatnich czterech lat liczba ataków ze strony dzikich zwierząt na całym świecie wzrosła dwukrotnie w porównaniu z roczną przeciętną poprzedniego półwiecza. Podkreślam: dwukrotnie.

Zresztą nie chodziło tylko o dzikie zwierzęta. W Australii odnotowano dwadzieścia procent więcej obrażeń zadanych przez psy i koty. W Pekinie już trzydzieści cztery procent. W Wielkiej Brytanii w zeszłym roku trzeba było hospitalizować prawie cztery tysiące osób pogryzionych przez psy.

Z powodu, którego nie udało mi się jeszcze ustalić, rozpoczął się jakiś zorganizowany, międzygatunkowy ewolucyjny sprzeciw wobec homo sapiens. Innymi słowy, z jakiejś przyczyny zwierzęta fiksowały i trzeba było coś z tym zrobić, a czas na to skończy się pewnie szybciej niż zapas plastikowych różdżek na zlocie fanów Harry'ego Pottera.

Wiem, jak to brzmi – jakbym miał nierówno pod sufitem. Różne gatunki zwierząt działają wspólnie i w porozumieniu przeciwko ludziom. To niedorzeczne. Szalone, niemożliwe. Też kiedyś sądziłem, że to wielki i dziwny zbieg okoliczności. Całe mnóstwo zupełnie niepowiązanych ze sobą, pojedynczych zdarzeń. Z początku koledzy nabijali się, gdy zacząłem tropić to zjawisko na swoim żartobliwym blogu *Człowiek kontra przyroda*.

Przestałem się śmiać, kiedy uważniej przyjrzałem się dowodom. Przyroda naprawdę wypowiedziała człowiekowi wojnę. A nasza strona w ogóle tego nie zauważała.

Wyrażenie „między Scyllą a Charybdą" pochodzi z mitologii. Były to dwa morskie potwory, które czyhały na żeglarzy przepływających przez cieśninę między Sycylią a Półwyspem Apenińskim. Scylla porywała marynarzy z pokładów, a Charybda pochłaniała i wypluwała wodę razem z okrętami. Jeżeli statek przepływał bliżej Charybdy, oznaczało to pewną śmierć. Zbliżając się do Scylli, załoga ryzykowała stratę sześciu ludzi.

Żadne wyjście nie było bezpieczne. Tak czy inaczej, miałeś przesrane.

Znalazłem się właśnie w takiej sytuacji, w wąskim przesmyku między złym a jeszcze gorszym. Czułem, jak gdyby z obu stron rozdziawiały się żarłoczne paszcze potworów. Jeżeli się myliłem, to zwariowałem. Jeśli miałem rację, światu groziła zagłada.

Robiłem, co mogłem, żeby to rozgłosić, ale nic nie wskórałem. Wyczyściłem wszystkie karty kredytowe, swoje i życzliwych mi członków rodziny, żeby rozmawiać z każdym, kto chciał słuchać. Pojechałem do Paryża na konferencję na temat praw zwierząt, gdzie nałgałem, żeby dopuszczono mnie do głosu. Kiedy byłem w połowie przemowy, sala mnie wyśmiała i nie pozwoliła mi dokończyć.

Nie, ludzie nie przejmowali się tym ani trochę. Bylibyście zszokowani i przerażeni ogromem intelektualnej nietolerancji wobec osób, które lubią chodzić w czerwonych czapkach i pogniecionej piżamie.

Zdarzenie w zoo w Los Angeles przebiło wszystkie poprzednie. W relacji powiedziano, że lwy urodziły się w niewoli. Dlaczego para drapieżnych kotów z zoo pewnego dnia zaczyna zabijać ludzi i grasować po mieście? Bo jest dwieście kanałów w telewizji i nie ma w nich co oglądać? Przecież to bez sensu. Lwy z zoo nie wpadają w szał. Po prostu nie ma żadnego powodu, żeby wychodziły zza krat i mordowały. W każdym razie dotychczas tak nie było.

Wcisnąłem przycisk szybkiego wybierania i zadzwoniłem do swojej agentki prasowej, żeby spróbowała skontaktować mnie z Fox News. Jak zwykle natychmiast odezwała się poczta głosowa. Nawet agentka uważała mnie za świra, chociaż jej płaciłem. Zły znak.

Kiedy nagrałem najnowszą prośbę, postanowiłem zrobić jedyną rzecz, jaka przyszła mi do głowy. Podłączyłem się do iPoda i puściłem na cały regulator Motörhead, żeby dodać umysłowi bardzo potrzebnej energii. Pomóż mi, Lemmy. Siorbnąłem red bulla i spróbowałem pomyśleć, oglądając następne z najmniej zabawnych klipów świata.

Nagle się wyprostowałem, bo Attyla wyrwał mi słuchawki z uszu.

– Hej, Attyla – powiedziałem. Gdy mój współlokator wyciągnął rękę, przybiłem mu piątkę. – Popatrz na to szaleństwo. Za każdym razem, kiedy myślę, że wszystko się nareszcie uspokaja, zaczyna się dziać dwa razy więcej. Sarah nie zadzwoni. *Chłopiec, który wołał o pomoc*, rozumiem twój ból, coś w tym stylu.

– Hiiaaa! Hiiaaa! Hiiaaa! – odrzekł Attyla.

Następnie wydał z siebie parę pohukiwań, wgramolił mi się na kolana, dał mokrego całusa i objął kosmatym ramieniem.

Attyla jest bowiem szympansem.

Rozdział 5

Ponieważ wiedziałem, że telewizory mu przeszkadzają, wziąłem Attylę za rękę – suchą i zaskakująco miękką, jak skórzana rękawiczka – i zaprowadziłem go do kuchni. Attyla: pięć lat, metr dwadzieścia i czterdzieści pięć kilogramów szympansa.

Na śniadanie dałem mu mango, górę ciastek Newton z figowym nadzieniem (które wcinał jak małpa kit) i połowę tego, co zostało z kanapki z indykiem. Na deser podałem mus jabłkowy zmieszany z rozgniecionymi witaminami i tabletkami zoloftu.

Zgadza się, zoloftu.

W naszym zwariowanym świecie nawet małpy potrzebują pigułek szczęścia. A może tylko te, które mieszkają w Nowym Jorku.

Umyłem Attyli zęby i zaprowadziłem go z powrotem do jego pokoju. Na wyłożonej gazetami podłodze walały się jego zabawki: minipiaskownica, skrzynka pełna piłek i lalek, stół do cymbergaja i stary automat do ćwiczenia rzutów do kosza. Właściwie te dwie ostatnie były raczej moimi zabawkami. Ale konsola Wii bez dwóch zdań należała do Attyli. W kręgle potrafił mi nieźle dokopać.

Przez chwilę stałem w drzwiach i patrzyłem, jak się bawi. Zainstalowałem w jego pokoju solidną stalową siatkę, chociaż był coraz starszy i wiedziałem, że niedługo znajdzie na nią sposób. Będę musiał niebawem znaleźć mu nowy dom. Ostatnio ulubioną zabawką Attyli była lalka, którą niedawno kupiłem mu w American Girl. Miała warkocze i kraciastą sukienkę, bardzo w stylu *Domku na prerii*. Attyla całował i kołysał w ramionach dużą jasnowłosą lalkę. Potem przyniósł mi ją i uniósł, żebym też mógł ją pocałować. Sapnął zadowolony, wrócił na swoje siedzisko z wypełnionej kulkami poduchy i zaczął udawać, że ją karmi.

Ludzie, którzy twierdzą, że traktują swoje psy jak dzieci, nigdy nie mieszkali pod jednym dachem z szympansem, możecie mi wierzyć. Pokręciłem głową i uśmiechnąłem się do swojego małego kumpla. Przyjemnie było widzieć go, jak się spokojnie bawi. Kiedy się poznaliśmy, wyglądał zupełnie inaczej.

Znalazłem Attylę dwa lata wcześniej w Willis Institute, firmie biomedycznej w południowej części New Jersey, gdzie zatrudniłem się jako asystent laboratoryjny. Było późno, gdy sprzątając po drugim dniu pracy, otworzyłem jakieś drzwi i zobaczyłem go. Najbardziej uroczą trzyletnią małpę, jaką w życiu widzieliście, która leżała na ziemi, przyciskając różowy pysk do zimnych prętów maleńkiej klatki.

Utkwił we mnie żałosne spojrzenie zaczerwienionych oczu. Okropnie ciekło mu z nosa. Badania biomedyczne na szympansach na ogół wyglądają tak: najpierw zarażają szympansa jakąś chorobą, a potem podają mu nowy lek, który chcą przetestować. Jeżeli nie będzie działał, trudno; szympans umiera. Albo badają skutki uboczne i tak dalej. Przeglądając papiery doczepione do klatki, dowiedziałem się, że jakiś mężny człowiek przeprowadzał na nim dziwne badania olfaktoryczne. Testował perfumy czy coś w tym rodzaju.

Kiedy brązowe oczy małpy – która jeszcze nie była wtedy Attylą i nosiła numer 579 – popatrzyły na mnie przenikliwie i smutno, w mojej frajerskiej głowie zrodził się pewien plan. Tydzień po zakończeniu pracy jeszcze raz ruszyłem na południe drogą międzystanową I-95, mając w kieszeni klucz do laboratorium z wytłoczonym napisem ZAKAZ KOPIOWANIA, który w wyjątkowym roztargnieniu zapomniałem oddać. Gdy po północy odjeżdżałem z parkingu laboratorium, Attyla leżał na tylnym siedzeniu mojego wysłużonego hyundaia sonaty, przykryty pudełkami po pizzy Papa John's.

Przez pierwsze kilka tygodni, mieszkając ze mną, był nieufny, bardzo czujny i prawie w ogóle nie spał. Czekał ze strachem, czy nie zrobię mu krzywdy. Znajomy weterynarz zdiagnozował u niego zespół stresu pourazowego i przepisał zoloft, który podziałał jak zaklęcie.

Wiem, co sobie myślicie. Albo jestem lewicowym oszołomem stukniętym na punkcie praw zwierząt, albo w dzieciństwie naoglądałem się za dużo odcinków *B.J. and the Bear*. Albo jestem wariatem. Albo idiotą. Zwykle nie mówię innym naukowcom, że trzymam w mieszkaniu szympansa. Nigdy nie zamierzałem zostać panem „Ciekawskiego George'a" dwudziestego pierwszego wieku. Tak się po prostu złożyło. Początkowo zamierzałem odwieźć Attylę do schroniska w Luizjanie, przygarniającego małpy, na których prowadzono badania. To ciągle jest mój ostateczny plan. Na razie jednak szympans mieszka ze mną.

Attyla odłożył lalkę i podszedł do drzwi prowadzących na taras, stukając w nie, żebym wypuścił go na ogrodzoną przestrzeń, gdzie zainstalowałem huśtawkę z opony.

– Orientuj się, Attyla! Atakuję! – zawołałem i zagłębiłem palce w jego sierści po bokach, żeby go połaskotać.

– Uu-uu-uu-uu aa-aa-aa hiiaa hiiaa hiiaaaaaaaaa!

Patrzyłem, jak podbiega do huśtawki, opierając się na kostkach zgiętych palców, i wskakuje na nią z radosnym wrzaskiem, a potem odwróciłem się, zamknąłem kratę i wróciłem do pracy.

Rozdział 6

Attyla leży na brzuchu na huśtawce i macha długimi, silnymi ramionami, żeby się rozkołysać. Końce długich sękatych palców muskają ziemię. Przednie kończyny ma mocne i szczupłe, przystosowane do wspinaczki po drzewach. Jak większość szympansów Attyla lubi się bawić. Lubi zapasy, śmiech i łaskotki.

I podobnie jak ludzie, jest bardzo świadomy swojej pozycji społecznej i potrafi uciekać się do podstępu.

Przypomina człowieka bardziej niż jakakolwiek inna istota.

Gdy dostrzega, że człowiek zniknął w korytarzu, wydaje krótki wysoki dźwięk, świadczący o wzburzeniu i zaniepokojeniu. Nie doczekawszy się reakcji, rzuca się z powrotem na huśtawkę i miota się tam i z powrotem, napinając łańcuch, który głośno skrzypi pod jego ciężarem.

Wszystko jest takie dziwne. Poruszające się w dole pudełkowe kształty. Mały grzmot, który czasem przetacza się nad głową. Czasem wszystko nagle nabiera tego zapachu. Strasznego zapachu, Złego Zapachu, który kiedyś wypełniał jego klatkę w dużym jasnym pokoju; zapachu, który jeży sierść na grzbiecie Attyli i wywołuje u niego ból brzucha. Zapach staje się silniejszy. Ciągle silniejszy. Nawet na zewnątrz. Co dzień coraz bardziej.

Znudzony, zły i zalękniony Attyla odwraca się od okna i przetrząsa ogrodzony plac zabaw, dopóki nie znajduje lusterka. Przysuwa je blisko twarzy i przygląda się swojemu odbiciu. Jak każdy szympans potrafi rozpoznać samego siebie. Ma teraz pięć lat, jego twarz traci różowawy odcień i ciemnieje. Kępka szorstkich białych włosów na brodzie już prawie zniknęła.

Lusterko go nudzi, więc odkłada je i biega tam i z powrotem, potrząsa ogrodzeniem, wrzeszczy na dziwne mury i przesuwa rzeczy. Po jakimś czasie zaczyna się bawić, rozrzucając przedmioty po całym tarasie. Plastikowe krzesło. Trójkołowy rowerek z parowozem Tomkiem. Nagle jego wzrok pada na pluszowego królika. Attyla podnosi go i zabiera do kąta.

Przytula go, delikatnie gładzi palcami jego miękkie futerko, gdy powiew wiatru przynosi na taras Zły Zapach, który uderza go w nozdrza niczym cios.

Attyla dłońmi rozdziera królika na pół. Szympans ma chwyt tak silny jak szczęki pitbula. Wydając stłumiony krzyk, rozszarpuje zabawkę na strzępy. Potem wypycha kawałki królika przez otwory ogrodzenia i pohukuje, gdy jak śnieg, jak popiół sypią się na alejkę za budynkiem.

To poprawia Attyli nastrój.

Po chwili znów rzuca się na huśtawkę i odbijając się długimi ramionami, zatacza na niej koła.

Rozdział 7

Przez następną godzinę rozsyłałem wiadomość o ataku lwów w Los Angeles do wszystkich swoich kontaktów, żeby poznać ich reakcje. Próbowałem między innymi skomunikować się z niejakim Abrahamem Bindixem, przewodnikiem safari z Botswany, którego poznałem w Paryżu. Facet naprawdę sporo wiedział o lwach i należał do wąskiego grona znanych mi osób, które nie uważały mojej teorii KOCZ za czyste wariactwo.

Kiedy nadal czekałem na sygnały od ludzi i drugi raz dzwoniłem do swojej agentki prasowej, dostałem SMS-a.

KOCZ 911! GDZIE JESTEŚ?

– Cholera – powiedziałem. Wiedziałem, że o czymś zapomniałem.

W drodze, skłamałem w odpowiedzi. I zaraz zadzwoniłem do właściciela mieszkania. Pięć okropnie długich minut później zjawiła starsza, koścista kobieta w spłowiałej sukience w kwiaty z tamborkiem do haftowania i hiszpańskimi krzyżówkami w rękach. Była to matka właściciela mieszkania, która od czasu do czasu opiekowała się Attylą. Oprócz tego, że miała do mnie dzwonić, gdyby coś się działo, nie musiała nic więcej robić.

Kiedy stanąłem w drzwiach prowadzących na taras, Attyla patrzył w lusterko, które mu kupiłem jakiś czas temu.

– Słuchaj, przystojniaku. Pani Abreu przyszła cię popilnować, więc bądź grzeczny, dobra? Muszę wyjść coś załatwić, ale jak wrócę, zagramy w piłkę. Obiecuję.

Attyla spuścił głowę i wysunął wargi w grymasie niezadowolenia. Dopiero gdy szeroko rozłożyłem ręce, skoczył mi w ramiona, omal nie przewracając na podłogę. Wyrzucił z siebie serię urywanych okrzyków. Pohukiwanie było znakiem rozpoznawczym, jakim przedstawiają się szympansy.

Attyla wyraźnie się ucieszył, kiedy odpowiedziałem mu identyczną serią pohukiwań.

Po pożegnaniu zarzuciłem na ramię rower Cannondale i zniosłem go po schodach z czwartego piętra, a następnie ruszyłem na północ zakorkowanym Broadwayem. Z opuszczoną głową pedałowałem jak szalony, śmigając obok nielegalnych, nielicencjonowanych taksówek, supermarketów C-Town i kwiaciarni. Przy numerach od 140, gdzie Broadway zaczyna się piąć aż do Washington Heights, poczułem pulsujący ból w udach.

Przecinając drogę śmieciarce na Sto Pięćdziesiątej Dziewiątej, skręciłem po łuku w lewo w Fort Washington Avenue i ruszyłem dalej na północ. Kilka minut później skręciłem w prawo w wąską Sto Osiemdziesiątą Pierwszą, a następnie z piskiem hamulców, cały spocony, zatrzymałem się przed przedwojennym budynkiem, który czasy świetności miał już za sobą. Obok wejścia znajdował się sklep Wszystko po 99 centów. Założyłem blokadę na rower, wszedłem tam i dokonałem pewnego zakupu, wywołując lubieżny uśmieszek na kamiennej twarzy Chinki stojącej za ladą.

Ociekając potem w obskurnym korytarzu budynku, wcis-

nąłem kciukiem przycisk domofonu mieszkania „N. Shaw".
Od razu rozległ się brzęczyk otwierający drzwi. N. Shaw
czekała na mnie na piątym piętrze przy windzie w zielono-
niebieskim stroju chirurgicznym i nerwowo przytupywała
w wytarte płytki posadzki stopą obutą w adidas. Sytuacja
chyba naprawdę była poważna; jak kryzys KOCZ.

– Nie można ci wierzyć. Przecież wiesz, jak mało czasu
mam między zajęciami a dyżurem – powiedziała Natalie,
a następnie popchnęła mnie korytarzem do swojego mieszkania.

W tym stroju Natalie wyglądała posągowo. Ciemnozielone
oczy, rude włosy – naprawdę rude, rude jak płomień, włosy
Irlandki – mleczna cera i mnóstwo piegów, jak gdyby cukier-
nik obsypał ją całą cynamonem.

– Obiecałeś, że będziesz tu czekać. „Z wielką ochotą",
bo chyba tak się wyraziłeś, o ile pamiętam – rzekła, spoglądając na mnie oczami lśniącymi jak kryptonit i szarpiąc
w przedpokoju moją koszulę. Jej dłonie znalazły się na moim
pasku. – No to sprawdźmy, jak wielką, Ozzy.

Natalie była wulkanem seksu, libido rozmiarów XL uwięzio-
nym w szpitalnych turkusach. Poza tym była świetną studentką
medycyny na Uniwersytecie Columbia i miała duże szanse na
karierę neurologa. Całkiem miłe zestawienie, chociaż czasami
się zastanawiałem, czy nie zależy jej bardziej na moim ciele niż
umyśle. Pewnie będę się musiał po prostu z tym pogodzić.

– Udało mi się kupić ci pewien drobiazg – powiedziałem
i wyciągnąłem z kieszeni swój zakup za 99 centów.

Zawiesiłem na palcu parę najbardziej mikroskopijnych
i nieprzyzwoitych stringów, jakie kiedykolwiek wyproduko-
wano w Tajlandii – jaskrawoczerwonych i przezroczystych
jak celofan.

41

– Kto powiedział, że nie wiem, ile jest wart dolar? – dodałem.

Natalie oparła ręce na biodrach.

– Wyjaśnijmy coś sobie. Najpierw się spóźniasz, chociaż mamy jedyną szansę na seks od trzech dni – oznajmiła, przechylając głowę i mocno mrużąc oczy. – A kiedy w końcu przychodzisz, chcesz, żebym wskoczyła w jakieś badziewie, które wstydziłaby się włożyć nawet dziwka, tak?

– Mniej więcej – odparłem.

– Całowałeś tę małpę przed przyjściem tutaj? Jeżeli tak, to w tył zwrot i spadaj stąd.

– Nie – odrzekłem perfekcyjnie przekonującym tonem.

– W takim razie... – Wyrwała mi stringi z ręki. Rozciągnęły się i strzeliły jak guma. – Oz, naprawdę cię nienawidzę! – krzyknęła przez ramię w drodze do sypialni.

– Ja też cię nienawidzę, skarbie.

– Właź na kanapę! – rozkazała zza otwartych drzwi do sypialni. W lustrze widziałem, jak chwieje się na nogach, wciągając majteczki. – Zdejmij koszulę, ale zostaw spodnie. Chcę ci rozpiąć pasek zębami.

Rozdział 8

– To... było... – zaczęła Natalie. Nie mogła złapać tchu i gryzła własny palec, a jej mokre od potu ciało leżało jak zepsuta marionetka na podłodze w sypialni, gdzie znaleźliśmy się pół godziny później.

– Jak miłość z dżungli? – spytałem, wyplątując się ze swojego zakupu za 99 centów. Stringi jakimś sposobem znalazły się na moim lewym ramieniu. Zgarnąłem odłamki stłuczonego szkła z ramki zdjęcia, które spadło ze ściany. Była to fotografia jej ojca. Facet handlował akcjami w Connecticut. W dziewczynie płynęło trochę błękitnej krwi. Odwróciłem zdjęcie i szybko wsunąłem pod łóżko.

– Miłość z deszczowych lasów równikowych – powiedziała Natalie. Wspięła się na mnie i polizała w ucho. – Żeby robić to, stojąc na kanapie?

– Hm, tylko ja stałem, o ile pamiętasz – odrzekłem. Kątem oka zobaczyłem czerwone światełko mojego iPhone'a, informujące o nadejściu wiadomości.

– Jak mogłabym zapomnieć? – oznajmiła, ścierając palcem pot z oczu. – To nie była biologia. To była geologia. No wiesz, sejsmologia, tektonika.

– Jak mówimy z Archimedesem: dajcie mi punkt oparcia, a poruszę Ziemię – odparłem.

Zaczekałem, aż Nat pójdzie pod prysznic i dopiero wtedy złapałem telefon. To był SMS od Abrahama Bindixa, mojego eksperta od lwów.

NIEWIARYGODNE, OZ. TO NIE TYLKO LA. TU SIĘ DZIEJE TO SAMO!

Natychmiast do niego zadzwoniłem.

– Rany, Oz, jednak wcale nie jesteś takim wariatem – powiedział Abe z mocnym akcentem afrikaans. Lekko grasejował i twardo wymawiał spółgłoski. – Miałeś rację. Lwy zachowują się nie tak. Zupełnie, na sto procent nie tak. Właśnie wróciłem z przerwanego polowania na północy, niedaleko Zimbabwe. Trafiliśmy na pustą wioskę, zupełnie pustą. Od jednego końca do drugiego były tropy lwów i krew. Nigdy czegoś takiego nie widziałem ani o niczym takim nie słyszałem.

W głosie Abe'a brzmiał ton paniki. Dziwne, bo Abe był krzepkim Afrykanerem, który przypominał emerytowanego atletę cyrkowego.

– Prawdę mówiąc, jest tu paru wojskowych, więc nie bardzo mogę o tym mówić. Ale kiedy w wiadomościach powiedzieli o ataku lwów w zoo w Los Angeles, wiedziałem, że muszę do ciebie zadzwonić. Stary, musisz przyjechać do Botswany. I wziąć ze sobą kamery. Musisz to zobaczyć, żeby uwierzyć. Ty i reszta świata.

– Nie musisz mówić nic więcej – powiedziałem. Przytrzymując iPhone'a ramieniem, chwyciłem długopis i rozejrzałem się po sypialni Natalii za czymś, na czym mógłbym pisać. – Pakuję się i wsiadam do najbliższego samolotu. Gdzie możemy się spotkać? Na lotnisku? Maun, tak?

– Zgadza się. Maun. Daj mi znać jak najszybciej, którym samolotem będziesz lecieć. To niewiarygodne, straszne i niewiarygodne.

– Zadzwonię zaraz po lądowaniu przed przesiadką – powiedziałem w chwili, gdy do sypialni weszła Natalie owinięta ręcznikiem.

– Dobra – odrzekł Abe i się rozłączył.

– Hm, przesiadka? Dokąd się wybierasz? – zapytała, podczas gdy ja notowałem coś na paragonie za majteczki.

– Do... hm... w podróż – odparłem.

– Tego się już domyśliłam. Dokąd?

– Do Botswany – wykrztusiłem.

– Co?

– Do Botswany.

– Do Botswany. W Afryce?! Odbiło ci? – Odrzuciła do tyłu mokre włosy. – Oczywiście, że ci odbiło. Co za głupie pytanie. Ale nie możesz tego zrobić. Tak się nie robi. Nie można odebrać jakiegoś telefonu, a zaraz potem zamawiać taksówkę na lotnisko i lecieć do Botswany! Zwłaszcza że jesteś bezrobotny!

– Masz rację – przyznałem. – Cholera, co ja zrobię z Attylą? Możesz się nim zająć?

Rozdział 9

– Czyli teraz mam się opiekować małpą?

– Człekokształtną – uzupełniłem.

Nat przestała udawać, że jest na mnie zła. Naprawdę się wkurzyła.

– Odpowiedź brzmi „nie", Oz. Dobrze wiesz, jak się brzydzę. Poza tym mam zajęcia.

– Spokojnie. Będzie go pilnować przede wszystkim matka właściciela mieszkania. Ty przyjdziesz tylko raz dziennie sprawdzić, jak się ma i podać mu lekarstwa. Proszę cię. Będziesz miała okazję poćwiczyć podejście do chorego.

– Na małpie?! – wrzasnęła.

– Człekokształtnej! – odpowiedziałem. – Poza tym ta podróż to przełom, na który czekałem. Jeśli będę miał jakąś taśmę z nienormalnym zachowaniem lwów w Afryce i zestawię to z ucieczką lwów z zoo w Los Angeles, może ludzie zaczną słuchać i wtedy wreszcie będziemy mogli naprawdę spróbować to wszystko wyjaśnić. Ludzkość jest zagrożona. Możemy...

– Proszę cię – przerwała. – Daruj sobie te gadki o KOCZ.

Daj spokój. Nie wierzę ci, Oz. Najpierw rzucasz doktorat w momencie, kiedy właściwie brakuje ci już tylko pracy...

– Znudziło mnie to.

– ...a potem przez ponad rok... nie wiem, dla sportu? ...postanawiasz zakłócać zajęcia na najlepszej nowojorskiej uczelni. Masz szczęście, że Uniwersytet w Nowym Jorku nie postawił ci żadnych zarzutów za tamtą historię z chemią.

– Próbowałem tylko zmusić ludzi, żeby w końcu pomyśleli.

– Lubię cię, Oz – powiedziała Natalie. – Wiem, że jesteś wybitnie zdolny, ale ta twoja teoria KOCZ naprawdę zaczyna nas dzielić. Przy moim planie zajęć na uczelni prawie nie mamy czasu, żeby się spotykać. Nie pamiętam nawet, kiedy ostatni raz zabrałeś mnie do porządnej restauracji. A teraz jeszcze wyjeżdżasz do Afryki.

Spojrzałem na swoją dziewczynę siedzącą na brzegu łóżka. Była przepiękna. Lubiła piwo i filmy z Chrisem Farleyem. Grała ze mną w Modern Warfare 2, i była w tym dobra. Razem oglądaliśmy koszykówkę. Kibicowała Boston Celtics, ale była to jedna z jej niewielu wad.

I wtedy zaskoczyłem ją, i samego siebie.

– Co powiesz na to? – zapytałem. – Pojadę do Afryki. Jeżeli się okaże, że to kolejny niewypał, zwinę swój transparent „Koniec jest bliski", wypiszę się z klubu białych Globtroterów Harlemu i poszukam pracy, do której będę musiał wkładać spodnie. Zgoda?

– Jeśli wrócisz.

– Nie wygłupiaj się. Umowa stoi?

Przewróciła ciemnozielonymi oczami.

– W porządku, Tarzanie. Kiedy ruszysz w głąb dżungli, nawet gdyby to miał być ostatni raz, będę pilnować King Konga. Ale nie wyobrażaj sobie, że to jakiś test umiejętności macierzyńskich. Mówiłam ci, nie chcę dzieci. Nie z tobą. Ani z Leonardem DiCaprio. Z nikim.

– Wiem, wiem – odparłem. – Spokojnie. Mam po prostu szympansa, który musi jeść. Widziałaś gdzieś moje bokserki?

W końcu się uśmiechnęła.

– Sprawdź pod poduszkami kanapy w salonie.

Rozdział 10

Wyszedłem z mieszkania Natalie, nie bardzo wiedząc, w co się pakuję. A jeżeli Botswana to fałszywy alarm? Czasem żałuję, że nie potrafię zamknąć gęby na kłódkę. Zawsze przez to wpadałem w tarapaty. Jednak prędzej wyobrażałbym sobie siebie w trumnie niż siedzącego za biurkiem w ciasnym boksie.

Kiedy zdejmowałem blokadę z roweru, uznałem, że to ultimatum jest mi potrzebne. Dość. Naprawdę przyszła pora, żebym zaczął coś robić w sprawie KOCZ albo dał sobie spokój. Jeżeli stado krwiożerczych lwów nie otworzy światu oczu na to, co wisi w powietrzu, to nic nie zdoła tego zrobić.

Po powrocie do mieszkania, gdy zwolniłem panią Abreu i jej zapłaciłem, wyciągnąłem z szafy składaną klatkę Attyli i ją zmontowałem. Kiedy mój współlokator to zobaczył, zaczął skomleć, dobrze wiedząc, co to oznacza. Nie cierpiałem skazywać biedaka na izolatkę o rozmiarach dwa metry na metr dwadzieścia na czas swojego wyjazdu, ale nie miałem większego wyboru. Szybko napisałem list do Nat z prośbą, żeby podwoiła mu dawkę zoloftu i podawała więcej witaminy D, ponieważ nie będzie mógł ćwiczyć na tarasie.

Skończyłem składać klatkę, wpuściłem Attylę z tarasu i posadziłem na wypełnionej kulkami poduszce, żeby zafundować mu niespodziankę. Podałem mu lunch i włączyłem jego ulubioną bajkę na DVD na podstawie Beatrix Potter, *Opowieść o tyciej myszce i króliczkach skoczkach*.

Oglądał z zadowoleniem, a ja tymczasem zbiegłem na dół do składziku po torby. Gdy wróciłem niecałe pięć minut później, nie mogłem uwierzyć własnym oczom.

Attyla nie siedział przed ekranem; był w mojej pracowni. Zdążył już rzucić o ścianę dwoma telewizorami i stał na stole, waląc w jego róg laptopem.

– Attyla!!! – wrzasnąłem. – Przestań! Złaź w tej chwili! Co ty wyprawiasz, do cholery?!

Odwrócił się z przeraźliwym piskiem.

Przez moment – tylko króciutką chwilę – zobaczyłem w jego oczach jakiś chłód, jakąś złość, których nigdy wcześniej nie widziałem. Pomyślałem nawet, że zaraz ciśnie we mnie tym laptopem.

Ta chwila szybko jednak minęła. Attyla upuścił komputer, zeskoczył ze stołu i ze spuszczoną głową powlókł się do kąta.

– Marsz, drogi panie! – rozkazałem, łapiąc go za rękę i prowadząc do klatki. Gdy przechodziliśmy przez jego pokój, próbował złapać lalkę z American Girl.

– Nie – uciąłem krótko i wyrwałem mu ją. – Niegrzeczny Attyla. Bardzo niegrzeczny – powiedziałem chwilę później, zamykając klatkę na klucz.

Kiedy zamiotłem potłuczone szkło i uprzątnąłem szympansie gówno z odtwarzacza DVD, wszedłem do internetu, żeby zabukować bilet do Botswany. Najlepszym rozwiązaniem wydawał się lot następnego dnia rano z przesiadką w Johannesburgu za trzy tysiące dolców. Wiedziałem, że rodzice nie będą zachwyceni, ale musiałem sięgnąć do skromnego kapitału, jak zostawił mi dziadek Oz.

Spakowałem się. Paszport, ubrania, sprzęt. Miałem trzydziestopięciomilimetrowego nikona z teleobiektywem superzoom, ale moją dumą i radością była profesjonalna kamera Sony DSR-400L. Wyciągnąłem ją z wyściełanej torby, sprawdziłem lampy i przed zapakowaniem naładowałem litowe baterie.

Pospiesznie wynosiłem wszystko do przedpokoju, gdy usłyszałem skomlenie.

To był Attyla. Płakał po reprymendzie, jaką ode mnie dostał. Wszedłem do jego pokoju i otworzyłem klatkę.

– Przykro ci, Attyla? Naprawdę ci przykro?

Przenikliwy skowyt zapewnił mnie, że rzeczywiście mu przykro, i przez chwilę przytulaliśmy się do siebie.

Pozwoliłem mu dokazywać, przygotowując bagaże. Byłem już prawie spakowany, kiedy Attyla pociągnął mnie za koszulę i kilka razy cmoknął. Wiedziałem, czego chce. W końcu przypieczętowaliśmy zgodę pocałunkiem. Natalie pewnie puściłaby pawia.

– Muszę wyjechać na parę dni – poinformowałem go, zamykając z powrotem w klatce. – Nie będzie ci łatwo, ale dasz sobie radę. Jutro rano zajrzy do ciebie pani Abreu. A potem Natalie. Pamiętasz Natalie. Bądź dla niej grzeczny, słyszysz? Wiem, że rozumiesz.

Attyla poskarżył się kilkoma okrzykami.

– Wiem, wiem. Nic na to nie możemy poradzić. Też będę tęsknił.

Rozdział 11

Był początek lata. Blask poranka wyłowił z mroku leżące w przydrożnych krzakach zgniecione pudełka po marlboro i kubełki po zestawach Happy Meal.

Wspaniale. Ledwie wyruszyłem na swoją niewiarygodną wyprawę, a już znalazłem się w środku dziczy. W dżungli Queens.

Patrząc z tylnego siedzenia lepkiej od brudu taksówki, która wiozła mnie na lotnisko JFK, zakląłem, bo zwolniliśmy i stanęliśmy w miejscu. Znowu.

Podjechaliśmy kawałek, a potem taksówka ponownie się zatrzymała. Taksówkarz walnął w klakson i rzucił wiązankę przekleństw, po czym wrócił do rozmowy telefonicznej, którą prowadził przez zestaw słuchawkowy. Chyba rozmawiał o interesach. Był chudy jak patyk, miał bardzo ciemną skórę i mocno zaczerwienione oczy.

Przez przednią szybę zobaczyłem, że droga 495 zmieniła się w zastygły w bezruchu szeroki taśmociąg czerwonych świateł stopu. Było tak beznadziejnie, że musieli stać nawet idioci wciskający się na pobocze i próbujący zajechać innym drogę.

Mając obok siebie torbę z kamerą, laptop i bagaż podręczny, po raz setny sprawdziłem godzinę na iPhonie. Wyglądało na to, że uda mi się zdążyć na samolot do Afryki o 9.05 tylko dzięki boskiej interwencji. Zauważyłem jeszcze e-mail od Natalie i popełniłem błąd, otwierając go.

Nie musisz tego robić.

Westchnąłem. Może moja dziewczyna miała rację. Może to rzeczywiście było wariactwo. Czy nie byłoby rozsądniej pojechać z nią na plażę w Hamptons? Pospacerować w butach po piasku. Zjeść ostrygi. Na pewno dobrze zrobiłoby mi parę kolejek Long Island Iced Tea, no i oczywiście trochę słońca. Czy ta podróż nie mogła poczekać?

Nie. Dobrze wiedziałem, że nie mogła. Zaangażowałem się w sprawę tak mocno, że nie miałem odwrotu. Czy pojechałbym do Hamptons, czy nie, i tak KOCZ trwał w najlepsze. Tu i teraz. Cholera, wszędzie. Czułem to przez skórę.

Jeszcze raz przejrzałem swój podróżny zestaw. Sprawdziłem paszport, ubezpieczenie, przybory toaletowe, z których każdy – zgodnie z federalnym nakazem – ważył mniej niż trzy uncje, bieliznę, T-shirty, krótkie spodnie i moją czerwoną wełnianą czapkę. Potem zebrałem tabletki doksycykliny przeciw malarii, które rozsypały się na złożonym poncho, i uznałem, że wszystko gra.

Pieprzyć krytykantów. Byłem zwarty i gotowy. Botswana albo ból porażki. Ostatnią rzeczą, jaka pozostała mi do zrobienia, było wydrukowanie e-biletu na lotnisku, jeżeli w ogóle tam dotrę.

Kiedy w końcu zaczęliśmy się posuwać naprzód, wyciągnąłem mapę Afryki. Byłem zdenerwowany i podniecony – w proporcji czterdzieści do sześćdziesięciu. Sam ogrom kontynentu robił wrażenie. Trzy razy większy od Europy. Dużo dowiedziałem się o Afryce podczas pierwszego wyjazdu, jeszcze na studiach. Ale ta podróż była inna. To nie była szkolna wycieczka.

Taksówkarz przestał gadać do zestawu Bluetooth i odwrócił się do mnie.

– Na który terminal pan życzy? – Nareszcie w oddali ukazało się lotnisko.

– Dokładnie nie wiem – odrzekłem. – Lecę liniami South African Airways.

– Leci pan do Afryki? Do RPA? – dopytywał się taksówkarz. Ponieważ wcześniej byłem zajęty swoimi sprawami, dopiero teraz zauważyłem, że facet wygląda na Afrykańczyka i mówi z afrykańskim akcentem. W jego głosie brzmiał charakterystyczny zaśpiew. Mógł pochodzić z Nigerii.

– Do Botswany – odpowiedziałem.

– Leci pan z Nowego Jorku do Botswany? Nie! Naprawdę? – dziwił się taksówkarz, przyglądając mi się w lusterku szeroko otwartymi, czerwonymi oczami.

Był chyba jeszcze bardziej sceptycznie nastawiony do mojej wyprawy niż Natalie. Dzisiaj co krok trafiałem na jakiś szczęśliwy znak i spotykałem się z bezgranicznym poparciem.

– Taki mam zamiar – odparłem, kiedy zatrzymaliśmy się przed wejściem do ruchliwego terminalu.

– Mam nadzieję, że jedzie pan w interesach – powiedział, drukując równocześnie paragon. – Niech pan uważa i zajmuje się tylko interesami, którymi ma się pan zajmować, jeżeli pan rozumie, co mam na myśli.

Niestety, bardzo dobrze rozumiałem, co ma na myśli. Chodziło mu o epidemię AIDS w Botswanie, drugą co do rozmiarów na świecie. Podobno co czwarty dorosły był zarażony tą straszną, przenoszoną przez kontakty płciowe chorobą.

Tym akurat za bardzo się nie przejmowałem. Nie sądziłem, aby między długą podróżą a bezpośrednim zderzeniem z przerażającą globalną epidemią udało mi się znaleźć czas na jakąś namiętną, dziką przygodę bez zabezpieczeń w kraju Trzeciego Świata. Poza tym miałem dziewczynę.

– Bez obaw – uspokoiłem taksówkarza, otwierając drzwi. – Na pewno nie będę się tam bawił.

Rozdział 12

Jakieś cztery godziny później obudziłem się dziewięć tysięcy metrów nad Atlantykiem.

Mrużąc zaspane oczy w kabinie pasażerskiej boeinga 747, wypełnionej przytłumionym szumem silników, wyprostowałem oparcie fotela i spojrzałem przez okno, które miałem obok siebie. W szczelinach w mlecznej, mglistej warstwie chmur dostrzegłem srebrne esy-floresy fal na oceanie daleko w dole. Na pewno nie byłem już nad Kansas ani, dzięki Bogu, nad Queens.

Ziewnąłem, rozłożyłem stolik zamocowany na fotelu przede mną i wyciągnąłem z torby laptop. Miałem zamiar napisać parę e-maili, ale zorientowałem się, że zamiast tego otwieram plik z prezentacją w PowerPoint na temat KOCZ, którą pokazywałem w Paryżu.

Zaczynała się od zdjęcia malowidła w słynnych jaskiniach w Lascaux we Francji, które wyraźnie pokazywało mężczyznę zabijanego przez bizona. Na następnym slajdzie znalazł się obraz Rubensa *Prometeusz skowany*, na którym twarz wiszącego tytana wyraża mękę i rozdzierający ból, gdy orzeł rozdziera jego wnętrzności. Zaraz po Rubensie ukazało się sugestywne i niepokojące barokowe dzieło Nicolasa Poussina *Dżuma w Aszdod*, przedstawiające scenę, w której Bóg za nieposłuszeństwo zsyła na Filistynów plagę zarazy i myszy.

Dalej pojawiały się dziwniejsze, bardziej mroczne i mniej znane obrazy. Kiedy zobaczyłem na ekranie starożytną rzeźbę leżącego jaguara, poczułem, że trochę przyspiesza mi puls. Rzeźbę odnaleziono w azteckiej świątyni wraz z apokaliptyczną przepowiednią, według której zwierzęta pożrą całą ludzkość.

Po jaguarze wyświetlił się slajd z upiorną ilustracją z Biblii toggenburskiej. Przedstawiała mężczyznę i kobietę umierających na dżumę. Intensywne kolory i statyczna dwuwymiarowość obrazu – charakterystyczne dla sztuki średniowiecznej – budzą szczególny niepokój. Nagie postacie leżą w łóżku nieruchomo jak papierowe lalki, a ich blade ciała są usiane dymienicami. Czarna śmierć, która zabiła czterdzieści procent ówczesnej populacji świata, zaczęła się od świstaków, a po całej Europie rozniosły ją szczury.

Znów spojrzałem przez okno. Gdy wpatrywałem się w chmury setki metrów pode mną i rozciągający się jeszcze niżej ocean, ogarnęło mnie dziwne wrażenie. Uczucie przygnębienia i lęku. Lecąc z prędkością kilkuset kilometrów na godzinę w stronę Afryki, przez chwilę poczułem się nagle bardzo mały i bardzo samotny. Nie byłem religijnym człowiekiem, ale siedząc wysoko nad oceanem, zacząłem się zastanawiać nad niewytłumaczalną naturą tych spraw.

Wydawało mi się, jak gdybym naprawdę czuł dokonującą się apokaliptyczną zmianę. Myślałem o koniach, ptakach, wężach. Myślałem o klątwie, jaką Bóg rzucił na węża w Księ-

57

dze Rodzaju: „ono zmiażdży ci głowę, a ty zmiażdżysz mu piętę"*.

Gniew boży?

A może to tylko zmęczenie długim lotem, pomyślałem, przecierając oczy. Nie było wątpliwości, że KOCZ stał się moją obsesją. Pomyślałem o wszystkich bezsennych nocach, o tym, jak rzuciłem szkołę. A naprawdę siedziałem w samolocie do Afryki. Może wreszcie znajdę odpowiedzi, których szukałem. A może po prostu miałem urojenia. Zaczynałem wątpić w swoją poczytalność.

Zerknąłem na ekran laptopa i zobaczyłem, że przyszedł następny e-mail od Natalie. Ten rzeczywiście podnosił na duchu.

Oz, wiem, że pewnie to nie jest najlepszy moment, żeby to powiedzieć...

O rany. Wiedziałem już, na co się zanosi. Prawie od razu przestałem czytać. Podobnie jak ostatnio wyciągi z banku. Przebiegam tylko wzrokiem, bo nie chcę na to patrzeć. A zresztą. Szybko przeczytałem ciąg dalszy.

...ale myślałam o tym wszystkim i chyba doszłam do wniosku, że ja już dłużej tak nie mogę. Przynajmniej nie teraz. Właśnie dostałam wyniki z testu międzysemestralnego z immunologii. Oblałam. Będę mieć szczęście, jeśli dostanę tróję na koniec. Ale nie chodzi tylko o to. Jestem rozkojarzona, a muszę się skupić na szkole i swojej karierze. Wiem, że nie powinnam pisać o tym wszystkim w e-mailu. Porozmawiamy, kiedy wrócisz. No i musisz znaleźć kogoś innego do opieki nad Attylą. Ja jestem zawalona robotą.

---

* Rdz 3,15. Biblia Tysiąclecia, Pallottinum, Poznań 2003.

No dobra, pomyślałem. Hura. Znowu jestem do wzięcia.

Zastanawiałem się, czy odpowiedzieć na jej e-mail, postanowiłem go jednak zignorować – niech się dzieje, co chce. Nie mogłem wrócić. Natalie wiedziała o tym, a ja wiedziałem, że najważniejszy cel Natalie to zostać lekarzem. Zawsze dawała to jasno do zrozumienia. Może rzeczywiście potrzebowaliśmy odpoczynku od siebie.

Musiałem więc po prostu zadzwonić do drugiej kobiety w moim życiu. Zostawiłem pani Abreu wiadomość na sekretarce z gorącą prośbą, żeby karmiła Attylę, dopóki nie wrócę. Wiedziałem, że mogę na nią liczyć.

Zamknąłem laptop i przeciągnąłem się. Miałem przed sobą dwanaście godzin lotu do Johannesburga. Sięgnąłem do torby na laptop, wyjąłem iPoda, włożyłem do uszu słuchawki, wybrałem coś Black Sabbath i ruszyłem przejściem między fotelami mknącego samolotu, aby znaleźć stewardesę i red bulla.

Księga druga

Powitanie z Afryką

Rozdział 13

Pierwszy widok Afryki dwanaście godzin później w pewnym sensie mnie rozczarował. Johannesburg za wielkimi oknami lotniska był tylko skupiskiem nijakich budynków; równie dobrze mogłoby to być Cleveland.

Godzinę później, kiedy wystartowaliśmy na północ, do Botswany, nastrój zdecydowanie mi się poprawił. Zielonopłowy bezkres wyglądał właśnie tak, jak wyobrażało sobie Afrykę małe dziecko, które w sobie noszę. Gorący, dziki odizolowany od reszty świata ląd.

Gdy samolot podchodził do lądowania w Maun, dostrzegłem parę nowoczesnych budynków, ale głównie z pustaków i blachy. Schodząc na płytę lotniska, zobaczyłem, że za ogrodzeniem z cienkiej siatki wokół lotniska wszędzie są osły. Widać też było okrągłe rondawele, tradycyjne, kryte strzechą afrykańskie chaty zbudowane z kamienia i krowiego łajna. Wrażenie miejsca – upał, słodkawy zapach odchodów i spalin, nawet ostre, oślepiające żółte światło – było nowe, ale przyjemne.

Przeszedłem przez kontrolę celną, a chwilę później Abraham Bindix zdjął sfatygowany słomkowy kapelusz i na

63

powitanie wziął mnie w objęcia w zapuszczonym terminalu. Abraham wyglądał jak bojler. Barczysty, masywny, ogorzały pięćdziesięciokilkulatek przypominał mi trenera futbolu z college'u z południa Stanów. Jego twarz była twarda i pobrużdżona jak stara rękawica robocza, ozdobiona wąsem, który gubił się w zaroście na policzkach. Zza rozpiętej pod szyją płóciennej, wilgotnej od potu koszuli wystawał kosmaty dywanik włosów na piersi. Wyblakłe tatuaże na włochatych ramionach wielkości beczek były pamiątką po służbie w marynarce. Dobrze było znów zobaczyć jego szeroki uśmiech i przerwę między zębami. Ostatni raz widzieliśmy się w Paryżu. Urżnęliśmy się jak świnie w hotelowym barze po tym, jak zostałem wygwizdany na konferencji.

Wydawał się bardziej ociężały, niż go zapamiętałem z Paryża. Wyglądał też zdecydowanie starzej i trochę wolniej się poruszał. Zastanawiałem się, czy nie jest chory.

– Dziękuję, że przyjechałeś, przyjacielu, ale mam złe wiadomości – powiedział, gdy zbierałem swoje rzeczy ze sterty bagaży. Lubiłem Abrahama, ale odnosiłem się do niego z pewną rezerwą. Jak wielu Afrykanerów był niewyrafinowany jak nafta i od niechcenia rzucał rasistowskie uwagi, wobec których biały Amerykanin mógł się poczuć odrobinę nieswojo. Mimo to miał w sobie coś z poczciwego dziadka, jak dobroduszny niedźwiedź z dużego niebieskiego domu.

– Niestety, pojawił się pewien problem – ciągnął. – Natury rodzinnej. Mógłbyś zaczekać jeden dzień, zanim zabiorę cię do tej wioski niedaleko Zimbabwe?

– Oczywiście. Co się dzieje, Abe? Mogę jakoś pomóc?

– Nie, nie. To sprawa rodzinna – odparł. Abe miał ciepły i donośny głos przypominający dźwięk trąbki z tłumikiem. – Mój młodszy brat Phillip, pacyfista, prowadzi obozowisko

safari w buszu, przy granicy z Namibią. Ja wożę amerykańskich turystów, którzy chcą zabijać zwierzęta, on wozi
tych, którzy chcą je tylko oglądać, robić im zdjęcia. Aktual-
nie lwy... dwa duże stada, które atakują bawoły w delcie
Okawango.

– Coś się stało?

– Nie wiem. Od ponad dwudziestu czterech godzin nie
ma z nim kontaktu radiowego i mama się niepokoi. Pewnie
to nic takiego, ale przy tym całym wariactwie muszę sprawdzić, czy ten palant jest cały i zdrowy.

– No to jedźmy – powiedziałem. – Mówisz, że tam są
lwy? Przejechałem trzynaście tysięcy kilometrów, żeby je
zobaczyć.

Mój entuzjazm chyba poprawił Abe'owi nastrój.

– Dobra, stary – odrzekł, klepiąc mnie w ramię. Trochę
zabolało. – Wiedziałem, że jesteś przyjacielem, Oz. Próbowałem namówić swoich tropicieli, żeby ze mną pojechali,
ale te zabobonne bambusy ciągle mają cykora po tej rzezi
w wiosce, którą widzieliśmy. Ci cholerni poganie powiedzieli,
że nie chcą mieć nic wspólnego z lwami, dopóki, cytuję,
duchy się nie uspokoją, koniec cytatu.

Niespokojne duchy; lwy. Przypomniałem sobie niejasny
lęk, który ogarnął mnie w samolocie, przeczucie, że gniew
boży wisi w powietrzu. Zaraz jednak przestałem o tym myśleć.
Zmiąłem swój niepokój i rzuciłem za siebie.

– To którędy do Okawango? – zapytałem, dźwigając torbę
z kamerą.

Rozdział 14

Zamiast wyjść z lotniska, Abe i ja poszliśmy w głąb terminalu i skręciliśmy w prawo w wąski obskurny korytarz.
– Co robimy? Myślałem, że jedziemy do obozowiska twojego brata – powiedziałem.
– Zgadza się, stary, jedziemy. W północnej części delty nie ma żadnych dróg, tylko lądowiska – wyjaśnił Abe. Nie zatrzymując się, z jednej z licznych kieszeni swojej kamizelki w kolorze khaki wyciągnął puszkę tytoniu do żucia, wziął szczyptę, zwinął i wsunął pod wargę. – Musimy wynająć samolot.
– Wynająć samolot? – zdziwiłem się. – Mam nadzieję, że umiesz pilotować, bo ja wiem tylko, jak się wyskakuje.
– To się może przydać – odparł Abe. Mocno pracował szczęką, zwilżając tytoń. Mrugnął do mnie. – Mam licencję, ale od jakiegoś czasu nie latam.
Minęliśmy jakieś drzwi i wyszliśmy na płytę lotniska obok samolotu, z którego właśnie wysiadłem. Zauważyłem, że na Czarnym Lądzie trochę swobodniej traktuje się kwestie bezpieczeństwa. Nikt nie poprosił mnie nawet o zdjęcie butów.
Skręciliśmy do hangaru. Za biurkiem siedział mężczyzna

w zatłuszczonym kapeluszu fedora, mieszaniec rasy czarnej i żółtej, i jadł palcami jakieś mięso z grilla. Miejsce obok niego zajmował inny Afrykanin, żołnierz albo policjant, sądząc po przybrudzonym szarym mundurze, berecie i czarnym karabinku AK-47, który miał na ramieniu. Obaj trzymali nogi na blacie i oglądali film na przenośnym odtwarzaczu DVD. Zerknąłem przez ramię policjanta: to był *Farciarz Gilmore* z Adamem Sandlerem. Mężczyźni się nie śmiali. Fakt, film nie był zbyt zabawny, ale ci dwaj chyba się nawet nie zorientowali, że to komedia.

Abe przez mniej więcej dziesięć minut ryczał na nich jak wół w nieznanej mi mowie. Wkrótce dowiedziałem się, że to był język tswana. W końcu ze spoconą, czerwoną i obrzmiałą od upału twarzą przetrząsnął kieszenie kamizelki, wysupłał zwitek banknotów i podał facetowi za biurkiem. Mężczyzna przeliczył je palcami, które wciąż lepiły się od tłustego mięsa, i usatysfakcjonowany pokazał brodą wyjście z hangaru, ruchem twardziela z mafii, jakiego prawdopodobnie nauczył się z amerykańskich filmów.

Wyszliśmy na zewnątrz i ruszyliśmy między dwa rzędy małych samolotów. Abe otworzył drzwi czerwono-białego, rdzewiejącego pipera super cub, który miał groteskowo wielkie opony terenowe. Za siedzenia wcisnął moje bagaże.

– Zaczekaj tu – powiedział. – Zaraz wracam.

Abe poszedł z powrotem do hangaru. Kiedy chwilę później wrócił, pojawił się z drugiej strony lotniska, nadjeżdżając zdezelowanym range roverem. Gdy otworzył drzwi, z samochodu wyskoczyły dwa rudobrązowe psy rasy rhodesian ridgeback. Od razu wsiadły do samolotu, jak gdyby robiły to już wiele razy. Następnie Abe wyciągnął z wozu dwa duże kufry z bronią i też załadował je na pokład.

Gdy patrzyłem na broń, zauważył moje spojrzenie.

– Lepiej je mieć i ich nie potrzebować, niż ich potrzebować, a nie mieć, mam rację? – Dobrodusznie uszczypnął mnie w policzek.

Po chwili na moich uszach znalazły się miękkie poduszki słuchawek i zaczęliśmy kołować na pas startowy. Po drugiej stronie pokrytej kurzem drogi dojazdowej do lotniska dostrzegłem ogrodzony teren usiany kamieniami i dziwnymi pasiastymi namiotami.

– Co to jest, Abe? – zapytałem, pokazując to miejsce i przekrzykując potężniejący ryk śmigła.

– Cmentarz – odkrzyknął Abe. Przesunął manetkę gazu i zaczęliśmy pędzić po pasie startowym. – Tylu ludzi umiera tu na AIDS, że nie nadążają z zakopywaniem. No i składają trumny pod namiotami. Co to był za dowcip o cmentarzu?

– Ludzie zabijają się, żeby się tam dostać? – podsunąłem.

– Zgadza się, stary. Właśnie tak. – Abe posłał mi sardoniczny uśmiech. Na powykrzywianych we wszystkie strony zębach miał czarne ślady po tytoniu. Przesunął znowu manetkę i nasz samolocik opuścił stały ląd. – Witaj w Afryce.

Rozdział 15

Mimo zmęczenia długą podróżą nad oceanem, klaustrofobicznej ciasnoty w kabinie i wonnych psich oddechów z każdej strony twarzy, ten półgodzinny lot był najprzyjemniejszą wycieczką w moim życiu. Lecąc nad deltą Okawango, miałem wrażenie, jakbym cofnął się w czasie. Prawie oczekiwałem, że zobaczę spacerujące w dole dinozaury. Na przesuwającej się pod nami brązowej nieskończonej równinie nie było żadnego budynku, ani jednego domku czy okrągłej chaty. Patrzyłem na cień samolotu przemykający po białych wyspach rozrzuconych między błękitnymi wstęgami wody. Stały na nich palmy i ogromne góry ziemi. Abe wyjaśnił mi, że to kopce termitów.

Był lipiec – jeden z zimowych miesięcy, jak mówił Abe – więc delta wyschła i jej obszar powiększył się trzykrotnie, przyciągając dzikie zwierzęta, które tworzyły tutaj najliczniejsze skupiska fauny na świecie. Lecieliśmy nad hipopotamami, hienami, stadem potężnych czarnych i rogatych bawołów afrykańskich. Według słów Abe'a profesjonalni myśliwi uważali je za groźniejsze od lwów. Widziałem ptaki rzeczne, chyba miliony, umykające z wyschniętych bagien

69

na dźwięk naszego samolotu. Pierwszymi ludźmi, jakich zauważyłem, byli dwaj afrykańscy rybacy w ręcznie wy- drążonym czółnie. Komu potrzebny jest kanał Discovery? – pomyślałem.

– To tutaj – zatrzeszczał w słuchawkach głos Abe'a kilka minut później. Zmniejszyliśmy prędkość i wysokość, schodząc w kierunku kilku krytych strzechą dachów w pobliżu ledwie widocznej białej blizny pasa startowego. Spodziewałem się, że przy lądowaniu będzie tak samo trzęsło jak przy starcie, więc byłem zaskoczony, gdy Abe posadził pipera miękko jak na puchu. Zdjąłem słuchawki, a po tym, jak umilkł silnik, zapadła niemal upiorna cisza. Trochę dzwoniło mi w uszach.

– Dziwne – powiedział Abe, kiedy wysiedliśmy z samolotu i poczuliśmy na skórze upał.

– Co? – spytałem.

– Personel. Gdy słyszą lądujący samolot, zwykle tu cze- kają, klaszczą, śpiewają swoje głupie piosenki ludowe i mają pod ręką coś mocniejszego i gorący ręcznik. Nic nie widzę i nie słyszę. A ty? Nie ma nawet zwierząt.

Miał rację. Jedynym dźwiękiem było uporczywe brzęczenie owadów pod rozpalonym niebem. Kryte strzechą budynki w oddali, które widzieliśmy na końcu ścieżki porośniętej suchą brązową trzciną i ciborą papirusową, wyglądały na zupełnie puste. Na horyzoncie połyskiwał srebrzysty pas światła, zamglony i lekko drgający w gorącym powietrzu.

Abe gwizdnął i dwa rude psy o lśniącej sierści ruszyły truchtem na zwiad, rozglądając się uważnie i wytężając węch. W obozie, do którego nas zaprowadziły, panował ruch jak na cmentarzu. Przeszukaliśmy wszystkie sześć namiotów na drewnianych platformach, a także jadalnię. Znaleźliśmy ubra- nia, bagaże, sprzęt na safari, stroje turystyczne – hełmy korkowe i kamizelki w kolorze khaki – skarpety i bieliznę, które wysypywały się na łóżka z otwartych waliz. Ale nie było śladu turystów ani pracowników.

Za kuchnią stała ogromna czerwona skrzynia z blachy falistej, przypominająca kontener transportowy. Obok niej znaleźliśmy land rovera z dwoma dodatkowymi rzędami podwyższonych siedzeń dla obserwatorów zwierząt.

Abe ni to kaszlnął, ni to zaklął w języku, którego nie rozpoznałem. Strzyknął strumieniem brązowej od tytoniu śliny w trawę i otarł usta koszulą.

– Brakuje dwóch wozów. Poza przewodnikami jest jeszcze kilka pokojówek i kucharzy. To bardzo dziwne, Oz. Gdzie oni, u diabła, wszyscy są? Gdzie jest mój brat? Mam złe przeczucia.

Włożył palce do ust i powietrze przeszył przeraźliwy gwizd, na którego dźwięk przybiegły psy. Wskoczył do land rovera, znalazł kluczyki i uruchomił silnik. Wróciliśmy do samolotu i wzięliśmy jego sztucery, a potem ruszyliśmy na północ od obozu, jadąc zrytą strasznymi koleinami drogą dla samochodów. Pod kołami chrzęściły kamyki, pryskając na boki, a wóz sunął po garbach przypominających tarę do prania, skrzypiąc i podskakując. Kiedy droga się skończyła, wjechaliśmy na jeszcze bardziej nierówne pole wysokich suchych traw. Za kępą hebanowców w płytkiej wodzie brodziły małe hieny, których łapy oblepiały grube skarpetki cuchnącego błota. Wbrew woli gapiłem się na hieny, jak gdybym był na safari, ale jeżeli Abe zwrócił na nie uwagę albo na rodzinę żyraf, które piły w płyciznach kilkadziesiąt metrów dalej w dole rzeki, nic o tym nie powiedział.

Kiedy okrążaliśmy kępę figowców, wreszcie zobaczyliśmy ludzi. Przy pomoście na brzegu rzeki kręciła się grupa Afrykańczyków. Dwaj mężczyźni i pyzaty chłopak, wszyscy

71

w białych strojach kucharskich, wsiadali właśnie do jakiegoś czółna. Abe mocno skręcił kierownicą, podjechał do nich i gwałtownie zahamował. Krzyknął coś w języku tswana. Mężczyźni odkrzyknęli. Miałem wrażenie, że się kłócą. Rozmowa trwała kilka minut. Na koniec trzej kucharze niechętnie wysiedli z łódki i wgramolili się na tył samochodu. Odwróciłem się i spojrzałem na nich. Mieli obojętne, nieprzeniknione miny. Nie zareagowali na moją obecność.

– Co jest? – zapytałem Abe'a, kiedy ruszyliśmy. Abe wcisnął sobie do ust kolejną szczyptę tytoniu.

– Jest gorzej, niż myślałem, stary. Przedwczoraj wyjechały dwie grupy... dwadzieścia osób, w tym mój brat. Od tego czasu nie ma od nich żadnych wiadomości. To nie wszystko. Powiedzieli, że wczoraj w nocy w obozie były lwy. Włóczyły się jak bezdomne koty, skubały odpadki. Te palanty z tyłu schowały się w kontenerze. Kiedy się obudzili, radiostacja była zepsuta, roztrzaskana. A teraz chcieli płynąć po pomoc.

– Dlaczego się z nimi kłóciłeś?

Abe zdjął słomkowy kapelusz i otarł pot ze spalonego słońcem czoła. Leciało z niego jak z cieknącego kranu.

– Powiedziałem im, żeby pojechali z nami i pomogli nam znaleźć turystów i przewodników, ale są przerażeni jak moi tropiciele. Mówią, że z lwami jest coś nie tak. Znowu te pieprzone zabobony bambusów. Bogowie są źli. Za wszystkim stoi czarna magia. *Uga buga buga!*

Siedzący za nami kucharze zaczęli śpiewać jakąś monotonną pieśń.

– Oho, masz – rzekł Abe, wskazując za siebie kciukiem. – *U, i, u a a, ting, tang, walla walla bing-bang!**

---

* Refren piosenki *Witch Doctor* Rossa Bagdasariana z 1958 roku.

Wcisnął pedał hamulca i gwałtownie zatrzymał land rovera. Wyskoczył z wozu, podszedł do leżącej z tyłu torby i wyciągnął jeden ze swoich sztucerów. To był winchester model 70, przystosowany do potężnej amunicji kalibru .458. Załadował magazynek wielkimi nabojami i zamknął go z trzaskiem. Wgramolił się na tył samochodu i manewrując między kucharzami, bagażami i psami, przypiął sztucer do uchwytu na broń.

– Chcecie czarnej magii, palanty? Pokażę wam czarną magię! – zawołał do nich, dodał gazu i wrzucił bieg.

Rozdział 16

Niecałe półtora kilometra na północny wschód od pomostu przy obozie safari, na położonych najwyżej skałach terytorium zajmowanego przez stado lwów wylegują się dwa olbrzymie samce. Leżą na brzuchach nieruchomo jak złote dywany, dysząc, aby się ochłodzić. Ich obojętne bursztynowe oczy leniwie lustrują horyzont.

W przeciwieństwie do ludzi lwy, tak jak psy, nie wydzielają potu. Jedyną skuteczną metodą termoregulacji jest dyszenie. Ale przyczyną ich ciężkiego oddechu nie jest upał ani nawet wysiłek.

Zmęczyły się jedzeniem.

W dole, w ciernistych zaroślach porastających wąwóz, kłębi się chmara tłustych, błyszczących much, które krążą nad mięsem gnijącym w bezlitosnym świetle słońca. Łażą po kościach i nieustająco brzęczą, wydając dźwięk jak wiolonczela grająca nieskończenie długą jedną nutę z wibrato. Wśród zakrwawionych traw leżą rozrzucone ludzkie ciała – a raczej ich fragmenty. Żebra i kości biodrowe bieleją w oślepiającym słońcu jak aspiryna.

Reszta stada otacza kości dużym, luźnym kręgiem. Wśród

krwawego pobojowiska skaczą sępy, unosząc skrzydła, jak gdyby wzruszały ramionami. Wyginając szyje przypominające czerwie, dziobami odrywają od szkieletów kawałki mięsa, które strzelają jak guma. Lwice i ich małe najadły się już do syta i teraz zadowolone i pełne energii baraszkują w trawie.

Dwa samce, potężne jak złote pagórki, to bracia, bliźniaczo podobni, tyle że starszy nie ma oka, które stracił niedawno w trakcie przejmowania stada. Bracia zabili dwóch poprzednich samców alfa i przegnali trzeciego, po czym umocnili swoją dominację, pożerając całe potomstwo swoich rywali – cztery małe lwice.

Ale poczucie władzy i dominacji po przejęciu stada nie mogło się równać z tym, co czuły po zabiciu dwóch grup ludzi.

W świadomości lwów zaszła głęboka zmiana. Przestały postrzegać ludzi jako inne drapieżniki – irytujące zwierzęta, które nie kierują się żadną logiką i należy je ignorować – a zaczęły ich traktować jak zdobycz.

Widziały, jak się zbliżali. Dwie z mniejszych, szybszych lwic wspięły się na drzewo kiełbasiane i zaczaiły nad wyjeżdżoną kołami drogą. Gdy samochody mijały drzewo, lwice wskoczyły do otwartego metalowego pudła pełnego żałośnie bezbronnych ssaków. Kiedy te duże, nagie małpy stanęły na swoich idiotycznych niezdarnych nogach, lwy rozgromiły ich bardzo szybko.

Nie dlatego, że były szczególnie głodne. Ludzie byli niczym w porównaniu z ważącym blisko tonę bawołem, na którego zwykle polowało stado. Potraktowały samochody jak pudełka z przekąskami.

Obydwa samce schodzą ze skał, najpierw jeden, potem drugi. Przechadzają się wolnym krokiem wśród stada z wysoko uniesionymi łbami i nastawionymi uszami. Mają zamknięte paszcze i wymachują ogonami na boki. Po chwili lwice ruszają za nimi, nisko pochylając łby.

Gdy dwa samce podchodzą bliżej, sęp stojący na twarzy kobiety unosi ramiona i podrywa się do lotu, trzepocząc skrzydłami niezgrabnie i niedbale jak duży gołąb. Jednooki lew trąca mięso łapą. Przytrzymując je, odgryza kęs i łamaczami odrywa z trzaskiem mięso od kości.

Przez chwilę przeżuwa, a potem unosi łeb, zwracając swoje jedyne oko na wschód. Strzyże uszami i rozszerza nozdrza. Słuch lwa jest co najwyżej przeciętny, ale dzięki dużej liczbie komórek węchowych wielki kot ma niezwykle wrażliwe powonienie.

Właśnie coś wyczuwa. Spogląda na brata, który patrzy w tym samym kierunku.

Ludzie, informują się nawzajem samce spojrzeniem i warknięciem. Znowu ludzie.

Samce wracają do stada, zmieniając postawę ciała i mimikę. Przechodzą przez repertuar wokalizacji o różnym natężeniu i wysokości dźwięków. Wydają wszystkim polecenia.

Rozdział 17

Kiedy jechaliśmy przez pole jakieś pięć kilometrów na północ od obozu, z drzewa poderwało się stado klekoczących marabutów. Ptaki wyróżniały się charakterystycznym wyglądem: miały sztywne kępki białych włosów na głowach, łyse szyje i upierzenie przypominające smoking. To padlinożercy, często pojawiający się przy ścierwie obok sępów. Ze względu na kolor piór i sylwetkę marabuty są nazywane przedsiębiorcami pogrzebowymi. Abe skrzywił się na ich widok. Zachowywał kamienną twarz, ale widziałem jego niepokój, który udzielił się i mnie.

Właściwie już wcześniej zacząłem się niepokoić.

Odkąd wylądowaliśmy przy opuszczonym obozie, często wracałem myślą do swojej pierwszej wyprawy do Afryki. To był wyjazd podczas studiów do słynnego półpustynnego regionu Karru w RPA, zbudowanego ze skał osadowych, gdzie znajduje się jeden z najbardziej czytelnych geologicznych zapisów historii życia.

Myślałem o skałach sprzed dwustu pięćdziesięciu milionów lat, zupełnie pozbawionych skamielin. Brak skamielin stanowił dowód na wymieranie permskie, tak zwane masowe wymieranie, największa zagłada tego rodzaju w dziejach Ziemi. W szybkim tempie wyginęło wówczas dziewięćdziesiąt procent wszystkich gatunków na całej planecie. Odbudowa bioróżnorodności Ziemi trwała wiele milionów lat. W historii życia odnotowano pięć okresów masowego wymierania; według statystyk powinien się właśnie rozpoczynać następny.

Wymieranie kredowe, podczas którego wyginęły dinozaury, prawie na pewno zostało spowodowane uderzeniem planetoidy. Wciąż jednak niewiele wiemy o przyczynach wymierania permskiego. Niektórzy głoszą teorię, że katastrofę wywołała aktywność wulkaniczna. A może planetoida albo promieniowanie kosmiczne. Ale nikt nie wie dokładnie, dlaczego nagle wyginęły prawie wszystkie zwierzęta, rośliny i owady.

Dzisiejsze przejawy KOCZ budziły ogromne obawy właśnie ze względu na zagadkowy charakter tego pradawnego kataklizmu, który zniszczył globalny ekosystem. Zachowanie zwierzęcia to wynik milionów lat ewolucji, adaptacji trwającej przez wiele tysięcy pokoleń. Ewolucja następuje w reakcji na zmiany w środowisku. Kiedy zmienia się środowisko, niektóre zwierzęta adaptują się do nich, a inne nie. Nagłe anomalie obserwowane u tak różnych gatunków zwierząt na całym świecie nie tylko wywoływały niepokój – były bezprecedensowe.

Otworzyłem torbę i przygotowałem kamerę. Włożyłem baterię, przeczyściłem obiektyw, zamocowałem podpórkę na ramię.

Kiedy zapuszczaliśmy się w głąb delty Okawango w poszukiwaniu zaginionych turystów, coraz mocniej podejrzewałem, że następuje jakieś zaburzenie środowiska w skali makro.

Załadowałem nową kasetę miniDV i włączałem właśnie

koszmarnie drogi stabilizator obrazu Sony, gdy usłyszałem za sobą zamieszanie. Rude psy Abe'a rozszczekały się jak szalone. Sekundę później nie miałem już w rękach kamery, a na gardle i obojczyku poczułem coś zimnego i twardego. Jeden z siedzących z tyłu mężczyzn przyłożył mi coś do szyi – chyba maczetę, bo właśnie taką broń drugi przyciskał do szyi Abe'a.

Ten ostrożnie zatrzymał samochód i zaczął mówić w tswana do człowieka, który przykładał mu maczetę do gardła. Przed rozcięciem tętnicy szyjnej mogły mnie teraz uratować tylko umiejętności negocjacyjne Abe'a. Serce waliło mi jak młot pneumatyczny. Czułem, jak wszystkie włoski na rękach stają mi dęba. Mężczyzna, który przykładał maczetę do gardła Abe'a, kręcił głową i wskazywał do tyłu. Abe cały czas mówił. Mężczyzna znowu pokręcił głową.

– Nie, nie, nie, nie, nie, nie, nie – powiedział. – Nie, coś pan?

Opuścił maczetę, żeby wyskoczyć z samochodu. Trzymał ją wymierzoną w Abe'a, ale mało na niego uważał, bo równocześnie drugą ręką usiłował wyciągnąć winchestera przypiętego do wieszaka na broń. Abe sięgnął pod podszewkę kamizelki, a gdy wyciągnął rękę, trzymał w niej groźny krótki rewolwer kalibru .38. Wbił lufę między oczy człowieka z maczetą, który spojrzał na nią zezem, zupełnie jak Curly Howard, gdy Moe naciskał mu nos. Facet oderwał rękę od sztucera i opuścił maczetę.

Wtedy ten za mną odsunął maczetę od mojej szyi. Mężczyźni i nastolatek spojrzeli po sobie, wzruszyli ramionami, jak gdyby przegrali uczciwy zakład, po czym wyskoczyli z land rovera. Bez słowa ruszyli z powrotem w stronę, z której przyjechaliśmy. Psy warczały i szczekały za nimi, ale Abe uciszył je gwizdnięciem. Miał poczerwieniałą twarz i dygotał. Z początku pomyślałem, że ze strachu, zaraz jednak zorientowałem się, że przede wszystkim jest wściekły.

– Tchórze! – ryknął za nimi, przykładając do ust zwinięte dłonie. – Parszywe czarne trzęsidupy! Pieprzone bambusy!

Splunął brązową śliną przez okno, otarł twarz rękawem, przeklął pod nosem i zwolnił sprzęgło.

– Zabobonne, obłudne, bezmózgie czarne skurwysyny – mruknął, na wpół do mnie, na wpół do siebie, a może do psów. – Panowie, zostaliśmy sami.

Opadłem na siedzenie i otarłem pot z twarzy, zamykając oczy. Puls wciąż walił mi jak młotem, kiedy się odwróciłem i wziąłem kamerę z tylnego siedzenia.

Może Natalie miała rację, mówiąc o mojej wyprawie do Afryki, pomyślałem. W tym momencie boks w klimatyzowanym biurowcu wcale nie wydawał mi się takim okropnym miejscem.

Rozdział 18

Parę kilometrów dalej na północ trafiliśmy na solniska w rozwidleniu delty. Krajobraz rozpościerający się za nimi zapierał dech w piersiach. Jak okiem sięgnąć rozciągała się bezkresna szachownica wysp porośniętych trawą i solnisk. Zrozumiałem, dlaczego bogaci turyści z Europy i Ameryki przyjeżdżają na safari do delty Okawango. Widoki były niesamowite.

Szlak, którym jechaliśmy, przecinał bród w jednej z delt rzeki.

– Jezu, na pewno możemy... – zdążyłem wykrztusić, ale Abe z obojętną miną wcisnął pedał gazu i runęliśmy na łeb, na szyję w wir barwy kakao. Woda sięgnęła klamek. Spodziewałem się, że lada chwila stanie silnik. Psychicznie przygotowałem się do skoku do wody. Byliśmy już mokrzy.

– Ech, nowojorczycy – powiedział Abe, prowadząc nas przez fale z ręką na dźwigni zmiany biegów i nogą na gazie. Posuwaliśmy się naprzód dzięki mocy silnika i siły jego woli. Ruchem głowy wskazał końcówkę przedłużacza wlotu powietrza umieszczoną wysoko z boku samochodu. – Ktoś o tym pomyślał, stary. Spokojnie.

Przebrnęliśmy na drugą stronę i wspięliśmy się na stromy błotnisty brzeg, wjeżdżając na płaski teren o powierzchni może jednego, dwóch hektarów, zarośnięty wysoką, jasnozieloną trawą. Wyżłobione w ziemi koleiny przecinały go, prowadząc do srebrzyście połyskującej laguny, gdzie na płyciznach tłoczyło się stado złożone z mniej więcej siedemdziesięciu bawołów.

– Uważaj – rzekł Abe, pokazując stado. – Zbliżamy się. To są te bawoły, na które polują lwy.

O mały włos nie upuściłem kamery, gdy Abe wcisnął pedał hamulca i gwałtownie zatrzymał wóz w połowie drogi do laguny. Na drugim końcu porosłego wysoką trawą bagniska, przy drzewie kiełbasianym, stał zaparkowany pusty land rover dokładnie taki sam jak nasz, z wymalowaną na boku nazwą firmy organizującej safari.

Z jednej z toreb Abe wyciągnął lornetkę i stanął na swoim fotelu. Powoli i uważnie obejrzał trawiastą równinę. Następnie opuścił lornetkę, zawiesił ją sobie na szyi, usiadł i ostrożnie ruszył w kierunku pustego samochodu.

Zatrzymaliśmy się obok niego i wysiedliśmy. Wzrok Abe'a przykuło coś błyszczącego. Pochylił się i wyciągnął z trawy jakiś przedmiot. Zrobiłem zbliżenie.

To był złoty damski zegarek Cartier Tank. Zupełnie nie pasował do afrykańskiej sawanny; równie niedorzecznie wyglądałaby spreparowana ludzka głowa na półmisku w hotelu Four Seasons. Pasek ze skóry aligatora był pokryty krwią.

Wsiedliśmy z powrotem do land rovera i ruszyliśmy dalej, kołysząc się. Nie rozmawialiśmy ze sobą. Wokół pustego samochodu i pnia drzewa kiełbasianego, rozrzucone wśród traw i skarłowaciałych krzewów leżały strzępy ubrań. Zesztywniałe od zaschniętej krwi fragmenty koszul, bielizna, damski adidas, saszetka do paska. Skrawki tkanin były rozrzucone po całym terenie. Na gałęzi drzewa wisiał kawałek hawajskiej koszuli, łopocząc na wietrze jak flaga.

Abe popatrzył na korony drzew, a potem na land rovera.

– Spójrz – powiedział i wskazał samochód. – Widzisz strzelbę? Nikt jej nawet nie wyciągnął z uchwytu. Przewodnicy safari, którzy wyjeżdżają z gośćmi, nie są zabobonnymi mięczakami jak nasi serdeczni przyjaciele kucharze. To zawodowcy. Wszystko musiało się stać w ciągu paru sekund. Tak szybko, że nie zdążyli nawet sięgnąć po broń.

– Samce lwów chronią swoje stada przed człowiekiem, ale to wygląda na jakąś zasadzkę – odrzekłem, próbując pomóc wyjaśnić zagadkę.

– Ale co zrobiły z ciałami? – zapytał Abe. – Lwy zwykle pożywiają się tam, gdzie zabijają zdobycz. Nigdy czegoś takiego nie widziałem.

Rozdział 19

Dominujący jednooki samiec leży przyczajony w wysokiej trawie i czeka. Odkąd usłyszał z oddali warkot silnika, czatuje na skraju trawiastej polany około dwudziestu pięciu metrów na wschód, w odległości umożliwiającej atak.

Jego potężna pierś unosi się i opada pod jasnorudą grzywą. Przymyka ciemnobursztynowe oko, spoglądając w dal. Otwiera odrobinę pysk, wciąga w nozdrza suchy wiatr i lekko porusza wąsami.

Polując na terytorium swojego stada niemal od urodzenia, dziesięcioletni lew zna niemal każdy centymetr kwadratowy tego terenu. Z początku czatował po zachodniej stronie, ale się przeniósł, gdy zmienił się kierunek wiatru. Jako wytrawny drapieżnik zajmuje pozycję pod wiatr, aby ofiara nie wyczuła jego zapachu.

Cierpliwie czeka, aż ofiara pochyli głowę lub odwróci się w drugą stronę, przyjmując najlepszą pozycję umożliwiającą atak. Wystarczy chwila nieuwagi, a będzie miał dość czasu, żeby się na nią rzucić. Zakończy łowy tak jak zawsze, zwalając ofiarę z nóg i zaciskając szczęki na jej gardle.

Zaatakowałby już wcześniej, ale ostrożnie podchodzi do

ludzi, nieprzyzwyczajony do polowania na nich. Kilka razy został postrzelony przez myśliwych i strażników rezerwatu w czasach samotnych wędrówek, zanim jeszcze dołączył do stada.

Nie odrywając wzroku od ofiary, lew wydaje cichy dźwięk. W odpowiedzi w trawie po prawej słyszy stłumiony warkot, prawie mruczenie, a potem następne sygnały z trawy po swojej lewej stronie.

W odpowiedzi na jego wezwanie do polowania dwadzieścia kilka lwów za samcem rozdzieliło się na dwie grupy. Jedna miała otoczyć i zapędzić ofiarę w zasadzkę, którą przygotowała druga grupa.

Lwy otaczające ofiarę zaczynają się skradać szybko i bezszelestnie przez trawę, wykorzystując każdą naturalną osłonę terenu. Dzięki żółtobrązowej sierści stają niemal niewidoczne. Ich płowe cielska w kolorze trawy wtapiają się w roślinność, tworząc luźną sieć wokół drzewa kiełbasianego i ofiary i odcinając wszelką drogę ucieczki.

Rozdział 20

Abe przechylił głowę i gwizdnął, a psy wyskoczyły z samochodu i zanurzyły się w wysokiej trawie.

– Posłuchaj, stary – powiedział, patrząc przez celownik sztucera. – Jeśli lew podejdzie, najlepiej zabić go strzałem w łeb, prosto między oczy.

– Dzięki za radę – odparłem, nie przerywając filmowania.

Opuściłem kamerę chwilę później, gdy na skraju polany rozległy się dwa przenikliwe psie skowyty. Najpierw jeden, potem drugi.

Abe gwizdnął na psy. Nic się nie stało.

Włożył palce do ust i zagwizdał jeszcze raz, głośniej. Cisza.

– Niedobrze – stwierdził.

Przyłożył winchestera do ramienia i przycisnął oko do celownika. Skierowałem kamerę w tę samą stronę i wstrzymałem oddech.

Dwadzieścia metrów na wschód od nas w trawie pojawił się lew.

Nigdy dotąd nie widziałem lwa na wolności. To piękny i zarazem przerażający widok. Sama wielkość zwierzęcia poraża. Naprawdę porusza coś w duszy, głęboko pod żebrami.

Trwałem w stanie zachwytu, zupełnie nieprofesjonalnie, gdy Abe pociągnął za spust. Huk sztucera tuż obok mnie podziałał jak kopniak w głowę, pozostawiając w lewym uchu odgłos przypominający bzyczenie komara. W miejscu, gdzie jeszcze przed chwilą stał lew, nie było nic. Jak gdyby zwierzę rozpłynęło się w powietrzu.

Abe z powrotem wsiadł do land rovera.

– Rusz tyłek, stary, jeżeli chcesz zostać przy życiu.

Uznałem, że to dobry pomysł. Zatrzasnąłem drzwi, a potem dostrzegłem jakiś ruch na przeciwległym końcu polany. Z ukrycia wyszedł drugi samiec i stał w wysokiej trawie nieruchomy jak głaz, lekko poruszając ogonem. Obserwował nas. W spojrzeniu jego bursztynowych oczu było coś posępnego i bezlitosnego, coś z innej rzeczywistości.

Lew ryknął i ruszył w naszą stronę. Najpierw powoli. Potem jakby coś w nim zaskoczyło i zaczął szarżować, pędząc na nas z zawrotną prędkością. Abe nacisnął spust dokładnie w momencie, kiedy lew odbił się do skoku. Powietrzem wstrząsnął drugi wystrzał. Zobaczyłem, jak z tyłu łba zwierzęcia rozpryskuje się kawałek mózgu. Lew zginął jeszcze w locie i martwy runął na ziemię, uderzając z boku w samochód, który zachwiał się w trawie jak kołyska.

Nie przerywałem filmowania. Abe wyrzucił łuskę po naboju, która odbiła się od krawędzi przedniej szyby z brzękiem przypominającym dźwięk wietrznych dzwonków. Zauważyłem, że leżący na ziemi lew ciągle oddycha.

Ale trwało to niedługo. Usłyszałem następny huk i pocisk przestrzelił lwu kręgosłup tuż nad zadem.

Abe uzupełnił trzema nabojami magazynek. Kiedy skończył, zdjął kapelusz, otarł czoło i rozejrzał się po polanie. Cisza. Żadnych owadów, żadnych ptaków. Przesunął się nad nami cień białej chmury płynącej wysoko na niebie. Na chwilę oderwałem oko od wizjera i zerknąłem na Abe'a. Miał bardzo niewyraźną minę.

Zmieniłem kierunek ujęcia, podążając za jego wzrokiem. W odległości około dziesięciu metrów od nas zobaczyliśmy krąg płowych łbów otaczających samochód.

Wszystkie lwy miały grzywy. Samce. Dwadzieścia kilka samców.

Abe mrugał oczami, trzymając palec przy otwartych ustach. Był tak zdumiony, że zaskoczenie wzięło górę nad strachem.

– Niemożliwe – wyszeptał. – Same samce?

To było bez sensu. Samce po prostu czegoś takiego nie robią. Stado lwów składa się z kilkunastu spokrewnionych ze sobą samic i jednego, czasami dwóch, góra trzech lub czterech samców w przypadku wyjątkowo dużej grupy. Dorosłe samce, które nie należą do stada, polują samotnie. W naturalnych warunkach samce nigdy – absolutnie nigdy – nie zbierają się w takiej liczbie. To się po prostu nie zdarza.

Tyle że to się właśnie działo.

Kręciłem dalej, a lwy ruszyły. Przeszły kilka kroków, po czym przystanęły, aby lew z tyłu też przesunął się naprzód. Zwierzęta przypominały wyszkolonych żołnierzy przemieszczających się w zorganizowany i skoordynowany sposób.

Spodziewałem się, że Abe nadepnie na gaz i zwiejemy jak najdalej stąd. On jednak mocno zacisnął usta. Niemal jednym płynnym ruchem przyłożył sztucer do ramienia, wycelował i strzelił. Łeb lwa po lewej, najbliżej auta, rozprysnął się na kawałki i zwierzę bezwładnie padło na trawę.

Abe wahał się, szukając następnego celu, gdy rozchyliła się trawa przed maską samochodu i w kadrze mignęła mi złota plama.

Łapa lwa trafiła Abrahama w twarz, rozległ się trzask i mój towarzysz wypadł z samochodu.

Rozdział 21

Przez długą, o wiele za długą chwilę siedzę bez ruchu, niezdolny wykonać żadnego ruchu, jak gdyby ktoś przybił mi tyłek do fotela pasażera.

Nawiedził mnie ten sam nagły, lodowaty, ściskający trzewia strach, który poczułem, wyskakując pierwszy raz z black hawka jako sanitariusz rangersów podczas bitwy o Faludżę. Stałem w otwartych drzwiach śmigłowca jak ostatni matoł, nie mogąc ruszyć nawet palcem.

Dobra, do roboty. Do roboty. No, już. Paraliż. Do roboty. Zrobiłem nawet to samo, co tamtego dnia, gdy kule świstały mi wokół głowy, którą wypełniała gęsta wata.

Zrób coś, idioto! – wrzasnąłem na siebie w duchu. Działaj!

Sztucer Abe'a leżał przechylony na fotelu kierowcy obok mnie. Chwyciłem broń i mocno oparłem lufę o drzwi po stronie kierowcy. Lew ciągnął Abe'a przez trawę, trzymając go za kołnierzyk koszuli.

Kiedy strzeliłem lwu w łeb, kolba broni uderzyła mnie w ramię. Wyskoczyłem z samochodu i podbiegłem do martwego zwierzęcia leżącego jakieś pięć metrów ode mnie. Abe z zakrwawioną głową chwiejnie podnosił się z ziemi. W tym momencie miałem tylko jeden cel – czym prędzej stąd wiać i zawieźć Abe'a do lekarza.

Zarzuciłem sobie na szyję jego ramię i utykając, ruszyliśmy do wozu. Abe był wyższy ode mnie i sporo cięższy. Szliśmy wolno.

Głowa Abe'a krwawiła tak obficie, że nie wiedziałem, gdzie dokładnie są rany. Posadziłem go z tyłu land rovera i kiedy sposobem MacGyvera usiłowałem zrobić zaimprowizowany bandaż z jego koszuli, nagle samochód zakołysał się jak łódź na fali, omal nie przewracając się na bok. Na maskę wskoczył lew jak kot gramolący się na fotel. Z zaciekawieniem patrzył przez przednią szybę. Jego oczy przypominały dwa ciemne bursztyny. Lśniły jak płomień, jak krew i miód.

Uznałem – jeżeli można użyć tego słowa – że najlepiej będzie ukryć się pod kierownicą. Przeczołgałem się na przód samochodu, zbliżając się do lwa, zamiast się oddalić, trochę jak bokser pochylający się w stronę ciosu. Wepchnąłem się pod kierownicę, kuląc się na podłodze i kurczowo ściskając w rękach broń. Gdy czekałem na swój kres, zorientowałem się, że wciąż pracuje silnik land rovera. Ręką naparłem na pedał gazu.

Silnik ryknął na wysokich obrotach, ale nic się nie stało. Samochód nie był na biegu.

Łokciem wcisnąłem sprzęgło, złapałem dźwignię i manipulowałem nią, dopóki nie usłyszałem, że coś zaskoczyło. Puściłem sprzęgło, a drugą ręką dodałem gazu.

Auto szarpnęło do tyłu. Udało mi się wrzucić wsteczny, co mnie ucieszyło. Ruszyliśmy. Dłonią wciskałem pedał gazu w zabłoconą podłogę. Czułem, jak pozbawiony kierowcy land rover zarzuca i podskakuje, tocząc się po trawie. Na masce nad sobą słyszałem pomruki lwa, którego pazury ze stukiem i zgrzytem drapały w szybę.

Nie zatrzymując samochodu, wyprostowałem się nieco i zobaczyłem jego przednie łapy i potężny kudłaty łeb nad przednią szybą – wyglądał jak graffiti „Kilroy tu był" rysowane kiedyś przez żołnierzy. Złapałem kierownicę i szarpnąłem nią w lewo. Lew ryknął i szukając punktu oparcia, ześlizgnął się z maski, padł obok samochodu i zaskowyczał, gdy land rover w niego uderzył.

Nagle oderwaliśmy się od ziemi. Samochód zsunął się tyłem z wysokiego brzegu rzeki i na chwilę znalazł się w powietrzu.

Przygotowując się na upadek, miałem dwie długie sekundy, aby pomyśleć nad swoją sytuacją życiową, i zdążyłem dojść do wniosku, że naprawdę nie mogę mieć za złe Natalie, że mnie rzuciła. A potem uderzyliśmy w ziemię.

Rozdział 22

Gdy land rover rąbnął tyłem w brzeg rzeki dobre trzy metry poniżej piaszczystej skarpy, wylądowaliśmy z Abe'em w wodzie. Moje ciało plasnęło w błoto, a samochód przewrócił się na bok ze zgrzytem miażdżonego metalu, plastiku i szkła, który nie pozostawiał żadnej nadziei.

Z trudem dźwignąłem się na nogi, starłem z twarzy błoto i sprawdziłem, czy odniosłem jakieś obrażenia. Czułem, że mam siniaki na całym ciele, ale poza tym nic poważniejszego mi się nie stało. Tył samochodu tkwił zanurzony w mętnej wodzie, a silnik jeszcze pracował, posapując. Jedno z tylnych kół bezużytecznie obracało się w mule i burzyło mętną wodę.

Z Abe'em było źle – to znaczy, prawdopodobnie nie żył. Jego noga utkwiła pod leżącym na boku land roverem, a głowa była odwrócona pod zdecydowanie nieprawidłowym kątem, prawie prostopadle do ciała. Wyglądało na to, że w wypadku Abe złamał kark. Nie oddychał.

Sprawdziłem mu puls i nie zdziwiłem się, kiedy go nie wyczułem. Potem zerknąłem w górę na krawędź wysokiego brzegu rzeki, z którego właśnie spadliśmy. Zobaczyłem łby lwów. Przyglądały mi się. Chwilę później zaczęły zbiegać ze skarpy.

Wycofałem się na mieliznę. Moją uwagę przykuł zwłaszcza jeden lew – olbrzymi, większy od pozostałych, z rudawą grzywą i jednym okiem. Ten szczególnie się uwziął. Ruszył prosto na mnie.

Odwróciłem się i zanurkowałem głęboko. Pracując nogami najmocniej, jak potrafiłem, odpłynąłem jak najdalej z wolnym prądem. Była pora suszy, więc woda nie była zimna ani głęboka, tylko ciepła, płytka i brudna. Gdy stanąłem na palcach na środku rzeki, sięgała mi pod brodę. Potrząsnąłem włosami, zamrugałem oczami, żeby usunąć z nich wodę, splunąłem i spojrzałem na brzeg. Ciało Abe'a otaczało sześć czy siedem lwów, ocierających się o siebie grzywami. Uderzały go łapami i szarpały, co nie przystawało tak dostojnym zwierzętom. Ale tamten ogromny samiec minął leżącego na boku land rovera i dał nura do wody, po czym, dysząc jak szalony, zaczął płynąć w moją stronę.

Przed chwilą sądziłem, że jestem bezpieczny. Okazało się, że nie.

Lwy nie cierpią wody. Nie są dobrymi pływakami – ich masywne, umięśnione ciała nie są do tego stworzone. W razie potrzeby popłyną, żeby na przykład przeprawić się w bród przez rzekę w czasie pory deszczowej, ale to raczej niespotykane, aby lew ścigał swoją ofiarę w wodzie.

Znowu się odwróciłem i skierowałem w stronę piaszczystej łachy na środku rzeki.

Dziesięć kroków od wysepki zobaczyłem długą czarną skrzynkę kołyszącą się na wodzie i dryfującą w leniwym nurcie jak kawał drewna. Bagaż z przewróconego land rovera. Rzuciłem się w jej stronę, myśląc, że mógłbym jej użyć jako prowizorycznego koła ratunkowego.

Rzeczywiście to był ratunek: jedna ze skrzynek na broń, które zabrał ze sobą Abe. Chwyciłem ją i zacząłem brnąć w stronę brzegu.

Obolały i zmęczony, ściskając pod pachą kufer na broń i potykając się, z trudem wlokłem się w kierunku porośniętej trzcinami wysepki. Pod stopami czułem przybrzeżną stromiznę. Nie miałem żadnego planu. Nie miałem siły myśleć. Kiedy znalazłem się na wysepce, osunąłem się na kolana w mlaszczącym błocie jak grzesznik w kościele, otworzyłem zatrzaski skrzynki – klik, klik – i wyciągnąłem czarny matowy karabin powtarzalny Mauser 98, kawał potężnej armaty, z lufą kalibru rury wodociągowej.

Co mówił Abraham? – pomyślałem, gdy zarzucałem na ramię pas z nabojami i ładowałem do pełna magazynek. „Lepiej je mieć i ich nie potrzebować".

Powoli szedłem tyłem po wysepce i celowałem w gigantycznego kota, który płynął pieskiem w moją stronę. Był już zaledwie parę metrów ode mnie, kiedy wynurzył się z rzeki i otrząsnął grzywę, rozpryskując wokół tysiące błyszczących kropelek wody. Przyłożyłem broń do policzka, wycelowałem między oczy i nacisnąłem spust. Kolba odskoczyła i uderzyła mnie w ramię, a lew padł przede mną w błoto jak mokry worek kartofli. Niech mi wybaczą obrońcy praw zwierząt. To było piękne stworzenie, ale to bardzo duże, piękne stworzenie próbowało mnie zabić.

Obróciłem wzrok w stronę brzegu rzeki. Z niedowierzaniem patrzyłem, jak lwy wyszarpnęły ciało Abe'a spod samochodu i wciągnęły na stromą piaszczystą skarpę.

Rozdział 23

Długo siedziałem na brzegu wysepki na rzece, wpatrując się w miejsce na przeciwległym brzegu, w które lwy zaciągnęły ciało Abe'a. Nie przypuszczałem, że wrócą po mnie, ale wciąż trzymałem na kolanach odbezpieczony karabin. Siedziałem na błotnistej wysepce, zastanawiałem się nad tym, co się przed chwilą stało, łapałem oddech i zbierałem myśli.

Lew, którego właśnie zabiłem, leżał obok mnie na boku i pogrążał się w miękkim błocie. Jego tylne łapy tkwiły w rzece, ogon unosił się na powierzchni, krew barwiła trawę i tworzyła małe wiry w brązowej wodzie.

Pora na ocenę sytuacji. Dobra, Oz, fakty wyglądają tak: zgubiłeś się w afrykańskim buszu, jesteś sam, nie masz nic do jedzenia i picia. Tą sytuacją należy się zająć jak najprędzej. Ale ilekroć próbowałem wykombinować, co powinienem teraz zrobić, moje myśli uparcie wracały do tego, co się przed chwilą zdarzyło.

Im więcej o tym myślałem, tym mniej widziałem w tym sensu.

Lwy to podręcznikowy przykład ssaków stadnych. Struktura lwiej rodziny, zwłaszcza jeżeli chodzi o strategię polowania w grupie, należy do najlepiej znanych i udokumentowanych w zoologii organizacji społecznych. Lwy żyją w stadach, w których polują samice. Wędrujące samce polują samotnie, nigdy nie polują razem w zorganizowanej grupie.

Tyle że teraz wszystkie te teorie nie były warte funta kłaków. Ani razu nie słyszałem o dużej grupie wspólnie polujących lwów samców, a tym bardziej nie widziałem tego na własne oczy. Inna ciekawostka: dlaczego te lwy ciągnęły gdzieś ofiarę? I dlaczego nie ma samic? Samice zresztą lepiej polują. Właśnie z tego powodu to zwykle one zajmują się zdobywaniem pożywienia w stadzie – ich lżejsze i zwinniejsze ciała są lepiej przystosowane do tego celu. Cholera, gdzie były dziewczyny? Przez cały dzień nie widziałem ani jednej lwicy.

Zachowanie lwów było nie tylko dziwne, ale i szokujące. Robiły rzeczy, których lwy po prostu nie robią. To, co przed chwilą widziałem, stało w sprzeczności ze wszystkim, co wiedziałem na temat zachowania tego drapieżnika szczytowego, który nie ma naturalnych wrogów. Dlaczego?

Nie mówiąc już o fakcie, że lwy prawie nigdy nie robią krzywdy ludziom. Po co polowały na ludzi?

Nie jesteśmy bogatym źródłem mięsa. Sposób ataku wskazywał na to, że chodziło im właśnie o nas.

Ukląkłem, nabrałem w dłonie trochę wody i ochlapałem twarz. Musiałem zostawić sobie analizę zaskakujących wniosków na czas, gdy będę w bardziej komfortowym położeniu. Na razie trzeba się było z tego wygrzebać. Rozmyślania odłożyć na później. Musiałem coś zrobić, żeby natychmiast poprawić swoją sytuację.

Przesunąłem leżący na kolanach karabin i poklepałem prostokątny przedmiot spoczywający w kieszeni przemoczonej bluzy khaki. To był mój iPhone, w którym poprzedniego dnia złamałem zabezpieczenia, żeby działał w Afryce. Cha, cha. Potrząsnąłem nim: pod ekranem zabulgotały bańki, a z gniazda baterii wyciekły krople wody. Z wezwania pomocy nici. Zresztą i tak w głębi afrykańskiego buszu nie miałbym zasięgu. Na pewno nie w przypadku AT&T.

Wyrzuciłem za siebie niezdatne do niczego dzieło projektantów Apple'a i dostrzegłem płynące rzeką dwie ogromne szare bryły wielkości cystern. Znieruchomiałem, gdy hipopotamy mnie mijały.

Hipopotamy są oczywiście roślinożerne – ale te olbrzymie zwierzęta potrafią być agresywne, broniąc swojego terytorium. Kiedy uznają, że ktoś narusza ich spokój, bez wahania zabijają intruza. W istocie należą do najbardziej niebezpiecznych stworzeń, jakie można tu spotkać. Wstrzymywałem oddech, dopóki groźne krążowniki nie zniknęły za zakrętem rzeki.

Rozdział 24

Trzymając wysoko karabin i naboje w jednej ręce, żeby się nie zamoczyły, z powrotem zanurzyłem się w rzece.

Wyszedłem na brzeg przy leżącym na boku land roverze i spojrzałem na krawędź skarpy, gdzie ostatni raz widziałem lwy. Cały mój plan, jeżeli można go tak nazwać, był taki: dotrzeć ponownie do obozu, gdzie wylądowaliśmy z Abe'em, i zastanowić się, co dalej robić. Genialne, prawda?

Poszukałem swoich rzeczy w rozbitym samochodzie: większą torbę zostawiłem w obozie, biorąc ze sobą tylko płócienny plecak. Znalazłem go. Pasek zahaczył się o złamaną dźwignię zmiany biegów. Rozplątałem go i zarzuciłem plecak na ramię. Gdy jeszcze raz rozejrzałem się po samochodzie, zauważyłem coś ciekawego. Z tyłu na podłodze świecił maleńki punkcik czerwonego światła.

Ukląkłem w mule i wydobyłem z wozu swoją kamerę Sony. Zupełnie o niej zapomniałem. Przez ostatnią godzinę tyle się działo. Chociaż była zachlapana błotem, a obiektyw porysowany jak diabli, nie tylko wciąż działała, ale na dodatek cały czas była włączona.

Wyłączyłem nagrywanie, przewinąłem i obejrzałem zarejestrowany materiał na podglądzie. Po upadku land rovera ze skarpy kamera leżała w błocie bokiem i przypadkowo nakręciła dalszą część ataku. Nie, nie było żadnych makabrycznych sekwencji. Kiedy lwy otoczyły land rovera, kadr wypełniły ich płomienne grzywy i rozżarzone oczy. Migały pyski, zęby i łapy.

Najważniejsze, że – pomijając wszystkie nieszczęścia, pomijając śmierć Abe'a – naprawdę udało mi się tego dokonać. Zdobyłem to, po co przyjechałem do Afryki.

Miałem dowód w postaci nagrania wideo niewytłumaczalnego hiperagresywnego, aberracyjnego zachowania zwierząt.

Materiał mógł być prawdziwą bombą. Mógł zmienić nastawienie opinii publicznej. Świetna historia do opowiedzenia na koktajlu... Mołotowa. Oglądając taki materiał, środowisko naukowe nie potrafiłoby nic z tego zrozumieć. Ani tego wytłumaczyć.

Ale nie chodzi tylko o naukowców, pomyślałem. Trybiki w mojej głowie obracały się dwa razy szybciej. Cały świat musiałby posłuchać, musiałby sobie uświadomić, że w przyrodzie rozpoczął się już powszechny kataklizm.

Twoje pierwsze zadanie, Oz: przeżyć, żeby zanieść cywilizacji tę wiadomość. Czyli nie dać się zjeść. Czyli zwiewać stąd, najlepiej natychmiast.

Wyłączyłem kamerę i schowałem do plecaka. Sprawdziłem magazynek w mauzerze. Zostały cztery naboje. Niedobrze.

Nieważne. Będę musiał coś wykombinować. Sytuacja mnie przerastała. Musiałem się stąd wydostać z tą taśmą, żeby świat się dowiedział, co się dzieje. Baczność, Oz. Do boju.

Spojrzałem w niebo: kołujące sępy zaczynały siadać na ziemi. Na wysepce, gdzie leżał martwy lew, nad jego zwłokami krążyła już chmara much, a w powietrzu rozbrzmiewał dźwięk wydawany przez ich skrzydełka. Kilka marabutów kroczyło dostojnie wokół lwa, od czasu do czasu dziobiąc jego ciało. Rozpychały się, walczyły o miejsce z garstką afrykańskich sępów. Kołysząc w szalonym tempie różowymi, pomarszczonymi głowami, odrywały dziobami delikatne pasma tkanek, rozpryskując wokół kropelki krwi, a kawałki mięsa wrzucały sobie prosto do gardła.

Ach, koło życia. Rzeki płyną do morza, morze nigdy się nie napełnia, i tak dalej. Śmierć staje się kuponem uprawniającym do posiłku. W afrykańskim buszu głównym sposobem działania była śmierć.

Obym tylko nie stał się elementem tego dokładnie zaplanowanego programu: musiałem przecież wrócić do ludzkości i przekazać jej ważną wiadomość.

Rozdział 25

Stałem zgarbiony na polanie porośniętej wysoką trawą, gdzie zostaliśmy zaatakowani, i przez jakiś czas obserwowałem drugiego land rovera zaparkowanego pod drzewem kiełbasianym. Nasłuchiwałem. Cicho. Spokojne fale wiatru gładziły trawy. Wysoko w górze, na tle zabójczo czystego nieba kołowały ptaki. Było chyba późne popołudnie. Zastanawiałem się, czy mam podejść i zobaczyć, czy wóz jest jeszcze na chodzie. Czy w stacyjce były kluczyki? Nie potrafiłem sobie przypomnieć. Tyle lwów skakało mi do gardła, że zapomniałem sprawdzić. Chociaż dzień był pogodny, zdecydowanie wolałbym jechać samochodem. Od zaparkowanego land rovera dzielił mnie płaski odcinek trawiastej ziemi długości boiska futbolowego, który wyglądał na zupełnie pusty.

Ale panowała na nim zbyt głęboka cisza.

W końcu zrezygnowałem. Za duże ryzyko. Postąpiłbym głupio, zbliżając się do lwów. Chociaż nie było ich nigdzie widać, to jeszcze nic nie oznaczało. Znajdowałem się na ich terenie, poza tym nie sposób było przewidzieć ich zachowania. Niewykluczone, że właśnie wracały. Wiedziałem, że muszę się kierować w przeciwną stronę, pieszo, z powrotem do obozu.

Pochylając się jak najniżej, okrążyłem polanę. Znalazłem zryty koleinami szlak, którym tu przyjechaliśmy, i ruszyłem jego tropem w stronę obozu safari. Spojrzałem ponuro na słońce, które zniżało się ku solniskom na horyzoncie. Za kilka godzin zapadnie zmierzch. To nie była miła perspektywa. Przyspieszyłem kroku. Do obozu miałem tylko około ośmiu kilometrów, ale musiałem je pokonać, maszerując przez zoo bez klatek, gdzie część zwierząt wyraźnie popadła w obłęd.

Słońce wysuszyło na wiór moje ubranie, które później znów przemoczyłem, przeprawiając się w bród przez rzekę. Było mi gorąco, czułem coraz większe zmęczenie i coraz bardziej chciało mi się pić, ale postanowiłem nie brać do ust tej wody z obawy przed pasożytami.

Po mniej więcej godzinie zauważyłem pomost na drugim końcu trawiastego pola, gdzie zabraliśmy Botswańczyków. Nie było ich ani ich łódki. Sam o mały włos nie zostałem pożarty, więc nie mogłem im mieć za złe, że dali nogę. Dobrze wiedzieli, co się działo ze środowiskiem. I że trzeba uciekać, dopóki jest jeszcze szansa.

Skręciłem w stronę pomostu, chcąc się przekonać, czy znajdę tam jakąś łódź. W tym momencie dostrzegłem ruch między drzewami po prawej. Choć nie było wiatru, zdawało się, jakby drzewa lekko się chwiały – falowały. Miałem też wrażenie, że połyskują, jak gdyby ktoś je posmarował olejem.

Poczułem, że coś łazi mi po kostce.

Mrówka. Ale nie po prostu zwykła mrówka. To była przedstawicielka gatunku *Dorylus*, afrykańskiej mrówki legionowej. Po żuwaczkach poznałem, że to żołnierz.

Niektóre tubylcze plemiona wykorzystują żołnierzy mrówek legionowych jako namiastki szwów chirurgicznych: owady tak mocno zaciskają żuwaczki, że umieszczenie po jednym z każdej strony rany skutecznie ją zamyka.

Właśnie te mrówki pokrywały wszystko: drzewa, trawę, ziemię. Przez pole maszerowały miliony legionistek. Luźna kolumna miała szerokość około dwóch metrów i długość co najmniej kilometra. Mrówki były wielkości niemowlęcych paluszków i koloru czerwonego wina.

Strząsnąłem z nogi owada i rozgniotłem obcasem.

Choć jak każdy biolog uwielbiam zwierzęta, to nie lubię insektów. Jakoś do mnie nie przemawiają. Podświadomie reaguję obrzydzeniem: fuj, zdejmijcie to ze mnie. Zawsze wiedziałem, że entomologia to nie moje klimaty. A *Dorylus* to szczególnie paskudny gatunek.

Niepowstrzymana kolumna mrówek zmierzała w kierunku dwóch ciemnych kształtów na polu. Zorientowałem się, że to małe bawoły. Pewnie weszły mrówkom w drogę i padły pod naciskiem ich fali. Już nie żyły, zostały prawie zupełnie pozbawione skóry i właśnie pożerało je żywe morze owadów.

Liczebność kolonii *Dorylus* albo *siafu*, jak nazywają je Bantu, dochodzi czasem do pięćdziesięciu czy sześćdziesięciu milionów. Kolonie maszerują naprzód jak plądrujące wojsko, atakując wszystko, co napotkają na drodze, łącznie ze zwierzętami, a czasem nawet dziećmi. Przyczyną śmierci często jest asfiksja – gdy fala owadów wpełza do gardła ofiary. Wzdrygnąłem się, gdy patrzyłem na rozciągający się w oddali lśniący, ruchomy dywan. Wyglądał naprawdę niewiarygodnie.

A potem odwróciłem się i wszedłem do rzeki.

Rozdział 26

Ledwie wróciłem na szlak, usłyszałem krzyk. Trudno go było zrozumieć przez szum wiatru i plusk wody, ale nie miałem wątpliwości, że to ludzki krzyk, dobiegający od strony pomostu nad rzeką.

Najwyraźniej nie byłem tu sam.

Znowu usłyszałem krzyk i rzuciłem się biegiem przez trawiaste pole, oddalając się od mrówek. To był chyba głos kobiety. Przypomniałem sobie widok zakrwawionych ubrań w miejscu masakry uczestników bezkrwawego safari i przyspieszyłem kroku.

Dotarłem do pomostu i zatrzymałem się tuż nad brzegiem rzeki. Zobaczyłem białą kobietę o ciemnych włosach uczepioną dużego kamienia pośrodku nurtu. Co tam robiła, pozostawało dla mnie zagadką. Miała na sobie spodnie khaki, ale była boso. Przemoczone ubranie kleiło się do jej skóry. Trzymała się kurczowo szczytu kamienia, usiłując utrzymać równowagę rękami i nogami.

Przyłożyłem do ust zwinięte dłonie i zawołałem przez rzekę:

– Możesz się ruszać?!

Po namyśle uznałem, że to było dziwne pytanie.

Spojrzała w moją stronę i wreszcie mnie zobaczyła. Patrzyła na mnie, jak gdyby nigdy dotąd nie widziała człowieka. Nie wiedziałem, czy zna angielski, czy nie. Po chwili znowu krzyknęła, wskazując w górę rzeki, na prawo ode mnie.

Podążyłem wzrokiem za jej ręką i zobaczyłem, że na powierzchni pojawiło się coś, co wyglądało jak szarawa bryła błota długości około pięciu metrów.

To nie było błoto. To coś miało więcej zębów niż przeciętna gruda błota.

Krokodyl nilowy: największy i najbardziej agresywny gatunek krokodyla występujący w Afryce. Patrzyłem, jak machnął pokrytym łuską, kolczastym i bardzo silnym ogonem, kierując się w stronę środka nurtu i uczepionej kamienia kobiety. Nie wiedziałem, jak się wpakowała w tę sytuację, ale powiedziałem sobie, że pomogę jej z tego wyjść.

Zostały mi cztery naboje. Nie zmarnuj ich, Oz.

Ukląkłem na jedno kolano i ustawiłem celownik mauzera na krokodylim łbie w kształcie wiosła. Podparłem lufę ręką, wstrzymałem oddech i nacisnąłem spust.

Karabin huknął i mocno uderzył mnie w ramię. Zobaczyłem, jak rozpryskuje się woda przed krokodylem. Spudłowałem.

Znowu wycelowałem i strzeliłem jeszcze dwa razy. Nie zauważyłem żadnego rozprysku. Dwa razy rąbnąłem sukinsyna. Nie widziałem, w co dokładnie, ale słyszałem, jak pociski wbiły się w ciało.

Jednak krokodyl nie zginął. To by było zbyt proste. Gwałtownym ruchem obrócił w moją stronę łeb wielkości deski surfingowej, jak gdybym klepnął go w grzbiet.

Posłałem mu jeszcze jedną kulę i trafiłem gnojka prosto

w czubek głowy. To załatwiło sprawę. Przez moment patrzył na mnie z błotnistej wody, a potem zniknął w rzece, obracając się brzuchem do góry.

Znowu spojrzałem w prawo: w naszą stronę zasuwał drugi krokodyl.

Potem zauważyłem resztę. W lagunie w górze rzeki, w pewnej odległości od nas ujrzałem stado co najmniej czterech krokodyli, a trzy następne wygrzewały się na brzegu. Nic dziwnego, że były wściekłe. Wyglądało na to, że kobieta weszła na teren, gdzie miały gniazda.

Wycelowałem do następnego zbliżającego się gada. Płynął w naszą stronę jak ożywiona kłoda drewna. Nacisnąłem spust.

I nic. Wcześniej wystrzeliłem ostatni nabój, więc w komorze rozległ się suchy trzask.

Rozdział 27

Hm. Krokodyle sunęły rzeką w stronę kobiety, a ja siedziałem na brzegu z rozładowaną bronią. Nagle w głowie zapaliła mi się żarówka i rzuciłem karabin na ziemię. Przyłożyłem do ust zwinięte dłonie i krzyknąłem przez wodę:

– Zaraz wracam!

Zrobiłem w tył zwrot i ruszyłem biegiem drogą, którą przyszedłem, kierując się z powrotem na pole za sobą.

Kiedy wbiegałem w rozkołysane brązowe trawy, zdarłem z siebie mokrą koszulę. Wyjaśnię: właśnie zamierzałem z nagim torsem dać nura w hordę mrówek legionowych. Biegłem po połyskliwym czarnym dywanie i czułem, jak przy każdym kroku pod podeszwami moich butów chrzęszczą mrówki. Dotarłem do zwłok cielęcia bawołu, trzepnąłem mokrą koszulą w wykrzywione, zesztywniałe kopyta, żeby strącić z nich mrówki, a potem chwyciłem zwierzę za nogę i najszybciej, jak potrafiłem, zacząłem wlec w kierunku rzeki.

Mrówki oszalały. Ciemnorubinowe mrowie z chrobotem i szelestem ruszyło za mną. Zobaczyłem, jak kolumna zmienia szyk i ciemnieje, gdy miliony owadów dostały rozkaz przegrupowania, aby rozprawić się z intruzem. Widziałem, jak wiadomość rozprzestrzenia się po całej kolonii, przekazywana za pomocą feromonów z jednej pary czułków do drugiej. Jedyną przewagą, jaką miałem, były moje nogi.

Cielę było lżejsze, niż przypuszczałem, ponieważ zostało już częściowo wydrążone przez legionistki. Mrówki oblazły mi już ręce, więc strzepywałem je, jak umiałem. Zanim dotarłem do pomostu, w kilkunastu miejscach na rękach i piersi czułem pulsujący ból po ukąszeniach. Nic wielkiego – miałem po prostu wrażenie, jak gdybym został wielokrotnie trafiony zszywaczem tapicerskim.

Wróciłem na brzeg rzeki, a kręta czarna kolumna została daleko w tyle.

Dwa krokodyle zataczały koła wokół kobiety na kamieniu. Wbiegłem na skrzypiące deski pomostu ze zwłokami cielęcia.

– Hej! – zawołałem. – Kolacja! Tutaj!

Wrzuciłem padlinę do rzeki. Wpadła do leniwego, mętnego nurtu z potężnym pluskiem jak pulchne dziecko wskakujące „na bombę" do basenu.

Na widok pływającego kawała mięsa jeden z krokodyli skierował się w jego stronę. Pomyślał pewnie, że lepszy wróbel w garści niż gołąb na kamieniu. Drugi krokodyl jednak się ociągał, wciąż ospale krążąc wokół kobiety.

Chwyciłem karabin za lufę i z całych sił cisnąłem w krokodyla. Kolba strzelby trafiła w wodę tuż obok jego ogona. Wreszcie też zawrócił i popłynął w kierunku zwłok cielęcia, w ślad za pierwszym krokodylem, który wbił już zęby w mięso. Zdezorientowane mrówki, unoszące się jak małe punkciki na powierzchni wzburzonej wody wokół nich, wymachiwały odnóżami jak oszalałe, a tymczasem dwa krokodyle rozszarpywały padlinę.

Biegłem wzdłuż brzegu, dopóki nie znalazłem się dokładnie naprzeciwko ciemnowłosej kobiety.

– Płyń do mnie! – krzyknąłem. – Musisz! Teraz!

Pokręciła głową i zamknęła oczy, mocniej obejmując kamień.

– Wszystko będzie dobrze. Musisz. Masz mało czasu. To twoja jedyna szansa!

Patrzyła na mnie przez chwilę. Popatrzyła na krokodyle niedaleko od niej, w górze rzeki. Wreszcie weszła do wody i odepchnęła się od kamienia.

Nie umiała dobrze pływać. Fakt, warunki nie były idealne. Młóciła ramionami wodę i machała nogami. Wyglądało na to, że pokonanie sześciu metrów spokojnej rzeki zajmie jej cały dzień.

– Szybciej! Szybciej! – krzyknąłem, biegając wzrokiem od niej do krokodyli.

Wreszcie dobrnęła do brzegu, a ja musiałem się powstrzymać, żeby nie klaskać. Kiedy próbowała się wspiąć na stromy brzeg, potknęła się i osunęła na kolana w błoto.

– Nie, nie! Już prawie. Złap mnie za rękę.

Leżałem na brzuchu, wyciągając do niej dłoń. I nagle na gołych plecach poczułem łaskotanie armii owadzich nóg.

– Pospiesz się! Pospiesz!!!

Zaczęły mnie już palić plecy.

Kobieta chwyciła moją rękę, a ja omal nie wyrwałem jej ramienia ze stawu, gdy wciągałem ją po stromiźnie na polanę.

– Chodź! – wrzasnąłem i ruszyłem biegiem, szarpiąc ją jedną ręką, a drugą na oślep otrzepując się z mrówek.

Miałem je wszędzie. Na szyi, we włosach, w uszach. Wyplułem jedną, która wpełzła mi do ust. Dźwięk, który bezwiednie wydarł mi się z gardła, mógłbym nazwać przeraźliwym piskiem obrzydzenia, jaki mogłaby wydać kobieta stojąca na krześle i krzycząca na widok myszy.

Biegłem, nie zatrzymując się, dopóki się nie potknąłem o koleiny i nie upadłem na ziemię. Nie miałem już za sobą czerwono-czarnej pulsującej kolumny, więc zrzuciłem plecak i zacząłem się tarzać w kurzu, jak gdybym się palił, cały czas plując i okładając się po ciele. Czułem, że mam mrówki w spodniach. Drżącymi w panice palcami szarpnąłem sznurowadła i zrzuciłem buty. Zdarłem z siebie spodnie i z krzykiem zacząłem podskakiwać, wymachując nimi i patrząc, jak mrówki wypadają z nogawek niczym drobne kamyczki.

Kiedy otrzepałem nogi z mrówek, kciukiem odciągnąłem gumkę bokserek, żeby sprawdzić najważniejsze. Czysto.

– Bogu dzięki!

Wolny od plugastwa, wcisnąłem stopy do rozsznurowanych butów i rozdeptywałem te małe kanalie, które próbowały się rozbiec.

– Bez kumpli nie jesteście już takie chojraki, co?! – krzyczałem, skacząc w kurzu jak oszalały krasnal w tańcu śmierci mrówek. – Do piekła! Do piekła!

Kiedy czmychnęły ostatnie, odetchnąłem i zbadałem ręce, nogi, klatkę piersiową i plecy. Całe ciało miałem w bąblach, zachodzących na siebie i ułożonych piętrowo, czerwonych i nabrzmiałych jak wiśnie maraskino.

Nagle, jak gdybym ocknął się ze snu, przypomniałem sobie o kobiecie. Odwróciłem się i po raz pierwszy dokładnie się jej przyjrzałem. Była filigranowa – drobna jak dziecko, o kościach delikatnych jak u ptaka. Mimo oblepiającego ją błota była bez wątpienia atrakcyjna. Miała oliwkową cerę, czarne włosy, przedwcześnie przyprószone siwizną, bystre brązowe oczy i wydatne kości policzkowe.

– Uratowałeś mi życie – powiedziała cicho. Ciągle patrzyła gdzieś w dal. Mówiła po angielsku z wykwintnym europejskim akcentem, chyba francuskim – bardziej przednie samogłoski i wyraźne, gładziutkie spółgłoski. Siedziała w kurzu i obejmując kolana, kołysała się w przód i w tył jak huśtawka, której punktem podparcia była jej kość ogonowa. Zdecydowanie nie do końca jeszcze się pozbierała, ale widać już było światełko w tunelu.

Przypomniało mi się, że nie mam na sobie spodni. Trzepnąłem nimi kilka razy o ziemię, żeby wytrząsnąć zabłąkane mrówki, i wciągnąłem je, nie zdejmując butów. Sprawdziłem, czy z kamerą w plecaku wszystko w porządku, i usiadłem na kamieniu, żeby zawiązać sznurowadła.

– Uratowałeś mi życie – powtórzyła, tym razem trochę przytomniej.

– Mówiąc szczerze – odrzekłem, kiedy chwytałem jej rękę i pomagałem jej wstać – jeszcze nie skończyłem.

Rozdział 28

Resztę drogi do obozu pokonaliśmy prawie biegiem. Zajęło to nam trochę ponad godzinę. Kobieta podążała za mną w milczeniu, ciągle nieobecna, jak gdyby jeszcze nie doszła do siebie. Późne popołudnie przechodziło już w zmierzch i była pora, którą fotografowie nazywają złotą godziną. Nisko nad ciemniejącym horyzontem jak kula płonącej krwi wisiało ogromne afrykańskie słońce. Z kryjówek z trzepotem skrzydeł wyleciały nietoperze. Śmigały i nurkowały w powietrzu, by złapać owady. Świat zaczynał rozbrzmiewać odgłosami wieczoru.

– Znajdź jakieś suche rzeczy i przebierz się – powiedziałem, prowadząc ją do pierwszego namiotu na platformie. – Jeszcze nie jesteśmy bezpieczni. Będę potrzebował twojej pomocy, żeby przed nocą zabarykadować obóz.

Zostawiłem ją i natychmiast poszedłem szukać broni. Nie znalazłem jej jednak ani w innych namiotach, ani w kontenerze pełniącym funkcję magazynu. Ani nigdzie indziej.

Przeszedłem więc do następnego punktu na liście. Ruszyłem prosto do baru i jadalni znajdujących się w samym środku obozu, gdzie otworzyłem butelkę dwunastoletniej glenlivet –

w celach leczniczych. Polałem piekące nogi i ręce, a potem pociągnąłem łyk.

Kiedy oblewałem sobie szkocką plecy, usłyszałem charakterystyczny daleki terkot samolotu. Bogu dzięki. Wybiegłem na dróżkę prowadzącą na lądowisko i zacząłem wymachiwać rękami, gdy jednosilnikowa maszyna przelatywała nisko nad obozem.

Samolot w odpowiedzi poruszył skrzydłami. Zatoczył szeroki łuk wokół obozu i skierował się z powrotem w moją stronę. Gdy ponownie przemknął z warkotem nade mną, coś wypadło z okna i wylądowało w trzcinach obok pasa startowego. Przetrząsnąłem zarośla i znalazłem: to był kamień owinięty w kartkę, na której napisano wiadomość:

„Musimy sprawdzić obóz w górze rzeki. Wracamy za dwadzieścia minut".

Pobiegłem z powrotem do baru. Może jednak nie byliśmy skazani na śmierć.

Gdy weszła kobieta, trzymając w ręce torbę, zamieniłem glenlivet na butelkę veuve clicquot. Miała na sobie czyste spodnie khaki i spraną białą koszulkę polo, ale wciąż była brudna i podrapana, miała potargane, zabłocone i mokre włosy.

– To był samolot? – zapytała.

– Tak – odrzekłem zza baru, odkręcając druciki zabezpieczające korek. – Zobaczyli nas i zrzucili wiadomość, że niedługo wrócą. – Podważyłem korek, który wystrzelił, trafiając w napiętą jak bęben ścianę namiotu. Z butelki uniosła się mgiełka, a zaraz potem po moich palcach ściekła kaskada białej piany jak z wulkanu zbudowanego na konkurs młodych naukowców. Zlizałem szampana z ręki, po czym pociągnąłem łyk.

– *Vive la* ucieczka za dwadzieścia minut – powiedziałem i podałem jej butelkę.

– Dwadzieścia minut? – powtórzyła, a w jej oczach pojawiła się panika. – Przecież musimy się stąd wydostać natychmiast!

Spojrzałem na jej ręce: dygotały jak maszyna, która za chwilę się zepsuje. Odstawiłem butelkę na bar i podszedłem do niej.

– Spokojnie – powiedziałem. – Nic się nam nie stanie, pani...

– Jestem Chloe. Chloe Tousignant – odrzekła. Nagle nogi się pod nią ugięły i złapała się blatu. Wyglądała niewyraźnie. Krew odpłynęła jej z twarzy.

– Posłuchaj, Chloe – powiedziałem, prowadząc ją do barowego stołka. Jej szczupłe ramiona drżały. Próbowałem je rozmasować, ale mięśnie pod skórą były tak napięte, że miałem wrażenie, jakbym masował kauczuk. – Przeszłaś piekło, ale już wszystko w porządku. Nic się nie stanie. Obiecuję.

Nie odpowiedziała. Jej twarz nie nabierała kolorów.

– No, Chloe, nie odpływaj – prosiłem. – Porozmawiasz ze mną? Kim jesteś? Byłaś na tym safari w czasie ataku? Przyjechałaś na wakacje?

– Nie, nie jestem turystką. Jestem naukowcem. Zajmuję się ekologią populacyjną. – Szybko, nerwowym tonem wyrzucała z siebie słowa. Wyraźnie jednak przynosiło jej to ulgę. – Nasza grupa przyjechała z École Polytechnique w Paryżu.

Znamienita instytucja. École Polytechnique to w zasadzie francuski odpowiednik MIT. Biolożki, które znałem, zwykle nie wyglądały jak baletnice. Wolały raczej nosić T-shirty z Morrisseyem i glany.

– Widziałeś kogoś jeszcze? – spytała Chloe. – Byli ze mną dwaj koledzy, Jean Angone i Arthur Maxwell.

– Nie, przykro mi – odparłem. – Jesteś jedyną osobą, którą widziałem, nie licząc paru botswańskich kucharzy, którzy grozili nam maczetami, i faceta, który mnie tu przywiózł, ale on nie żyje.

Pokręciła głową i przygryzła wargi, patrząc szklanym wzrokiem w podłogę.

– Po co tu przyjechałaś? – zapytałem. – Badania w terenie?

– Tak – odrzekła, kiwając głową. – Zbieraliśmy dane o ptakach wędrownych w rezerwacie Moremi. Przyjechaliśmy do delty dwa dni temu. Lwy zaatakowały nas przedwczoraj o zmierzchu. Spadły na nas z drzewa. Przewodnik zginął pierwszy, a potem wszyscy się rozbiegli. Nie wiem, jak mi się udało uciec. Dostałam się na drugą stronę rzeki i spędziłam noc na drzewie. Kiedy usłyszałam wasz samochód, zeszłam i ruszyłam w stronę odgłosu silnika. Jak z powrotem przeprawiałam się przez rzekę, zobaczyłam krokodyle, weszłam na ten kamień i po prostu czekałam, żeby odpłynęły...

Zamknęła oczy, zadrżała i głęboko nabrała powietrza. Gdy znowu otworzyła oczy, nagle zdałem sobie sprawę, że myliłem się co do niej. Nie była zwyczajnie atrakcyjna. Miała w twarzy coś jeszcze, coś surowego i królewskiego. Była piękna.

– A ty? – spytała. – Dziennikarz z Ameryki? Dokumentalista?

– Nazywam się Jackson Oz. Przyjechałem, żeby spróbować udokumentować aberracyjne zachowanie lwów. O tym, że lwy w Botswanie zachowują się dziwnie, powiedział mi człowiek, którego znam. To znaczy, znałem. Abe Bindix jest tu przewodnikiem safari. Był. Ten obóz prowadził jego brat, ale od paru dni nie było z nim kontaktu, więc przyjechaliśmy sprawdzić, co się z nim dzieje. Kiedy was dzisiaj szukaliśmy, lwy nas zaatakowały. Uciekłem, ale Abe zginął. Nic nie mogłem zrobić.

Zanim zdążyłem się zorientować, co się dzieje, Chloe delikatnie wzięła mnie za rękę. Nachyliła się i pocałowała mnie w obydwa policzki.

– Bardzo ci dziękuję za to, co zrobiłeś – powiedziała, nie wypuszczając mojej ręki, a jej oczy napełniły się łzami. – Byłam taka zmęczona. Zrozpaczona. Gdybyś się nie pojawił w tym momencie, nie jestem pewna, czy... nie wiem, czy jeszcze bym żyła.

– Ale żyjesz i jesteś tu – odparłem. Złapałem się na tym, że chcę jeszcze raz poczuć muśnięcie jej warg. Uścisnąłem jej dłoń, chwyciłem butelkę szampana z baru i podałem Chloe. – Udało ci się. Obojgu nam się udało.

– Czyli nie jesteś dokumentalistą. W takim razie czym... kim?

– Prawdę mówiąc, też naukowcem. Biologiem.

– Z Uniwersytetu Columbia?

– Tak – potwierdziłem. – Skąd wiesz?

Pociągnęła łyk szampana.

– Miałeś to napisane na bieliźnie.

Rozdział 29

– Jackson Oz. Uniwersytet Columbia – powiedziała Chloe. Uświadomiłem sobie rozdrażniony, że moja twarz pąsowieje. – Myślałam, że znam wszystkie nazwiska z Columbii. Znasz, hm... – Położyła smukły palec na wąskich ustach, wznosząc oczy w górę i próbując sobie przypomnieć jakieś nazwisko. – Michaela Shrifta?

– Mike był moim promotorem – odrzekłem.

– Ach, czyli jesteś... hm... studentem? – zdziwiła się Chloe.

Podobał mi się jej akcent. Nawet zaskoczenie w wykonaniu tej kobiety było seksowne.

– Szczerze mówiąc, rzuciłem studia – wyjaśniłem.

Zerknęła na mnie z ukosa. Wskazówka na skali jej osłupienia przesunęła się jeszcze dalej.

– Rzuciłeś? Hm... niech zgadnę. Prowadzisz bloga.

– Tak. – Rozpromieniłem się. – Czytasz mojego bloga?

– Nie – powiedziała, popijając szampana z butelki. – Po prostu się domyśliłam. Ale teraz będę czytać. Skoro uratowałeś mi życie.

Nie spodobała mi się nuta sarkazmu w jej głosie. Kiedy coś idzie nie po twojej myśli, zmień temat.

- Czego dotyczą twoje badania populacyjne? – zapytałem.

- W ciągu kilku ostatnich lat zaszły duże zmiany w populacjach niektórych ptaków wędrownych – odrzekła Chloe, przekładając butelkę do drugiej ręki, aby spojrzeć na etykietę. – Bardzo gwałtownych zmian. Nie wiem dlaczego.

- Czyli co, ptaki wymierają? – spytałem.

- Nie. – Paznokciem kciuka Chloe skubała folię na szyjce. – Wręcz przeciwnie. Populacje ptaków powiększają się w niewiarygodnym tempie. Zawrotnym. To bardzo, bardzo dziwne.

Zastanowiłem się nad tym. Podobnie jak żaby, ptaki często są gatunkami wskaźnikowymi – zwierzętami, u których stabilność populacji jest miarą stabilności ekosystemu. Szybko reagują na zmiany następujące w środowisku. Ciekawe, czy to miało coś wspólnego z KOCZ.

- Ptaki gniazdujące na drzewach? – zapytałem, unosząc brew.

- Tak, i na krzewach, i na ziemi – odpowiedziała. – To jest tak bezprecedensowe zjawisko, że wiele osób na naszym wydziale w Paryżu nie chce w to uwierzyć. Dlatego przyjechałam tu ze swoimi kolegami. Żeby zebrać dane. Wydaje mi się, że ze środowiskiem dzieje się coś bardzo złego.

- Mnie się też tak wydaje. – Mówiłem szybko, ożywiając się coraz bardziej. – Nie chodzi tylko o ptaki. W ostatnich trzech latach doszło do gwałtownego wzrostu agresji zwierząt wobec ludzi. Atak lwów, które zabiły twoich kolegów i Abe'a, nie był odosobnionym przypadkiem. Ludzie coraz częściej padają ofiarą takich napaści. Lwom w tej okolicy kompletnie odbiło z jakiegoś powodu. Innym gatunkom też. Ze środowiskiem dzieje się coś złego, co zmienia ich zachowanie.

Sięgnąłem do plecaka, wyciągnąłem kamerę i postawiłem ją na barze.

– Popatrz. To wszystko stało się dzisiaj po południu.

Kiedy oglądała nagranie, na jej twarzy odmalował się szok.

– Boże! Niemożliwe. Ratowałam własne życie, więc nawet nie zauważyłam. To były tylko samce? Jakim cudem? To się dotąd nigdy nie zdarzało.

Pokręciła głową i odwracając wzrok od ekranu, spojrzała na mnie oczami wielkości talerzy.

– Trzeba to pokazać, Jackson – powiedziała. – Ludzie muszą to zobaczyć.

– Zobaczą, Chloe. – Usłyszeliśmy dobiegające z oddali ciche dudnienie samolotu. – I proszę cię, mów mi Oz.

Rozdział 30

Sześć godzin później, drapiąc pod uchem jeden z czerwonych jak wiśnie maraskino bąbli po ukąszeniach mrówek, schodziłem, stukając starymi, dobrymi butami, po schodach na tyłach hotelu Riley – największego – i jeśli się nie myliłem jedynego hotelu w Maun.

Rzuciłem spakowane bagaże przy odrapanej mosiężnej balustradzie otaczającej ogródek hotelowego baru i rozejrzałem się za Chloe, z którą miałem się spotkać na szybkiego drinka przed moim odlotem z Botswany o północy.

Dopiero po chwili ją spostrzegłem: rozmawiała przez komórkę, a jej bagaż leżał u jej nóg przy stołku barowym. Kiedy kilka godzin wcześniej opuściliśmy busz, byliśmy tak pogryzieni, zakrwawieni i brudni, że wyglądaliśmy jak hinduskie gliniane figurki, ale teraz w bladożółtej sukience, z włosami wilgotnymi po prysznicu Chloe wyglądała oszałamiająco.

Ze zdumieniem uświadomiłem sobie, jaką przyjemność sprawił mi jej widok. Nie licząc jej niezaprzeczalnych walorów, wciąż byłem pod wrażeniem wytrwałości i niezłomnej woli życia, jakimi wykazała się ta drobna kobieta, wychodząc zwycięsko z ciężkiej próby, na którą została wystawiona w ciągu ostatnich dwóch dni. Spotkanie z nią było jedną z dwóch korzyści, które odniosłem z całej sytuacji. Drugą był nakręcony przeze mnie materiał wideo.

Było późno i bar świecił pustkami: w rogu siedziała grupa turystów zachowujących się dość cicho, jeden stolik zajmowało dwóch pijanych mężczyzn o gburowatym wyglądzie, a przy fortepianie gabinetowym siedział pianista, brzdąkając na tle szumu stojącej pośrodku fontanny. Jej marmurowa misa było podświetlona od dołu i w strumieniach wody połyskiwały niebieskozielone żyłki światła.

Odwróciłem się od Chloe, gdy do baru wszedł wysoki i chudy rudzielec. Był to Robinson Van der Hulst, wspólnik Abrahama i pilot, który znalazł Chloe i mnie i zabrał nas samolotem z buszu.

– Jakie wieści, Robinsonie? – zapytałem, podając mu rękę. – Władze zbierają ciała lwów, żeby przeprowadzić autopsję?

Robinson z żalem pokręcił głową i obejrzał się przez ramię.

– Strażnicy rezerwatu są tak zajęci, że nie pomogą mi nawet odszukać zwłok. Dużo się dzieje, panie Oz, i to nic dobrego. Po pierwsze, ten atak na was nie był dzisiaj jedyny.

Robinson znów zerknął przez ramię.

– W całej delcie panuje chaos – ciągnął. – Lwy napadły jeszcze na dwa obozy, a z dwoma innymi od dwunastu godzin nie ma łączności radiowej.

Wlepiłem w niego zdumiony wzrok. Od lat próbowałem przekonać ludzi, że nadciąga kryzys w świecie zwierząt, a teraz wydawało się, że w ciągu jednego dnia wybuchł na wielką skalę.

– Słyszałem nawet, że największy obóz w delcie, Camp Eden, został zaatakowany przez, nie uwierzy pan, szakale.

– Szakale?

Piętrzyły się nieprawdopodobieństwa. Szakale to w zasadzie to samo co kojoty. Zajmują tę samą niszę w ekosystemie. Raz na sto lat słyszy się, że szakal na przykład porwał dziecko, ale zdarza się to tak rzadko, że kiedy do tego dochodzi, zawsze jest o tym głośno. Szakale nie atakują dorosłych ludzi. Po prostu tego nie robią. Agresja szakali wobec ludzi jest taką rzadkością, że nie ma nawet danych na ten temat. Dzikie psy, wilki, dingo i tak dalej od czasu do czasu atakują ludzi, ale do napaści dochodzi zwykle dlatego, że zwierzęta są wściekłe.

W tym momencie znów w głowie zapaliła mi się żarówka.

– Słuchaj, czy, twoim zdaniem, istnieje prawdopodobieństwo, że te ataki mają coś wspólnego z wirusem? Na przykład z masową epidemią wścieklizny? Robinsonie, musisz się jeszcze raz zwrócić do władz. Cholera, musisz im o tym powiedzieć. Zwłoki lwów, szakali... trzeba to wszystko pozbierać i zbadać. Musimy przeprowadzić autopsje, testy na wirus wścieklizny. Na wczoraj.

– Pan nic nie rozumie, panie Oz – odrzekł Robinson, kręcąc głową. – Tutejsze władze to nie naukowcy. To politycy. Co w Afryce oznacza: bandyci. Niech mi pan wierzy, w tym momencie nie mają najmniejszej ochoty słuchać. Są spanikowani, bo zaginęło prawie sto osób. Sytuacja jest tak poważna, że podobno zamierzają wydać nakaz ewakuacji całej delty. Słyszałem pogłoski, że w drodze jest już wojsko.

W tym momencie zobaczyliśmy nadjeżdżający z hałasem pick-up, który z piskiem hamulców zatrzymał się przed hotelem. Diesel stukał i sapał, puszczając kłęby dymu. Z samochodu od strony pasażera wysiadł mężczyzna w średnim wieku – Afrykańczyk w nienagannie wyprasowanej białej koszuli – który skierował się prosto do baru. Jego głowa kształtem i wielkością odpowiadała mniej więcej piłce do koszykówki. Zaraz potem z pick-upa wyskoczyli dwaj młodzi żołnierze uzbrojeni w kałasznikowy i ruszyli za nim. W barze natychmiast zapanowało wyczuwalne napięcie. Pijani mężczyźni przy pobliskim stoliku przestali rozmawiać.

– To jest podkomisarz Mokgwathi – poinformował mnie szeptem Robinson. – Najważniejszy gliniarz w Maun. O co chodzi?

Pianista przestał grać, a głucha cisza zabrzmiała głośniej od muzyki. Woda w fontannie pluskała, za barem podzwaniało szkło.

– Muszę rozmawiać z niejakim panem Ozem – zwrócił się do całego baru Mokgwathi, mówiąc z mocnym, melodyjnym afrykańskim akcentem. – Panem Jacksonem Ozem.

Drgnęły mi mięśnie nóg i już miałem wystąpić naprzód, gdy ręka Robinsona złapała mnie za ramię i ścisnęła jak imadło. Siedząca przy barze Chloe posłała mi przelotne spojrzenie, ale zaraz odwróciła wzrok. Robinson puścił mnie dopiero wtedy, gdy policjanci, widząc tylko obojętne spojrzenia, odwrócili się na obcasach wysokich butów i wymaszerowali z baru.

– O co chodzi? – zapytałem. – Dlaczego mieliby mnie szukać?

– Ma pan bilet na samolot? – odpowiedział pytaniem Robinson.

Przytaknąłem.

– To dobrze – odparł Robinson, łapiąc moje torby i gwałtownym ruchem głowy wskazując w stronę ulicy. – Mój wóz stoi za rogiem. Najwyższy czas odwieźć pana na lotnisko i zapakować do samolotu.

– Nie rozumiem – powiedziałem.

– Ktoś w hotelu musiał zobaczyć pana kamerę i zawiadomił policję – wyjaśnił Robinson. – Turystyka to u nas duży biznes. Zresztą jeden z nielicznych. Gdyby się rozniosła wiadomość, że zwierzęta zaczęły świrować i zabijać turystów, toby się źle odbiło na PKB Botswany, prawda? To dla pana niebezpieczne.

– Co jest niebezpieczne? – włączyła się Chloe. Obserwowała scenę z policjantami zza drinka, a teraz stanęła obok nas ze swoimi torbami.

– Wszystko ci opowiem w drodze na lotnisko – odrzekłem, zarzucając na ramię jej bagaż podręczny i prowadząc ją w stronę ulicy.

Rozdział 31

W poczekalni linii lotniczych Air Botswana wszystkie miejsca były zajęte. W wypełnionym po brzegi terminalu tłoczyli się turyści z ewakuowanych obozów safari. Panowała gęsta atmosfera lęku i nerwowego podniecenia. Turyści wyglądali na przestraszonych i zdezorientowanych, chociaż ucieszyłem się, kiedy zobaczyłem, że wielu z nich wysyła SMS-y lub rozmawia przez komórki. Pamiętając o groźbie zatuszowania całej sprawy przez rząd, miałem nadzieję, że wiadomość o tym szaleństwie już przeciekła do prasy.

Za cenę niemałego uporu i jednego złożonego banknotu studolarowego, a potem następnego, udało mi się zdobyć dla Chloe miejsce w samolocie, którym odlatywałem o północy do Johannesburga. Stamtąd każde z nas miało się udać w swoją stronę. Ja leciałem do Stanów, licząc na to, że będę miał szansę wystąpić na konferencji prasowej i pokazać na niej materiał z lwami. Chloe musiała wracać do Paryża.

Kiedy kontrolerzy na lotnisku wyciągnęli mnie z kolejki, żeby przeprowadzić bardziej szczegółową rewizję, ucieszyłem się w duchu, że zostawiłem kamerę u Robinsona. Wstrzymałem oddech, gdy przetrząsali mój bagaż i obszukiwali mnie ręcznym skanerem. Nie zauważyli kasety, którą schowałem pod spodniami, przyklejając ją taśmą do wewnętrznej strony uda. Dzięki Bogu, nie było tu obszukiwania od stóp do głów praktykowanego przez Agencję Bezpieczeństwa Transportu.

Potem, kiedy już stałem przy oknie obok wyjścia do samolotu i patrzyłem na pas startowy, poczułem w żołądku ołowiany ciężar, widząc siadający samolot, który wyglądał na wojskowy transportowiec. Była to potężna maszyna z krótkim, zadartym nosem, pomalowana na brązowo. Czyżby armia Botswany naprawdę zwariowała i próbowała wprowadzić kwarantannę? Nawet nie chciałem tego wiedzieć.

Zdałem sobie sprawę, że wszystko zmienia się na moich oczach. Bez względu na przyczyny to zjawisko rozprzestrzeniało się, nasilało, zagarniało nowe tereny. W powietrzu wyczuwało się narastający kryzys, napięcie jak przed nadciągającym huraganem.

Byłem jednak przekonany, że KOCZ nie jest problemem lokalnym. To był problem globalny. Rządy i siły zbrojne mają wystarczająco dużo na głowie, starając się rozwiązać po kolei poważne problemy. Jak miały pomóc jednocześnie wszystkim i wszędzie? Ten problem wymagał globalnej współpracy na niewyobrażalną skalę. Na razie nie zauważyłem, żeby coś takiego się działo.

– Serio uważasz, że to prawda, Oz? – spytała Chloe. Patrzyła w okno. Na płytę lotniska z brzucha samolotu wysypywali się żołnierze jak z konia trojańskiego. – Ni stąd, ni zowąd na całym świecie zwierzęta nagle zaczęły atakować ludzi? Nie inne zwierzęta? Jak to możliwe? Dlaczego? Dlaczego teraz? Wydaje mi się, że to, hm, zupełnie niedorzeczne.

– Chloe, nie wiem, jak ani dlaczego tak się dzieje – odpowiedziałem. – Wiem tylko, że populacja ptaków nie zwiększa się dwukrotnie w ciągu kilku lat, a lwy nie zmieniają swoich zwyczajów łowieckich tak radykalnie, nagle i z nieznanych powodów. Tu się dzieje coś bardzo dziwnego.

Gdy staliśmy w kolejce przed wejściem na pokład samolotu, zadzwonił mój tymczasowy telefon, który kupiłem tamtego dnia w Maun. W poczcie głosowej miałem wiadomość od Gail Quinn, mojej byłej wykładowczyni z Uniwersytetu Columbia. Dzwoniła z dobrą nowiną. Użyła swoich wpływów i udało się jej zorganizować spotkanie na temat KOCZ z Natem Gardnerem, starszym senatorem z Nowego Jorku.

– O co chodzi? – zapytała Chloe, kiedy z uśmiechem wyłączyłem telefon. Weszliśmy już na pokład małego samolotu pasażerskiego, pochylając głowy pod niskim sufitem.

– Dobra wiadomość. Mam spotkanie w tej sprawie z jednym z najbardziej znaczących liderów w Kongresie. Dzięki temu nagraniu być może będę miał szansę uzyskać jakąś pomoc od władz USA.

Wkładałem bagaż podręczny do górnego schowka, gdy dopadła mnie przygnębiająca myśl. A jeżeli senator Gardner zareaguje tak jak z początku zareagowała Chloe? Skoro rzuciłem studia na Columbii przed uzyskaniem doktoratu, może mnie uznać za jakiegoś stukniętego blogera, który rozsiewa w internecie teorie spiskowe między jedną a drugą drzemką na kanapie u mamy? Czasami zapominałem spojrzeć na siebie z dystansu i uświadomić sobie, że mogę sprawiać wrażenie mocno zakręconego gościa.

– Słuchaj, mam wariacki pomysł – powiedziałem, siadając obok Chloe. – Bo jestem wariat. Chloe, wiem, że po tym wszystkim masz mnóstwo pracy, ale czy byłoby możliwe, żebyś pojechała ze mną?

– Co takiego? – zapytała. – Mam jechać z tobą do Stanów?

– Zgadza się – przytaknąłem, patrząc przed siebie. – Mówiłem, że to wariactwo. Nie było tematu.

– Nie, chwileczkę – powiedziała. – Ale właściwie po co? Dlaczego chcesz, żebym jechała z tobą?

– Po pierwsze, z powodu swoich kwalifikacji – odparłem. – Masz wykształcenie. École Polytechnique. Jesteś wiarygodnym ekspertem. Nawet lepiej: wiarygodnym ekspertem z Europy, który widział i przeżył to samo co ja. Obawiam się, że z początku senator mógłby zareagować na mnie tak jak ty. Uzna, że jestem świrem. Pewnie potraktuje mnie jak paranoika, który chodzi w czapce z folii aluminiowej, żeby chronić umysł przed kontrolą. Ale jeżeli będziesz ze mną...

Uniosła brew.

– Ale proszę, nie martw się – dodałem. – Jakoś sobie poradzę.

Sięgnąłem po telefon i udałem, że się nim bawię. Kątem oka zauważyłem jednak, że marszczy orli nos, popatrując na mnie spod przymrużonych powiek.

Wyprostowała się w fotelu i wypuściła z płuc powietrze.

– To nie jest kwestia wyboru – powiedziała, kiedy samolot kołował. – W przyrodzie naprawdę zaczął się jakiś kataklizm. Jaki byłby ze mnie biolog, gdybym nie zrobiła wszystkiego, co w mojej mocy, żeby to wyjaśnić? Poza tym uratowałeś mi życie. Jestem twoją dłużniczką. No więc zgoda, pojadę. Pod jednym warunkiem.

– Zrobię, co zechcesz.

– Nie cierpię latać. Czy mogę... hm... potrzymać cię za rękę, gdy będziemy startować?

Uśmiechnąłem się i objąłem palcami jej drobną, delikatną dłoń.

– Skoro musisz – odparłem.

Rozdział 32

Kiedy Natalie Shaw staje przed drzwiami budynku, w którym mieszka Oz, przez wiadukt pędzi z hukiem kolejka linii numer 1.

Przed chwilą minęła piąta rano i jest jeszcze ciemno, choć na niebie pojawiają się pierwsze przebłyski błękitu, ale ulice Harlemu, ze stalowymi żaluzjami w drzwiach i oknach, wciąż są puste.

Nowy Jork jednak rzeczywiście czasem zasypia, myśli Natalie. W ciepłym powietrzu przedświtu czuje już wilgoć potu w zgięciach kolan i pod pachami. Ziewając, wstukuje kod przy drzwiach i wchodzi do obskurnego holu. Postanowiła tu wstąpić w drodze ze szpitala, zaraz po trzydziestogodzinnym dyżurze, i słania się na nogach ze zmęczenia.

Mozolnie wspina się po schodach szerokości trumny, chociaż nadal nie wie, dlaczego to robi. Przecież w swoim e-mailu w zasadzie zerwała z Ozem, radząc mu, żeby znalazł sobie kogoś innego do opieki nad Attylą. Rzecz jednak w tym, że nie odpowiedział. Mimo rozdrażnienia z tego powodu Natalie nie może się pozbyć myśli, że może w ogóle nie odebrał wiadomości i teraz Attyla umiera z głodu.

Zbliża się do mieszkania Oza i wkrótce się przekonuje, że jej obawy są płonne. Już na drugim piętrze słyszy Attylę. Chryste, naprawdę czuje zapach tego stworzenia, wchodząc na półpiętro. Nie może wyjść ze zdumienia, że sąsiedzi Oza nie zażądali jeszcze wyrzucenia go z budynku.

Ale przecież sama wytrzymała z nim dość długo. Z miłości zrobiłabym wszystko, myśli, ale tego nie zrobię. Co? Miałabym nadkładać drogi, wracając z trzydziestogodzinnego dyżuru, żeby sprzątać szympansie gówno? Wygląda na to, że tak. Tyle że to nie z miłości; już zerwałaś z draniem. Niech szlag trafi tego szympansa. Sama masz w głowie niewiele więcej niż on.

Wejdę tylko na moment, myśli, wyciągając klucze Oza z kieszeni turkusowego szpitalnego uniformu. Pięć minut. Nakarmię go, posprzątam – może – a potem spadam.

Kiedy wchodzi, Attyla dostaje małpiego rozumu. Podchodząc do niego, Natalie krzywi się, bo szympans piszczy jak oszalały. Wydaje z siebie przenikliwy dźwięk iii-iiii-iiii przypominający drapanie paznokciami po gładkiej tablicy i przebijający bębenki w uszach jak ostrze scyzoryka.

– Ja też się cieszę, że cię widzę, gnojku – mówi Natalie, a następnie bierze szufelkę do sprzątania odchodów i otwiera drzwi klatki. – Wiesz, że na widok twojej gęby grzyby same się marynują? W każdym razie masz szczęście, że to ja przyszłam pozbierać twoje kupy.

Razem z odchodami wyrzuca do worka gumowe rękawiczki, po czym wraca do małpy z jedzeniem. Mandarynki, ciastka Newton z figami, pół kilo delikatesowej pieczeni wołowej. Nie wspominając o cholernym musie jabłkowym z rozgniecionymi witaminami i zoloftem. Wszystko na tacy. Dziwne, że nie srebrnej. Oz bardziej dba o tego szympansa, niż dbał o nią.

– *Bon appétit, monsieur*. – Natalie stawia tacę i znów zamyka klatkę. – Śniadanie podano. Tylko się nie udław.

Kiedy kładzie dłoń na klamce, z pokoju Attyli dobiega głośny łomot.

– Uuu, co znowu?

Szybko zawraca i staje jak wryta tuż przed drzwiami. Attyla leży na brzuchu wśród jedzenia rozrzuconego po całym dnie klatki. Ręce ma przyciśnięte do piersi. Nie rusza się.

Co jest, do cholery? Miał atak serca czy co? Tylko tego mi potrzeba, myśli, otwierając klatkę. Żeby to zwierzę zdechło przed powrotem Oza.

Pochyla się, trąca szympansa, próbuje odwrócić go na wznak. Attyla błyskawicznie się obraca i z rozmachem rzuca w jej turkusową bluzę garść cuchnących odchodów, które z głośnym plaskiem rozmazują się po całym stroju, aż na spodnie. Potem odskakuje w kąt pokoju, pohukując i wyjąc:

– Iii-iii-iiiiiaaaaa!

Natalie wstaje i ogląda się z obrzydzeniem.

– Ty wredny, złośliwy wypierdku! – krzyczy na szympansa.

Nagle Attyla przestaje wrzeszczeć. Zamyka pysk i swoimi ślicznymi i wyrazistymi brązowymi oczami mierzy ją zagadkowym, lodowatym spojrzeniem, na którego widok Natalie zaczyna się powoli wycofywać.

Rozdział 33

Przez druciane oczka w kształcie rombów w ścianach klatki przebija się gorące, oślepiające światło. Attyla leży bez ruchu na zaśmieconej podłodze swojego pokoju znów całkiem sam. Powoli dźwiga się na nogi, wychodzi do przedpokoju i skręca do sypialni Oza. Szarpie szuflady i wysuwa je z komody. Po kolei odwraca je do góry dnem, a potem plądruje szafę, pohukuje i wrzeszczy, rozrzucając po podłodze dżinsy i koszule.

Później sika na wszystko. Moczy ubrania i sika na łóżko, kierując ciepły żółty strumień na poduszkę.

Skończywszy, ściąga z ramy łóżka czapkę w kolorze strażackiej czerwieni i opierając się na kostkach palców, idzie do łazienki. Śruby, którymi przymocowano do ściany umywalkę, skrzypią pod ciężarem jego ciała.

Ogląda się w lustrze, kiedy nakłada czapkę i przekrzywia ją zawadiacko. Kuca na brzegu umywalki, przytrzymując się krawędzi przeciwstawnymi paluchami, i gapi się na siebie.

Siedzi na umywalce z obojętną miną, nieruchomo i w napięciu, i wpatruje się w swoje szkliste oczy oraz twarz przypominającą gumową maskę. Czuje się zagubiony i z każdą chwilą ogarnia go coraz większe zdenerwowanie. W jego duszy dzieje się coś dziwnego i okropnego. Jego własne odbicie działa na niego odstręczająco.

Od przyjścia Natalie wyczuł osobliwą, niepokojącą mieszankę woni – morelowego aromatu szamponu, miętowego dezodorantu, nawet nieznacznie wyczuwalnego zapachu lakieru, którym miała pomalowane paznokcie u stóp. W tym zestawie było coś wstrętnego, co przyprawiało go o mdłości. Wszystkie te ohydne zapachy łączyły się z najgorszym ze wszystkich – z bijącym od niej zapachem niechęci i obrzydzenia. Wyczuł go. Wyczuł jej pogardę.

Dlatego właśnie ją oszukał.

Wraca do klatki. Z kąta bierze przedmiot wyglądający jak zabawkowy tablet dla dzieci. To system obrazkowy PECS* – mówiący laptop z ekranem dotykowym, który służy jako pomoc w nauczaniu języka dzieci autystycznych. Oz korzystał z niego, kiedy przeprowadzał z Attylą różne eksperymenty.

Ekran wyświetla rzędy obrazków przedstawiających rzeczy, które Attyla mógł chcieć: banany, orzeszki, piłki i lalki. Wśród kolumn tu i ówdzie są też obrazki z różną mimiką twarzy.

Attyla raz po raz naciska obrazek przedstawiający jego samego, a potem twarz w lewym dolnym rogu siatki na ekranie.

– Attyla, zły! – paple w pustym mieszkaniu komputerowy kobiecy głos. – Attyla, zły!

---

* Picture Exchange Communication System – system porozumiewania się za pomocą obrazków.

Księga trzecia

Nie ma jak w domu

Rozdział 34

Z Maun do Johannesburga, z Johannesburga do Nowego Jorku, z Nowego Jorku do Waszyngtonu. Obudził mnie pisk podwozia samolotu i wstrząs towarzyszący zetknięciu się kół z ziemią, gdy wylądowaliśmy na lotnisku Reagan National. Kiedy pędziliśmy z łoskotem pasem startowym, z satysfakcją gapiłem się przez okno na majestatyczną, białą jak kość słoniowa iglicę pomnika Waszyngtona po drugiej stronie Potomacu. Przypomniałem sobie, jak w dzieciństwie przyjechałem tu z ojcem pociągiem, żeby zwiedzić stolicę. Odwiedziliśmy mauzoleum Lincolna, wrzuciliśmy monety do sadzawki lustrzanej. Wtedy wszystko wydawało się pewne i trwałe. Racjonalne i bezpieczne.

Sięgnąłem do kieszeni fotela przed sobą i wyciągnąłem kasetę miniDV z nagraniem ataku lwów, którą przemyciłem z Afryki. Tak było wtedy, pomyślałem, patrząc na nią i kręcąc głową. Teraz mam to. Wsunąłem taśmę do kieszonki koszuli.

Włączyłem iPhone'a kupionego na lotnisku: skrzynka odbiorcza była zasypana e-mailami, a w poczcie głosowej miałem dziewiętnaście wiadomości. W czasie postoju w Johannesburgu skontaktowałem się ze wszystkimi naukowcami, których w moim przekonaniu mógł interesować KOCZ.

Rozesłałem po całym świecie wiadomość jak sygnał świetlny przyzywający Batmana i rzutem na taśmę udało mi się zorganizować naradę tuż przed moim spotkaniem z senatorem Gardnerem. To była nasza pierwsza próba przekonania świata, aby potraktował KOCZ poważnie, i chciałem jeszcze raz omówić wszystko, żeby dograć szczegóły naszego stanowiska.

Spojrzałem na Chloe, która spokojnie spała z głową wspartą o moje ramię.

Nic dziwnego, że była wyczerpana. W trakcie transkontynentalnej podróży do Stanów rozmawialiśmy prawie cały czas, analizując wszystkie możliwości rozwoju sytuacji w związku z KOCZ. Trochę się zdziwiłem, jak szybko przeszliśmy do bardziej osobistych tematów. Mówiliśmy o naszym dzieciństwie, rodzinie, sprawach, które były naprawdę ważne.

Jej matka zmarła, gdy Chloe miała pięć lat. Ojciec był żołnierzem zawodowym, oficerem Legii Cudzoziemskiej, i często zostawiał córkę u dziadków hodujących bydło na zapadłej farmie w Owernii. Dziadek, emerytowany inżynier budownictwa, który postanowił zostać rolnikiem, otworzył jej oczy na piękno świata przyrody – rolnictwo, ogrodnictwo, a przede wszystkim zwierzęta.

Kiedy samolot kołował w stronę terminalu, Chloe obudziła się, a widząc, że się jej przyglądam, szybko się wyprostowała i przetarła oczy.

– Przepraszam – powiedziała.

– Nie ma za co przepraszać – odrzekłem, gdy zgasła lampka nakazująca zapięcie pasów.

Wyszliśmy z samolotu i przystanąłem przed informacyjnym

ekranem telewizyjnym, który wyświetlał wiadomości z ostatniej chwili.

– O co chodzi? – zapytała Chloe.

– Nie wiem – odpowiedziałem. – Miałem nadzieję, że CNN zauważył ataki zwierząt w Botswanie.

Jasne, to było szaleństwo. Ale nie nasze. Dziewczyna z ogoloną głową, chyba jakaś piosenkarka, atakowała samochód zepsutą parasolką, a tłum kilkunastu paparazzich rejestrował jej każdy ruch.

KITTY KATRINA GOLI GŁOWĘ, ATAKUJE PAPARAZZICH. CZY KITKAT PRZESTAJE NAD SOBĄ PANOWAĆ?! – krzyczał tekst na pasku przesuwającym się u dołu ekranu.

– Kto to jest Kitty Katrina? – spytała Chloe, patrząc zdezorientowana na ekran.

Wzruszyłem ramionami.

– Witamy w Ameryce – powiedziałem.

Rozdział 35

Hotel Rockford, w którym miało się odbyć nasze spotkanie, stoi w zaniedbanej, trochę szemranej części południowo-wschodniego Waszyngtonu, po drugiej stronie rzeki, naprzeciwko Buzzard Point.

Wynajęliśmy dwa pokoje i zanieśliśmy do nich swoje rzeczy. Poszedłem pod prysznic i wykorzystałem krótką chwilę spokoju i samotności, żeby zadzwonić do Natalie. Było wczesne środowe popołudnie i byłem prawie pewien, że w tej chwili nie pracowała. Telefon dzwonił, dopóki nie włączyła się poczta głosowa.

– „Tu skrzynka poczty głosowej... – odezwał się automat, a po krótkiej pauzie dźwięczny jak dzwoneczek głos przedstawił właścicielkę telefonu, starannie wymawiając imię i nazwisko: Natalie Shaw. – Po usłyszeniu sygnału proszę zostawić wiadomość".

– Cześć, Natalie – powiedziałem w pustkę, patrząc przez okno pokoju na Potomac. – Jestem już w Stanach. Przeczytałem e-mail od ciebie. Chciałem tylko pogadać. Jestem teraz w Waszyngtonie, ale mam nadzieję, że jutro wrócę do Nowego Jorku. Daj znać, co słychać.

Prawdę mówiąc, przede wszystkim martwiłem się o Attylę. Zostawiłem go prawie tydzień temu. Od pani Abreu też nie otrzymałem żadnych wiadomości. Liczyłem na to, że nic złego mu się nie stało.

Miałem coś do zrobienia.

– Na pewno jesteśmy we właściwym miejscu? – zapytała Chloe, gdy weszliśmy do obskurnej sali balowej hotelu. Wykładzina wyglądała karygodnie – cała poplamiona, a w najbardziej uczęszczanych miejscach przetarta prawie na wylot.

Przy stole zastawionym tanimi przekąskami, dzbankami z wodą i termosami z kawą kręciła się spora grupa ludzi. Morze flanelowych koszul, okularów i bród krążyło wokół darmowego jedzenia jak sępy, które widziałem w delcie Okawango.

– Uwierz mi – odparłem – na pewno jesteśmy we właściwym miejscu.

Zmierzając w głąb sali, minęliśmy chudego młodego człowieka o intensywnie niebieskich oczach i jasnych, niemal niewidocznych brwiach. Ubrany w czerwony dres i z białą czapkę firmy Kangol na głowie, siedział pochylony i wpatrywał się z wytężoną uwagą w świetlistą wyrocznię swojego iPada. Kiedy nas zauważył, zerwał się z miejsca i niezgrabnie przybił mi żółwika.

– Szacun, Ozzle.

– Dzięki za przybycie, doktorze Strauss – powiedziałem i przedstawiłem go Chloe. – Eberhard właśnie otrzymał Katedrę Mikrobiologii na Uniwersytecie w Bonn.

Chloe i ja ruszyliśmy dalej.

– Rozumiesz już, dlaczego cię potrzebuję? – spytałem, wskazując szerokim gestem rzędy zatwardziałych maniaków World of Warcraft, których mijaliśmy. – Ci goście są więcej

141

niż wybitni, ale, jak widzisz, PR nie jest ich mocną stroną. Dlatego to bardzo ważne, że zgodziłaś się tu ze mną przyjechać.

– A ja myślałam, że zależy ci na moim umyśle – odrzekła z uśmiechem Chloe.

– Daj taśmę, Oz. Sprzęt audio-wideo jest przygotowany – powiedział do mnie chłopak o dziecinnych rysach, ubrany jak na rodeo. Garbił się do tego stopnia, że ramiona miał na wysokości uszu, a długie ręce sztywno wisiały wzdłuż boków. Odwrócił się i głośno wciągając powietrze, powąchał włosy Chloe.

– Twoje włosy ładnie pachną – poinformował ją donośnym, mechanicznym głosem, w którym brzmiał akcent z Oklahomy, jak gdyby należał do robota Robby'ego wrzuconego do powieści Steinbecka.

– Dzięki, Jonathanie. Proszę. – Podałem mu kasetę i poprowadziłem Chloe dalej.

– Nie zwracaj na niego uwagi. To Jonathan Moore. Autystyczny geniusz i jeden z najlepszych inżynierów rolnictwa na świecie. Jest znany z umiejętności porozumiewania się ze zwierzętami. Był jednym z moich pierwszych kontaktów, kiedy zacząłem badania nad KOCZ. Pomógł mi pracować z Attylą.

Zaryzykowałem i podczas lotu powiedziałem Chloe o Attyli. Pokazałem jej nawet zdjęcia, które miałem w portfelu. Powiedziała mi, że jej zdaniem uratowanie go było z mojej strony aktem odwagi. Czyli nie miała nic przeciwko niemu. I bądź tu mądry.

Rozdział 36

Parę minut później znalazłem się na scenie i stuknąłem w mikrofon na podium. W głośnikach przez moment rozległ się pisk spowodowany sprzężeniem. Szmer rozmów na sali przycichł i wszystkie głowy zwróciły się w moją stronę.

– Moi drodzy, nie będę się bawił we wstępy – zacząłem, dając głową znak stojącemu przy projektorze Jonathanowi, który pokazał mi uniesiony kciuk. – Oto co się dzieje w Afryce. Obraz mówi sam za siebie. Nakręciłem to dwa dni temu w delcie Okawango w Botswanie.

Wycofałem się w ciemność, aby obserwować widownię oglądającą nagranie wideo. Z satysfakcją zobaczyłem, że wszyscy osłupieli. Kiedy w kadrze ukazały się głowy lwów, przez salę przebiegła fala szeptów. To byli bardzo inteligentni ludzie i na pewno skupiłem ich wagę.

Gdy Jonathan znów zapalił światła, szepty na sali nagle przerodziły się w kakofonię głosów czterdziestu osób próbujących się nawzajem przekrzyczeć.

– Spokojnie, moi drodzy! – zawołałem do mikrofonu, usiłując zapanować nad wrzawą i wymachując trzymanym w ręce notatnikiem. – Już za kilka godzin mam umówione spotkanie z senatorem. Jego pierwsze pytanie będzie brzmiało, dlaczego to się dzieje? Mamy dowód nie tylko na niewytłumaczalną hiperagresję lwów, ale też na bezprecedensową zmianę ich zachowań stadnych. Trzeba przedstawić jakieś robocze teorie.

– Jak to możliwe, Oz? – zapytała Gail Quinn, moja dawna wykładowczyni biologii ewolucyjnej. – Jak to się mogło stać z dnia na dzień?

– Nie wiem, Gail – odrzekłem. – Dlatego poprosiłem was tu wszystkich, żebyście mi pomogli znaleźć odpowiedź. Moim zdaniem, w grę może wchodzić zupełnie nowa strefa adaptacyjna. Wydaje mi się, że mogła zajść zasadnicza zmiana w środowisku, której z jakiegoś powodu jeszcze nie zauważyliśmy.

– Ale jaki aspekt środowiska się zmienia? – spytał głos z sali.

– Ja bym stawiał na czynnik wirusowy, Oz – odezwał się Eberhard Strauss. – Jak mówiłem wcześniej, takie zachowanie, zwłaszcza hiperagresja, jest symptomatyczne dla wścieklizny. Nie twierdzę, że to wścieklizna, jednak to może być jakiś wirus atakujący układ nerwowy.

– Zastanawiałem się nad tym – powiedziałem. – Ale po pierwsze, wścieklizna przenosi się między zwierzętami przez płyny ustrojowe. To może tłumaczyć szerzenie się wirusa w warunkach naturalnych, niemniej lwy, które zaatakowały dwóch ludzi i uciekły z zoo w Los Angeles, były zupełnie odizolowane.

– Przy założeniu, że ten incydent miał z tym związek – wtrącił ktoś.

– Zgadza się. Zakładając jednak, że miał, proszę o odrobinę cierpliwości, jak izolowane w zoo zwierzęta mogły się zarazić?

– Na przykład wirus rozprzestrzenia się drogą powietrzną – podsunął Strauss. – Albo przenoszą go pasożyty. Komary, pchły. – Wyliczał na palcach kolejne możliwości. – Mogło być zarażone mięso, którym karmiono lwy w zoo. Można tak wymieniać bez końca. Niczego się nie da wykluczyć.

– Podrzucę jeszcze jeden argument przeciwko teorii czynnika wirusowego – powiedziałem. – Zwierzęta zarażone wścieklizną albo podobną chorobą atakującą układ nerwowy zwykle przejawiają więcej symptomów niż hiperagresywne zachowanie. Nieskoordynowane skurcze mięśni, parchy, zmiany skórne, wodowstręt. Lwy, które zabiły mojego przyjaciela, wyglądały na całkiem zdrowe. Przynajmniej fizycznie. Lwy z zoo w Kalifornii też nie wykazywały żadnych symptomów zmian fizycznych. W tym momencie na pewno nie wykluczałbym tej możliwości, ale to musiałby być wirus, jakiego dotąd nie znaliśmy.

– Przeprowadzono sekcję któregoś z tych zwierząt? – zapytała doktor Quinn.

– Nie – odparłem. – Afrykańskie władze nie chcą się na to zgodzić. To jedna z najważniejszych spraw, które chcę poruszyć w rozmowie z senatorem.

– A co z autopsją lwów z zoo w Los Angeles?! – krzyknął ktoś.

– Dobre pytanie – skwitowałem.

– Jeżeli to nie wirus, to możemy mieć do czynienia z kaskadową zmianą w środowisku – odezwała się Alice Boyd, dystyngowana siedemdziesięciolatka o siwych włosach, laureatka stypendium MacArthura z Uniwersytetu Waszyngtona. – Myślał pan o rozbłyskach słonecznych? O przebiegunowaniu Ziemi? Chodzi mi o to, że zachowanie zwierząt czasem gwałtownie się zmienia przed znaczącym zjawiskiem geologicznym: trzęsieniem ziemi, tsunami. Może coś się zbliża. Jakieś zdarzenie kosmiczne, które te zwierzęta wyczuwają.

– Słusznie – zauważyłem, zapisując jej uwagę w notatniku. Spodobała mi się hipoteza o przebiegunowaniu. Myśl o samym zjawisku była straszna jak diabli, ale spodobała mi się sugestia. Z danych geologicznych wynika, że raz na jakiś czas dochodzi do odwrócenia kierunku ziemskiego pola magnetycznego: po takim zjawisku igła kompasu będzie pokazywać południe, gdzie przedtem wskazywała północ. Ten proces według naszej wiedzy przebiega nieregularnie. Istnieją duże różnice zdań co do czasu jego trwania. Dowody uzyskane niedawno przez USGS* wskazują, że jedna z takich zmian pola magnetycznego w przeszłości trwała zaledwie cztery lata. Potencjalny wpływ przebiegunowania Ziemi na biosferę jest jednak nieznany z tej prostej przyczyny, że do tego zjawiska nie doszło za czasów bytności człowieka na naszej planecie.

– Naprawdę jesteście aż tacy głupi?! – zawołał ktoś, przekrzykując gwar rozmów. Głos należał do szczupłego i przystojnego młodego człowieka, którego nie znałem. Był na sali jedyną osobą w garniturze. – Przecież te lwy mogli wytresować Siegfried i Roy. Wideo niczego nie dowodzi.

W tłumie zapadła cisza, którą przerwało skrzypienie przypominające odgłos elektrycznego otwieracza do konserw.

Skinąłem głową Charlesowi Grohowi, który wjechał swoim wózkiem inwalidzkim iBOT na środek sali. Charles należał do czołowych znawców goryli na świecie, choć teraz, niestety,

---

* USGS – United Stated Geological Survey – amerykańska agencja naukowo-badawcza zajmująca się problemami z zakresu biologii, geografii, geologii i hydrologii.

był już właściwie emerytem. Pięć lat temu został nagle zaatakowany przez prawie dwustukilogramowego goryla, którego znał i z którym pracował od dziesięciu lat. Małpa złamała
mu wszystkie kości twarzy, zmasakrowała nos, usta, jedno
ucho i dłoń. Zwierzę urwało mu też nogę poniżej kolana.

Prymatolog zatrzymał się przed przystojnym sceptykiem.

– Ta taśma jest równie prawdziwa jak moja twarz –
oświadczył.

Uśmiechnąłem się z ulgą, gdy w grupie znów wybuchły
ożywione dyskusje. Na sali panowała gorąca atmosfera. Moi
przyjaciele i koledzy, którzy dotąd co najwyżej tolerowali
moją obsesję na punkcie KOCZ, nagle zaczęli odnosić się
do tej sprawy z naukowym uznaniem. Nie dyskutowano już
o tym, czy coś się dzieje, ale stawiano ważniejsze pytania:
dlaczego tak się dzieje i jak temu zaradzić.

Ale wciąż pamiętałem to, co Alice Boyd powiedziała
o przebiegunowaniu Ziemi. Utkwiło mi w tyle głowy i nie
dawało spokoju. Miałem przeczucie, że Alice jest na właściwym tropie. Nie chodziło konkretnie o sugestię, że zmiana
biegunów geomagnetycznych ma nieprzewidywalny wpływ
na biosferę, ale o kierunek jej rozumowania: o ogromną
zmianę w środowisku, którą potrafią wyczuć zwierzęta,
a my nie.

Pamiętacie tsunami na Oceanie Indyjskim? Tak, żyjemy
w ciekawych czasach. Wojny i kataklizmy spadają na nas jak
ulewa i zostają szybko pogrzebane pod piętrzącymi się war-
stwami błota w naszej gównianej pamięci. Która to była
katastrofa? Ach tak, 26 grudnia 2004 roku. Gigantyczne
tsunami, które przetoczyło się przez Ocean Indyjski od hipo-
centrum trzęsienia ziemi o sile dziewięciu stopni w skali
Richtera u wybrzeży Sumatry, topiąc ponad dwieście tysięcy

osób w Indonezji, na Sri Lance, w Indiach i Tajlandii. Byłem wtedy w Iraku. Pamiętam, jak tłoczyliśmy się przed małym telewizorkiem w bazie, żeby obejrzeć wiadomości. Pamiętam, jak zaskoczyła mnie informacja, że na Sri Lance dzień przed uderzeniem pierwszej fali zwierzęta zaczęły uciekać w głąb lądu. Zniknęły ptaki, jaszczurki, węże, mangusty. Słonie przeniosły się na wyżej położone tereny. Psy nie chciały wychodzić na dwór. Flamingi porzuciły nisko położone obszary lęgowe. Choć tsunami zabiło setki tysięcy ludzi, wśród zwierząt odnotowano stosunkowo niewiele ofiar. Być może lepszy słuch i inne zmysły pozwoliły im usłyszeć albo poczuć wibracje ziemi, które ostrzegły ich przed nadciągającym kataklizmem dużo wcześniej, zanim ludzie zorientowali się, co się dzieje. Zwierzęta wiedziały, że zbliża się coś złego. Poczuły wibracje, przeczuły nieszczęście. A ludzie? Byli zupełnie nieświadomi. Nawet gdy morze cofnęło się o ponad dwa kilometry, by wezbrać w dwudziestometrową falę, co zrobili? Dzieci weszły na odsłonięte dno oceanu, żeby zbierać muszelki.

Rozdział 37

Na ścianach ciemnego mieszkania przesuwają się błyskające czerwone i niebieskie światła wozu strażackiego, który pędzi Broadwayem daleko w dole. Wycie syreny cichnie, a zaraz potem rozlega się zgrzytliwy, przypominający melodyjkę pozytywki sygnał samochodu lodziarza.

Siedząc na krawędzi umywalki w dusznej żółtej łazience, Attyla przelotnie patrzy pustym wzrokiem na okno, jak gdyby próbował sobie coś przypomnieć. Po chwili przenosi ciężar ciała naprzód i znów ogląda się w lustrze.

Przypatruje się swojemu odbiciu od wielu godzin. Z zaintrygowaniem i uwagą ogląda głęboko osadzone, błyszczące złotobrązowe oczy w czarnych obwódkach, szerokie jak spodki różowe uszy wystające spod czerwonej wełnianej czapki. Od czasu do czasu rozchyla szerokie, wysunięte wargi i dotyka kciukiem długich kłów. Przygląda się swoim rękom, bada szorstką brązową sierść, grubą, pomarszczoną skórę na dłoniach, czarne paznokcie, długie, sękate palce i krótkie kciuki.

Zamyka oczy i w zadumie głęboko wciąga nosem powietrze. Pochyla się w przód, opuszkami palców i czołem dotyka gładkiej chłodnej tafli lustra, próbując opanować niespokojny umysł, aby przestał w oszołomieniu błądzić po szaleńczo wirującym krajobrazie dziwnych dźwięków i zapachów.

Dobiega go woń skwierczącego tłuszczu z restauracji fast food serwującej smażone kurczaki po drugiej stronie Sto Dwudziestej Piątej. Wilgotny, kredowy zapach gipsu z kościoła za rogiem, gdzie trwa remont. Kwaśny smród oczyszczalni ścieków. Zapach rzeki Hudson, zalatującej olejem, śmieciami i rybami.

Gdyby w tym momencie fale jego mózgu badał elektroencefalograf, wskazałby znaczny wzrost aktywności ciała migdałowatego, części mózgu naczelnych odpowiedzialnej za zmysł powonienia, pamięć i zdolność uczenia się.

Nagle znów nadpływa Zły Zapach.

Dociera z budynków, pomieszczeń i rur, z ulic, alejek i kratek ściekowych, z samochodów i autobusów. Ze wszystkich stron naraz.

Zły Zapach to ludzie. Attyla znajduje się w epicentrum jednego z najgęściej zaludnionych miejsc na Ziemi i ten straszny, duszący, obezwładniający smród otacza go jak zaciskająca się na szyi pętla, jak wciśnięty na głowę worek.

Attyla drży. Dygoczą mu ręce. Kiedy zmienia się kierunek wiatru, wyczuwa zapachy z zakładu psychiatrycznego na sąsiedniej północnej ulicy. Słyszy wrzaski i czuje przerażenie, nieznośny ból.

Wszystkie te mdłe odory zbierają się w jego głowie jak dym w filtrze powietrza. Attyla zatyka sobie palcami nos. Przestaje dygotać i otwiera szkliste brązowe oczy. Wstrząsa nim dreszcz.

Na mydelniczce stoi pęknięty kubek, w którym tkwią dwie szczoteczki do zębów. Attyla bierze go, wytrząsa szczoteczki i przerzuca go w rękach, zastanawiając się, co z nim począć. Znów zerka na swoje odbicie w czerwonej czapce. Odchyla się, po czym z całej siły rzuca kubkiem w lustro, roztrzaskując go w drobny mak. Na lustrze zostaje gwiaździsty wzór mnóstwa promienistych pęknięć. To mu dobrze robi. Jak gdyby podrapał się w swędzące w środku miejsce.

Ale swędzenie wraca.

Fukając, dysząc i wyjąc, zeskakuje z umywalki i wypada na korytarz. Rozrzuca i rozbija wszystko w zasięgu ręki. Wpada do pokoju, gdzie stoją komputery, i niszczy wszystkie. Wyrywa monitory ze ścian, szarpiąc przewody, a potem roztrzaskuje jeden o drugi. Buchają i syczą snopy iskier, fragmenty urządzeń latają po całym pokoju.

Po chwili słyszy hałas: kilkukrotne walenie w ścianę z mieszkania obok.

– SPOKÓJ TAM, KURWA! – dobiega stłumiony krzyk. Sąsiad. – Przestań w tej chwili albo dzwonię na policję!

Attyla wrzeszczy w odpowiedzi, a następnie podbiega do ściany i łomocze w nią z całych sił. Drobiny tynku wzlatują w powietrze jak biały dym, a lustro na ścianie podskakuje parę razy, zsuwa się z haków i z trzaskiem ląduje na podłodze obok jego stóp. Po całym korytarzu rozsypują się odłamki szkła.

Gdy po chwili znów węszy, łowi nowy zapach dochodzący z mieszkania obok.

Pohukuje i piszczy, biegając po zrujnowanym pokoju.

Podoba mu się tylko jedna woń człowieka i właśnie ją czuje.

Zapach ludzkiego strachu.

Rozdział 38

Po południu, kiedy spotkanie na temat KOCZ trwało w najlepsze, w moim iPhonie pojawił się e-mail od Eleny Wernert z biura senatora Gardnera.

Informowała mnie, że senator nie może się dzisiaj ze mną spotkać. Upadłem na duchu, ale zaraz się podniosłem, czytając ciąg dalszy, że jeżeli jestem zainteresowany, mogłaby mnie „wcisnąć" na pięć minut na posiedzenie senackiej Komisji Środowiska i Infrastruktury, poświęcone ekologii, które odbędzie się jutro o dziesiątej.

Pomyślałem: posiedzenie w Kongresie, hurra! To lepsze od spotkania z senatorem. Gdybym potarł lampę i poprosił dżina, żeby mi umożliwił rozesłanie wici, nie wymyśliłby niczego lepszego.

No więc: czy byłem zainteresowany?

Jak najbardziej zainteresowany, odpisałem, stukając pod stołem w klawiaturę smartfona.

W miarę upływu spotkania, pod wieczór zdarzyło się coś dziwnego. Pojawiało się coraz więcej osób, wybitnych genetyków, biologów, ludzi, których nazwiska znałem od lat, ale których nigdy osobiście nie poznałem. Osłupiałem, gdy wszedł Jonathan Eley – popularny astronom prowadzący newage'owy cykl programów w PBS o początkach wszechświata.

Wszyscy chcieli zobaczyć film z ataku lwów, który teraz odtwarzano bez przerwy w wydzielonej części sali.

Zoologiczna anomalia Botswany, jak wielu zaczęło to nazywać, przyciągała naukowców niczym światło wabiące ćmy.

Uświadomiłem sobie, że sprawa zyskała nowy wymiar. Zrobiło się wokół niej głośno. Oprócz tego w zagadkowy sposób zdobyłem szacunek, jakim nigdy wcześniej się nie cieszyłem: kiedy spotkanie niepostrzeżenie przeniosło się z sali balowej do hotelowego baru, znani naukowcy z renomowanych uczelni, takich jak Harvard, MIT, Uniwersytet Johna Hopkinsa, którzy w innej sytuacji potraktowaliby mnie jak powietrze, teraz podchodzili jeden po drugim, żeby mi uścisnąć dłoń czy postawić piwo.

Zbierając coraz więcej gratulacji, zrobiłem sobie przerwę od zamartwiania się końcem świata, aby na moment popaść w błogie samozadowolenie. Chociaż wcześniej niektórzy uważali mnie za wariata, trwałem przy swojej teorii KOCZ i poczułem się oczyszczony z podejrzeń o obłęd.

– Czy aby nie zostałeś celebrytą? – zapytała Chloe, pociągając mnie za rękaw sportowej marynarki, kiedy pożegnałem siwowłosego mikrobiologa z Princeton. Dłoń miałem zaróżowioną i gorącą od uścisków.

– Aha – przytaknąłem. – Panie i panowie, Jackson Oz, rockandrollowy biolog. Żadnych autografów i proszę nie przesadzać z fleszami.

Wieczorem, gdy spotkanie dobiegło końca, Chloe i ja poszliśmy na górę do jej apartamentu, żeby się przygotować

153

przed posiedzeniem komisji senatu. Przy kawie przygotowaliśmy pięciominutowe oświadczenie, w którym podkreślaliśmy dramatyczną skalę problemu. Zasugerowałem kilka konkretnych posunięć, takich jak wysłanie ostrzeżeń do wszystkich lokalnych jednostek straży ochrony zwierząt, żeby były przygotowane na przypadki wzmożonej agresji. Najważniejszym punktem była jednak prośba o fundusze na badania. Potrzebowaliśmy najlepszych ludzi, i to jak najszybciej.

Kiedy przeczytaliśmy tekst, Chloe zmęczona opadła na krzesło i skinęła głową.

– Całkiem niezłe, Oz. Razem z taśmą chyba powinno wywołać poruszenie. Naukowców już się udało zainteresować. Teraz trzeba o wszystkim powiedzieć światu.

Zadzwoniliśmy do obsługi hotelowej i zamówiliśmy kolację do pokoju. Skrzydło płaszczki z kaparami i kaszę farro z kalafiorem, a do tego butelkę vouvray (które zasugerowała Chloe). Wszystko było przepyszne.

Przy jedzeniu Chloe była dziwnie milcząca. Kręciła kieliszkiem i w roztargnieniu patrzyła przez okno. W ciemności, rozświetlonej niebieskawą poświatą miasta, most Fredericka Douglassa łączący brzegi Anacostii jaśniał jak tort urodzinowy.

Kiedy Chloe w końcu na mnie spojrzała, jej brązowe oczy błyszczały od łez.

– W Afryce – zaczęła cicho – gdy zapadła noc, pogodziłam się ze swoją śmiercią. Zaczęłam się modlić do dziadka. Prosiłam go, żeby mi jakoś pomógł, skoro muszę umrzeć. Żeby to nie trwało długo. Następnego dnia straciłam już resztki nadziei. A kiedy spojrzałam z tego kamienia, zobaczyłam ciebie.

– A teraz jesteśmy tutaj – powiedziałem, unosząc kieliszek.

– Właśnie – przytaknęła. – Wcześniej nie wierzyłam

w przeznaczenie, ale teraz sama już nie wiem. Najpierw w Afryce ocieram się śmierć, a chwilę potem jestem w Ameryce. W samym środku burzy. Która, być może, jest jednym z największych wydarzeń w historii. Nieczęsto coś takiego zdarza się dziewczynie z Owernii. Mam wrażenie, że to wszystko nie dzieje się naprawdę.

– Ale to prawda – odparłem. – Chcesz, żebym cię uszczypnął?

Wtedy pochyliła się nad maleńkim stołem i dotknęła mojej twarzy.

– Nie – odpowiedziała. – Chcę, żebyś mnie pocałował.

Nachyliłem się w jej stronę. Nasz pierwszy pocałunek był delikatny i spokojny. Nagle pod powiekami przemknął mi obraz Natalie, i choć była to ostatnia rzecz, jaką chciałem zrobić, odsunąłem się.

– Nie? – zapytała zdziwiona Chloe. – Myślałam...

– Powinienem był ci powiedzieć. Jestem, hm...

– Żonaty.

– O Boże, nie.

– *Petite amie? Une amante?*

– Nie, nie. To znaczy, hm... trudno powiedzieć. Myślę, że właśnie z kimś zerwałem – odparłem, unikając jej wzroku.

Chloe głośno odchrząknęła.

– Myślisz?!

– Tak.

Uniosła kieliszek i wypiła łyk wina.

– Hm, cenię twoją szczerość, Rycerzu Prawdy i Sprawiedliwości – rzekła.

– Chyba powinienem iść do swojego pokoju – stwierdziłem. Zmiąłem serwetkę i położyłem na talerzu, a potem wstałem od stołu. – Jutro czeka nas wielki dzień.

– Zwariowałeś? Nigdzie nie idziesz – oznajmiła. Znów wypiła łyk wina i dodała: – Poza tym widziałam już twoją bieliznę.

Spojrzałem na nią.

– Mówię serio, Oz. Nie chcę być sama w nocy. Zostań, proszę cię.

– Prześpię się w fotelu.

Przewróciła oczami.

– Śpij ze mną w łóżku – powiedziała znad kieliszka. – Nie martw się. Będziemy po prostu spać.

Okazało się, że nie żartowała. Gdy wyszedłem spod prysznica, Chloe pochrapywała.

Patrzyłem na nią w przyćmionym świetle wpadającym przez okno – na jej ciemne rzęsy, bladą twarz, szczupłe, delikatne ramiona. Pogrążona we śnie wyglądała przepięknie, dziewczęco, jak drobny ptaszek. Zacząłem sobie robić wyrzuty. Co ci przyszło do głowy? Przecież Natalie z tobą zerwała. To koniec. Jesteś wolny. Bierz się do roboty.

Uświadomiłem sobie, że Chloe pokonała taki kawał drogi ze względu na mnie. Ufała mi i wierzyła we mnie, na co Natalie nigdy nie mogła się zdobyć.

Starannie przykryłem Chloe, położyłem się obok niej i wbiłem wzrok w sufit.

– Dobrej nocy, kretynie – powiedziałem do siebie i zamknąłem oczy.

Rozdział 39

Otworzyłem oczy – nie wiem, ile godzin później. W pokoju było tak ciemno, że nie byłem pewien, czy w ogóle mam otwarte oczy. Przez okna nie wpadała nawet pomarańczowa poświata miasta, jak gdyby ktoś zasunął grube zasłony, choć pamiętałem, że na pewno tego nie zrobiłem.

Nagle usłyszałem szczęk. Jakiś suchy metaliczny grzechot. Przemknąłem wzrokiem po ciemnym pokoju. Dopiero po chwili zorientowałem się, że to gałka u drzwi.

Grzechotanie stało się głośniejsze i gwałtowniejsze, jak gdyby ktoś próbował ukręcić gałkę. Towarzyszyły temu zgrzyty i odgłosy skrobania. Potem nastąpiło lekkie łupnięcie w drzwi.

Z początku pomyślałem, że to kawał któregoś z naukowców. Po spotkaniu piwo lało się strumieniami.

Usłyszałem drugie łup. Mocniejsze. Uderzenie zadało coś dużego i ciężkiego.

Usiadłem na łóżku. Przestałem podejrzewać, że to kawał. Wcale nie był zabawny.

Od następnego ciosu pękła górna część drzwi. Usłyszałem trzask łamanego drewna.

Co jest, do cholery?

Odrzuciłem pościel, zerwałem się na nogi, i w tym momencie zatrzeszczały zawiasy wyrwane z futryny. Drzwi z impetem wpadły do wewnątrz i runęły na podłogę. Ukazała się w nich olbrzymia postać. I zaraz zniknęła. W pokoju coś się poruszyło. Po chwili w drzwiach zamajaczyła następna ogromna sylwetka i ukryła się w mroku pokoju.

– Oz? Jesteś tu?

Chloe usiadła na łóżku za moimi plecami, sięgnęła do nocnej lampki, włączyła ją i wrzasnęła.

To były niedźwiedzie. Półtora metra od łóżka stały dwa niedźwiedzie – dwa wielkie pieprzone niedźwiedzie grizzly, które wypełniały cały pokój. Podeszły bliżej na potężnych, grubych łapach. Futro na ich cielskach falowało, z otwartych pysków zwisały nitki śliny, a czarne, paciorkowate ślepia wpatrywały się we mnie tępo i obojętnie jak śmierć.

Nie mogłem się poruszyć. Jak gdyby ktoś mi przybił stopy do podłogi. Nie było mowy o myśleniu. Zero reakcji walki lub ucieczki. Zawiódł mnie nawet instynkt samozachowawczy.

Pierwszy niedźwiedź stanął na tylnych łapach, a przednią zamachnął się na mnie. Runąłem do tyłu, czując na policzku i szyi gorącą wilgoć. Błyskawicznie dotknąłem ręką twarzy: między palcami ciekła mi krew, która zalewała twarz, szczypała w oczy.

Nagle z krzykiem się zbudziłem. Wymachiwałem rękami, młócąc pustkę nad sobą. Dotknąłem szyi. Żadnej krwi. Żadnego bólu.

Dopiero po chwili uświadomiłem sobie, że Chloe obok mnie też krzyczy.

– *Recevez les de moi!* – zawołała w ciemności.

Złapałem ją za ramiona.

– Zabierz je ode mnie! Nie! – wrzasnęła, odpychając mnie.
Miała otwarte oczy, ale wciąż widziała koszmar.

– Już dobrze, Chloe! To sen! To tylko sen!

Łapczywie wciągnęła powietrze do płuc. Trzymałem ją, czując, jak jej ciało powoli się rozluźnia.

– Ale to się wydawało takie prawdziwe. Spaliśmy i nagle trzasnęły drzwi i do pokoju weszły niedźwiedzie. Widziałam, jak jeden z nich cię zabił.

– Co? – Zapaliłem światło. – Śniły ci się niedźwiedzie?

– Tak. Były ogromne. Dwa wielkie niedźwiedzie grizzly wyłamały drzwi i weszły do pokoju.

– Bzdura! – wyskoczyłem z łóżka i zacząłem nerwowo spacerować.

– O co chodzi?

– Miałem ten sam sen. Dwa niedźwiedzie grizzly wyważyły drzwi i weszły, a jeden z nich zmasakrował mi twarz!

– Jak to możliwe? Jak to możliwe, że oboje mieliśmy ten sam koszmar?

Słyszałem kiedyś o wspólnych snach, ale zawsze byłem nastawiony sceptycznie, nie mając takich doświadczeń. Podobno ludzie śnią to samo tylko w najbardziej ekstremalnych przypadkach. Czyżby przydarzyło się to nam dlatego, że działały na nas te same bodźce, czy z innego powodu? Czy KOCZ miał z tym coś wspólnego? Na pewno nie...

– *Mon Dieu* – powiedziała Chloe. – Co to znaczy? Tak się boję, Oz. O co chodzi? Co się dzieje ze światem?

Miałem wrażenie, jak gdyby w moich żyłach od palców stóp po czubek głowy płynęły kawałki lodu.

– Nie wiem – odrzekłem, trzymając głowę w dłoniach.

Rozdział 40

Kiedy nazajutrz rano znów otworzyłem oczy, Chloe leżała zwinięta w kłębek obok mnie, z głową opartą o moje ramię, a moja ręka spoczywała w jej włosach. Patrząc na nią, pomyślałem o minionej nocy. O wspólnym koszmarze, który śniliśmy.

Nie wiedziałem, co o tym myśleć. Dla mnie z pewnością był to pierwszy raz. Chloe najwyraźniej też nie chciała rozmawiać na ten temat. Nie wspominała o tym, gdy się szykowaliśmy do wyjścia i gdy schodziliśmy złapać taksówkę.

Był rześki, słoneczny letni dzień. Ostre światło, bezchmurne niebieskie niebo. Taksówki, kurierzy na rowerach, biznesmeni zmierzający do pracy, patrzący na zegarki, z czytnikami Kindle w rękach i słuchawkami w uszach, aby się odizolować na czas drogi. Ich widok skojarzył mi się ze zwierzętami na Sri Lance, które ruszyły w stronę wzgórz kilka dni przed tsunami, podczas gdy ludzie zostali i zbierali muszelki na odsłoniętej plaży, zachodząc w głowę, gdzie się podziały słonie. W drodze wymieniliśmy z Chloe ponure spojrzenia. Nie musieliśmy nic mówić. To się niemal wyczuwało w powietrzu. Nadciągała tragedia. Coś, czego świat jeszcze nie widział.

Budynek senacki Dirksena znajdował się w północno-
-zachodniej części kompleksu Kapitolu na Pierwszej Ulicy.
Nabrałem otuchy, widząc furgonetki dziennikarzy zaparko-
wane przed majestatycznym gmachem z białego marmuru.
Przynajmniej mieliśmy szansę ostrzec ludzi.

Na chodniku przy schodach prowadzących do budynku
dostrzegłem kilka znajomych twarzy. Podałem rękę Gail
Quinn i Claire Dugard, swoim dawnym wykładowczyniom.
Był tam też doktor Charles Groh na wózku. Poklepałem go
po plecach i ścisnąłem za ramię.

– Powodzenia, Oz – powiedział, łapiąc moją rękę i obejmując mnie. – Dasz sobie radę.

Chloe i ja weszliśmy do budynku, gdzie czekali funkcjonariusze policji Kapitolu w białych koszulach, uzbrojeni
w wykrywacze metalu. Za nimi w ogromnym marmurowym
atrium roili się jak pszczoły w ulu przy produkcji miodu
i pszczelego mleczka elegancko ubrani członkowie personelu
senatu, lobbyści i dziennikarze. W kolejce za aksamitnymi
sznurami stała liczna grupa osób, ubranych mniej wytwornie
i wyraźnie znudzonych.

W drodze do stanowiska ochrony musieliśmy minąć ogromną instalację artystyczną – rzeźbę wysokości blisko dziesięciu
metrów, przypominającą dąb ze stali.

– Dzień dobry, przyszedłem na posiedzenie senackiej Komisji Środowiska i Infrastruktury zaplanowane na dziesiątą –
powiedziałem do policjanta za biurkiem. Był potężnym i przystojnym czarnoskórym mężczyzną o ogolonej głowie i nie-
przeniknionej twarzy, nieprzystępnym jak sejf w banku.

Westchnął i uniósł podkładkę z listą.

– Nazwisko?

– Jackson Oz – odrzekłem. – Oz, Oscar Zulus.

Cmoknął i pokręcił głową.

– Hm, nie ma żadnego Oza – oznajmił, unosząc wzrok znad listy i patrząc na mnie.

– To musi być jakaś pomyłka – zaprotestowałem. – Senator Gardner zaprosił mnie wczoraj w ostatniej chwili. Może pan sprawdzić w jego biurze?

„Komisarz Rex" spojrzał na mnie, jak gdybym poprosił go o pożyczenie służbowej broni.

– Proszę? – wtrąciła Chloe, by załagodzić moją bezczelność.

– Zgoda. – Odchylił się na skrzypiącym skórzanym krześle, podniósł słuchawkę telefonu i przytrzymał ją podbródkiem. – Czyli teraz jestem recepcjonistą.

Wstukał jakiś numer, a potem odwrócił się z krzesłem i półgłosem powiedział coś do słuchawki. Kiedy ją odłożył, na jego twarzy igrał kpiący uśmieszek.

– Tak jak myślałem. Kazali mi uważać, żebym nie wpuszczał takich oszołomów. Przykro mi, przyjacielu. Nie ma pana na liście, więc musimy się pożegnać.

Mój żołądek stał się nagle ciężki jak przeładowana winda, która za chwilę zerwie się z lin. Wymieniliśmy z Chloe zdumione spojrzenia.

– Powiedzieli dlaczego? – zapytałem.

– Niech pan nie przegina – poradził policjant. – Tam jest wyjście. Proszę z niego skorzystać.

Gorączkowo myślałem.

– Na stronie internetowej była informacja, że jest parę wolnych miejsc dostępnych dla wszystkich. Nie możemy wejść na posiedzenie jako widzowie?

Wydał z siebie lekceważący dźwięk, ni to chichot, ni to parsknięcie.

– Pan dawno w Waszyngtonie? – spytał, wskazując na

korytarz za sobą i kolejkę ludzi za aksamitnym sznurem. – Widzi ich pan? Lobbyści od dwóch dni płacą tym żałosnym osobnikom dwadzieścia dolców za godzinę, żeby stali w kolejce i zdobyli im miejsce na widowni. Tu obowiązuje zasada „Kto pierwszy, ten lepszy", przyjacielu, a ci lepsi pojawili się już jakiś czas temu.

Odwrócił się do Chloe i patrzył na nią ze szczerym żalem w oczach.

– Przykro mi, droga pani. W tym mieście ładna buzia to nie wszystko. Żegnam.

Rozdział 41

Zasada „Kto pierwszy, ten lepszy" najwyraźniej oznaczała, że wpuszcza się tu pierwszych lepszych, pomyślałem, gotując się ze złości, gdy odchodziliśmy od biurka policjanta.

Nie mogłem uwierzyć w to, co nam powiedział. Może to jakiś niesmaczny żart?

Na schodach przed budynkiem wyciągnąłem telefon i zadzwoniłem do biura senatora Gardnera.

– Tak? – odezwał się zniecierpliwiony kobiecy głos.

Elena Wernert, asystentka, która dzwoniła do mnie poprzedniego dnia.

– Mówi Jackson Oz – przedstawiłem się. – Chyba nastąpiła jakaś pomyłka. Ochrona nie chce mnie wpuścić na posiedzenie komisji.

– Hm, tak. Próbowałam się z panem skontaktować, panie Oz – odrzekła Wernert. – Nie będziemy jednak mogli gościć pana na posiedzeniu. Wszystkie miejsca są zajęte.

– Bzdura – odparowałem. – Gówno prawda!

– Zabawne, że to określenie pada właśnie z pańskich ust, panie Oz – burknęła. – Bo inaczej nie można nazwać tego, co od pana słyszymy. Próbował pan nam wmówić, że jest naukowcem z Uniwersytetu Columbia, ale sprawdziliśmy pańskie dokonania. Nie uznał pan za stosowne poinformować nas o pewnych radykalnych tezach przedstawionych na pańskim blogu. Zależy nam na cennych uwagach dotyczących problemów z ochroną zwierząt, nie na spiskowych teoriach szaleńca, który uważa, że zwierzęta przejmują władzę na świecie. Przykro nam, ale senator Gardner nie chce mieć żadnych związków z obłąkanymi blogerami.

Wiedziałem. Więcej polityki to więcej ludzi, którzy wolą chronić własne tyłki, zamiast spróbować zrozumieć, co się dzieje w prawdziwym świecie. Waszyngton w najlepszym wydaniu.

Wziąłem głęboki oddech.

– Nadciąga niebezpieczeństwo, proszę pani – powiedziałem. – Gdyby zdołała pani znaleźć chwilę w swoim napiętym planie dnia i przyszła na wczorajsze spotkanie, mogłaby pani zobaczyć to na własne oczy. Zachowanie zwierząt niepokojąco i radykalnie się zmienia. Giną ludzie. Mogę to udowodnić.

– Nie ma w tym odrobiny sensu – uznała Wernert. – Dlaczego tak się dzieje?

– Sam nie wiem. Na razie. To właśnie jedno z pytań, na które trzeba znaleźć odpowiedź. Ale powód ma w tej chwili drugorzędne znaczenie, pani Wernert. Nie trzeba wiedzieć, dlaczego dom stanął w ogniu, tylko uciekać do wyjścia. Trzeba natychmiast ostrzec ludzi, żeby mieli się na baczności przed agresywnymi zwierzętami.

– Jasne. Obawiam się, że w CNN to nie byłaby bomba, lecz raczej niewypał – odparła. – Senator Gardner radzi widzom: „Zamknijcie swoje drapieżne pinczerki i pekińczyki".

– Proszę. Niech mi pani przynajmniej pozwoli pokazać senatorowi mój film. – Zdenerwowałem się na dźwięk błagalnego tonu, który zabrzmiał w moim głosie.

– Senator ma na głowie ważniejsze sprawy niż pańskie skrajne teorie. W przyszłym miesiącu nie będzie miał ani jednej wolnej minuty. Żegnam. – Odłożyła słuchawkę.

Wpatrywałem się w telefon. Nie mogłem przyjąć do wiadomości, że dotarłem tak blisko celu tylko po to, żeby mnie puszczono kantem. Nie chodziło nawet o mój czas i wysiłek poświęcony na przygotowanie wystąpienia. Chodziło o to, że ludzie musieli usłyszeć, co miałem do powiedzenia, a ci, których zadaniem była ochrona społeczeństwa, właśnie zamierzali ukryć przed nim fakty.

Z błogosławieństwem senatora czy bez musiałem wszystkich ostrzec. Nikt inny tego nie zrobi. To było moje zadanie.

Spojrzałem na dziennikarzy przy drzwiach, którzy mieli relacjonować rozpoczynające się posiedzenie komisji, i nagle wpadł mi do głowy pewien plan.

Idąc w kierunku bramek wykrywaczy metalu, odwróciłem się i przystanąłem. Potem wszedłem na podstawę gigantycznej rzeźby w holu, podskoczyłem i złapałem się najniższej gałęzi stalowego drzewa.

Prawnicy, politycy i nawet kilka zwykłych osób zatrzymało się i pokazywało mnie palcami, a ja wspinałem się coraz wyżej.

– Przepraszam!!! – zawołałem, przykładając do ust zwinięte dłonie. – Przepraszam. Mam coś ważnego do powiedzenia.

– Oz? – zdumiała się Chloe, patrząc na mnie z dołu. – Co ty robisz?

– Jedyną rzecz, jaka nam została! – krzyknąłem w odpowiedzi. – Ludzie muszą wiedzieć!

Rozdział 42

– Przepraszam! – krzyknąłem ponownie. – Szanowni państwo, jestem naukowcem. Nazywam się Jackson Oz i zaproszono mnie, żebym wystąpił na posiedzeniu senackiej Komisji Środowiska i Infrastruktury, zanim w tajemniczy sposób nie zostałem pozbawiony zaproszenia.

Zerknąłem w dół i zobaczyłem stojącego pod drzewem policjanta, który przed chwilą nas nie wpuścił. W jednej ręce trzymał pistolet, a w drugiej krótkofalówkę.

Po krótkiej pauzie przełknąłem ślinę i mówiłem dalej:

– W przyrodzie dochodzi do zaburzeń w skali globalnej. Trzy dni temu w Botswanie ponad sto osób zostało zabitych przez dzikie zwierzęta. Jestem przekonany, że ta epidemia szerzy się na całym świecie. Każdy może być zagrożony. Trzeba uważać na nieoczekiwane agresywne zachowania zwierząt...

Zabrzmiał alarm. Umilkłem. Zamigotało oślepiające białe światło, a w holu rozległy się dzwonki. Z głębi budynku dobiegł ciężki tupot całego tabunu ludzi.

Przygryzłem wargi. Myślałem, że zanim zostanę aresztowany, uda mi się zwrócić uwagę choćby jednego czy dwóch dziennikarzy, ale teraz zacząłem się bać. Po jedenastym września to było prawdopodobnie jedno z najpilniej strzeżonych miejsc na świecie. Chyba jednak mój plan nie był aż tak genialny, jak mi się zdawało jeszcze przed chwilą.

Ta myśl się potwierdziła, gdy z wewnętrznego korytarza wyłoniła się grupa mężczyzn w czarnych mundurach, z karabinkami M16 i policyjnymi tarczami. Kiedy antyterroryści przebiegli przez dzwoniące wykrywacze metalu, na plecach ich kuloodpornych kamizelek zobaczyłem litery CERT* wykonane ze srebrnej taśmy.

– Schodzić! Natychmiast! – zawołał przez trzeszczący megafon wąsaty mężczyzna w hełmie, kierując lufę M16 w moją pierś.

Właśnie to robiłem, zginając kolana, żeby złapać się metalowej gałęzi i zeskoczyć, gdy nagle usłyszałem huk i poczułem, jak gdyby Alex Rodriguez z rozmachem uderzył mnie kijem bejsbolowym w wierzch prawej dłoni. Rozluźniłem uchwyt i runąłem na marmurową posadzkę jak worek mięsa.

Spojrzałem na rękę. Czułem, że jest złamana. Wyglądała, jakby użądlił mnie szerszeń wielkości małego kota. Zostałem trafiony jakimś niepenetracyjnym pociskiem. Chyba gumowym.

Ale to był najmniejszy problem. Mgnienie oka później poczułem nagły, przenikliwy ból w nogach, moje zęby mimowolnie się zacisnęły i zacząłem dygotać.

– Dostałeś paralizatorem. Nie ruszaj się, cholerny świrze – powiedział ktoś z tak bliska, że poczułem jego oddech o zapachu cebuli.

Wykonanie polecenia nie było trudne: nie mogłem się

---

* Capitol Emergency Response Team – specjalny oddział szybkiego reagowania policji Kapitolu.

ruszać, ponieważ moje mięśnie zostały sparaliżowane. Nawet kiedy oderwano mi od ciała elektrody, wciąż czułem, jak gdyby ktoś wiertarką robił mi dziurę w czaszce. Mój mózg całkowicie zdrętwiał.

Teraz siedziało na mnie czterech gliniarzy, wykręcając mi ręce do tyłu, żeby nałożyć kajdanki.

– Widzisz, jak się kończą takie pieprzone zabawy? – szepnął mi do ucha gliniarz. – Wdepnąłeś, stary. Zarzut stworzenia zagrożenia dla bezpieczeństwa państwa masz jak w banku. Sprawa federalna.

Postawili mnie, a potem pchnęli w kierunku otwartych podwójnych drzwi w marmurowej ścianie. Próbowałem stać o własnych siłach, ale mięśnie nóg ciągle mi się trzęsły. Potknąłem się, policjanci mnie ciągnęli, na moment odzyskałem władzę w nogach, ale znów odmówiły mi posłuszeństwa. Spojrzałem na swoje galaretowate odnóża. Miałem wrażenie, jak gdyby należały do kogoś innego.

– Aha, więc jeszcze stawiasz opór przy próbie aresztowania – zadrwił gliniarz, po czym ciężki but trafił mnie w kręgosłup.

– Zostawcie go! Przestańcie się nad nim znęcać! – krzyknęła jakaś kobieta. Słyszałem jej głos jak spod wody, dochodził do mnie, jakbym był w śpiączce.

Kątem oka ujrzałem Chloe. Przepychała się naprzód, z wrzaskiem roztrącając policjantów.

Obok niej zauważyłem też Gail Quinn, Claire Dugard i Charlesa Groha, którzy krzyczeli na funkcjonariuszy policji Kapitolu. W holu rozbrzmiewała kakofonia głosów, szamotaniny i ciężkiego tupotu.

Krótko potem wszyscy byli skuci kajdankami i skrępowani na podłodze obok mnie. Przykuli nawet Charlesa Groha do wózka inwalidzkiego. Najwyraźniej był bardzo niebezpieczny.

Pociągnięto nas w stronę bocznych drzwi wychodzących na obskurny korytarzyk.

– Słuchaj, Larry – powiedział gliniarz do jednego ze swoich kumpli. – To atak czubków, nie. Ciekawe, gdzie baba z brodą? Czeka na zewnątrz za kierownicą furgonetki do przewozu świrów, z odpalonym silnikiem, żeby szybko uciec?

W tym momencie naprawdę straciłem panowanie nad sobą. Odwróciłem się i wymierzyłem gliniarzowi kopniaka w jądra. Chociaż nie trafiłem, to jednak udało mi się solidnie przyłożyć mu w goleń.

Potem widok zasłoniła mi pięść, ukazując moim oczom malowniczą perspektywę czyichś palców i kostek. Przez ułamek sekundy kontemplowałem ten obraz, ale przeszkodził mi głośny chrzęst łamanego nosa, który zabrzmiał głucho w moich uszach, a światła nade mną zmatowiały i zgasły.

Rozdział 43

Po pandemonium w budynku senackim funkcjonariusze z Kapitolu odwieźli nas do aresztu komendy stołecznej policji. Wciągnięto nas do kartoteki i umieszczono w celi w głębi budynku. Ściany były upstrzone pacyfkami, symbolami anarchii i liśćmi marihuany, które poprzedni lokatorzy wyryli na brudnych płytkach. Przez pomieszczenie musiało się przewinąć sporo awanturników.

Spędziliśmy noc w celi: Gail Quinn, Claire Dugard, Charles Groh, Chloe i ja, a także parę karaluchów, które z początku przez pomyłkę wziąłem za yorkshire terriery. Siedziałem oparty o ścianę ze zwiniętymi skrawkami papierowego ręcznika w nozdrzach i zatokami zapchanymi krwią.

Rozsądnie wykorzystaliśmy ten czas. Gdy skończyłem gorąco wszystkich przepraszać, że przeze mnie trafili do pudła, przegadaliśmy pół nocy w betonowej, pozbawionej okien celi, starając się ustalić, co mogło wywołać KOCZ.

Wciąż zderzaliśmy się z tymi samymi przeszkodami, na które natrafialiśmy podczas spotkania w hotelu. Uznaliśmy, że to nieprawdopodobne, aby winien był wirus. Fakt, że niewiadomy czynnik w podobny sposób wpływał na rozmaite gatunki w różnych miejscach, świadczył przeciwko takiej możliwości. Zgodziliśmy się wszyscy, że ta nagła i anormalna zmiana zachowania jest raczej reakcją na jakiś proces zachodzący w środowisku. Oczywiście najlepiej byłoby przeprowadzić sekcję zwłok hiperagresywnych zwierząt i poszukać anatomicznych czy fizjologicznych anomalii, które naprowadziłyby nas na właściwy trop.

Doktor Quinn obiecała pomoc Wydziału Biologii Uniwersytetu Columbia, jeżeli uda się zdobyć materiał do badania.

– Zresztą do czego są nam potrzebne władze, Oz? – zapytała spod drzwi celi, gdzie przycupnęła jak przy ognisku. – Nawet gdyby cię dzisiaj posłuchali, powołaliby komisję, która stworzyłaby zespół badawczy do opracowania studium typów osobowości najlepszych ludzi potrzebnych do stworzenia planu działania.

Wypuszczono nas następnego dnia rano po przesłuchaniu wstępnym przez sędziego. U reszty skończyło się na zarzutach zakłócenia porządku publicznego i grzywnach w wysokości pięciuset dolarów, ja natomiast usłyszałem zarzut bezprawnego wtargnięcia do obiektu, w związku z czym musiałem się stawić przed sądem i zapłacić trzy tysiące dolarów kaucji.

Choć zostałem oskarżony o przestępstwo federalne i miałem wyznaczoną datę rozprawy, nie bardzo się tym przejmowałem, gdy w porannym słońcu pchaliśmy wózek doktora Groha po pochylni przy schodach gmachu sądu. Miałem ważniejsze sprawy na głowie – każde z nas miało, bez względu na fakt, czy wszyscy to sobie uświadamiali. Władzę najprawdopodobniej pochłoną o wiele istotniejsze rzeczy niż ja.

– Co teraz? Idziemy na polowanie? – spytała Chloe, gdy razem z Claire i Gail pomogliśmy ulokować doktora Groha w taksówce dla niepełnosprawnych i pożegnaliśmy się z nimi.

– Najpierw następny punkt programu twojej wycieczki – odparłem, wskazując restaurację w głębi ulicy. – Pozwolisz, że zaprezentuję ci prawdziwy klejnot Ameryki: knajpę czynną dwadzieścia cztery godziny na dobę.

– Mam inną propozycję – powiedziała Chloe, pokazując na moją twarz. – Masz skrzywiony nos. Bardzo skrzywiony. Lepiej by było, gdybyś pomyślał o wizycie u lekarza.

Skończyło się więc na tym, że zjedliśmy śniadanie w poczekalni izby przyjęć szpitala Uniwersytetu Waszyngtona. Kiedy pożarłem mcmuffina z jajkiem, podpisując równocześnie kilka dokumentów, stanąłem na krześle i zacząłem przełączać kanały w telewizorze zamontowanym na ścianie. Chciałem sprawdzić, czy w wiadomościach będzie jakaś informacja o naszym proteście. Dwa razy przejrzałem wszystkie programy, zostawiając ESPN, gdzie nadawano relację z wczorajszego meczu, w którym drużyna Celtics przegrała z Knicksami: przynajmniej odrobina dobrych wiadomości.

– To śmieszne – powiedziałem do Chloe. – Nic nie ma. Ani słowa o Botswanie czy o proteście. Aresztowali nas za nic.

Po następnej godzinie czekania zabrano mnie na prześwietlenie. Gdy razem z Chloe weszliśmy do gabinetu zabiegowego, przy stanowisku naprzeciwko zauważyliśmy więźnia w pomarańczowym kombinezonie, w otoczeniu uzbrojonych strażników.

– Patrz. Następny awanturnik – szepnęła do mnie Chloe z uroczym, szelmowskim uśmiechem.

Też się uśmiechnąłem. Niewiarygodne, że mimo wszystkich kretyństw, które nas spotykały, nie opuszczało jej poczucie humoru.

– Aha – rzekłem. – Pewnie to część dla odrażających, brudnych i złych.

Po chwili zjawił się młody, przystojny lekarz z moim

zdjęciem rentgenowskim – lśniącym arkuszem kliszy, który łopotał w jego małej, gładkiej dłoni. Wyglądał na studenta Uniwersytetu Waszyngtona. Popatrzył na Chloe ułamek sekundy dłużej, niżbym sobie życzył, a następnie z radosnym uśmiechem potwierdził, że faktycznie mam złamany nos.

– I tak wcześniej mi się nie podobał – zapewniła mnie Chloe, gdy anioł w kitlu naciągał lateksowe rękawiczki na drobne porcelanowe dłonie, żeby przywrócić mojemu nosowi właściwy kształt. – Żartuję – dodała, przysłaniając ręką uśmiech. Po chwili znalazłem się bez koszuli na leżance przykrytej szeleszczącym podkładem.

– Przed nastawieniem będę musiał ponownie złamać panu nos – poinformował mnie lekarz, mocno zaciskając palce na mojej twarzy. – Od zdarzenia minęło wiele godzin.

Zabrzmiało to groźnie i bardzo mi się nie podobało. Mina mnie zdradziła.

– To potrwa tylko sekundę – dodał. Mówił do mnie jak do dziecka, które się boi zastrzyków. – Gotowy? – Strzelił rękawiczką. Drań pogwizdywał sobie pod nosem.

Usiłowałem usiąść, ale nagle poczułem w ręce miękką dłoń.

– Wytrzymasz, Oz – powiedziała Chloe, ściskając mi rękę. – Jestem przy tobie.

Zdarzyło się coś dziwnego. Naprawdę się uspokoiłem. To zaczynał być nasz motyw przewodni – pomagaliśmy sobie nawzajem, odgadując swoje potrzeby. Patrząc na Chloe i czując spokojny dotyk jej dłoni, zrozumiałem, że bardzo mocno i szybko zakochuję się w tej kobiecie. Podejrzewałem, że z nią dzieje się to samo.

Wtedy lekarz złamał mi nos i wrzasnąłem jak niemowlę.

Rozdział 44

Wyszedłem z Chloe ze szpitala z opatrunkiem na twarzy przyklejonym dwoma skrzyżowanymi plastrami i zakrwawionymi wacikami zawadiacko wystającymi z nosa. Wróciliśmy taksówką do hotelu, wzięliśmy prysznic, wymeldowaliśmy się i pojechaliśmy na Union Station, by wsiąść do najbliższego pociągu Acela Express do Nowego Jorku.

Nie zważając na to, że byłem już notowany, musiałem jechać do siebie, przegrupować siły i za wszelką cenę spróbować pokazać światu mój film z lwami. Wrzucić go do internetu, zainteresować nim stacje informacyjne.

Gdy zajmowaliśmy miejsca w pociągu, znów próbowałem się dodzwonić do Natalie. Od razu odezwała się poczta głosowa, więc się rozłączyłem. Zostawiłem jej wiadomość prawie czterdzieści osiem godzin temu. Co jest grane? Zupełnie jej zobojętniałem?

Pół godziny później wracałem z wagonu barowego z piwem i małą butelką wina. Chloe tasowała talię kart na składanym stoliku.

– Zagrajmy w Go Fish – powiedziałem.

– To nie są karty do gry – wyjaśniła Chloe. – To karty tarota.

– Tarota? – Spojrzałem na nią pytająco. – Który naukowiec nosi przy sobie karty tarota?

Chloe wzruszyła ramionami.

– Uważam, że są bardzo piękne – odparła. – Należały do mojej matki. Po jej śmierci znalazłam je w pudle z jej rzeczami. Są moim... jak to się mówi? ...talizmanem na szczęście. Wiem, że to zabobon.

Wsunęła karty do pudełka i sięgnęła pod siedzenie po torebkę.

– Pokaż – poprosiłem, kładąc swoją dłoń na jej ręce. – Wiesz, jak... zrobić to, co się robi z kartami tarota?

– Możemy je odczytać – powiedziała, wyciągając je z powrotem. – Tasujesz karty i rozkładasz dziesięć w tak zwany krzyż celtycki. Najlepiej jest zadać konkretne pytanie. Najpierw je zapisujesz, a potem wykładasz karty, żeby uzyskać odpowiedź. Poda ci ją dziesiąta karta w sekwencji.

Otworzyłem pisak i na serwetce z nadrukiem Amtraku nagryzmoliłem:

Czy KOCZ unicestwi świat?

Podałem serwetkę Chloe, ale odsunęła ją od siebie.

– Nie pokazuj mi jeszcze. Odwróć to i potasuj karty.

Zgiąłem serwetkę wpół i odłożyłem. Potasowałem karty i starannie wyłożyłem z talii jedną po drugiej na składanym stoliku we wskazanych przez Chloe miejscach.

Gdy układ był gotowy, Chloe zaczęła odwracać karty. Pierwsza przedstawiała starca w pelerynie trzymającego laskę i latarnię.

– To Pustelnik – wyjaśniła. – Symbolizuje, hm... jak to się mówi...? Introspekcję, poszukiwanie.

W jej głosie zabrzmiała nuta powagi. Intrygowało mnie, jak naukowiec tajemniczo stał się mistykiem. Przyszedł mi na myśl Isaac Newton, który w wolnym czasie przeprowadzał eksperymenty alchemiczne, próbując zmienić ołów w złoto, kiedy akurat nie pracował nad podstawami fizyki klasycznej.

Odwróciła pozostałe karty. Jedna z nich nazywała się Wieża, a następna, której nazwa szczególnie mi się spodobała, Kochankowie.

– A teraz ta, która odpowie na pytanie – powiedziała Chloe, kiedy doszliśmy do dziesiątej karty. Odkryła ją.

Za oknem migały szare i brązowe plamy wybrzeża na wschodzie: w przyćmionym świetle pochmurnego popołudnia od czasu do czasu w oddali przebłyskiwał ocean.

Spojrzałem na kartę. Był na niej wizerunek anioła. Z chmury, na której siedział, wystawały pióra oraz czerwone i żółte trójkąty, a anioł dmuchał w trąbkę.

– Co to jest? Anioł? – zapytałem.

Chloe wpatrywała się w kartę, przygryzając wargę.

– Nazywa się *Le Jugement*. – Wskazała anioła. – To Archanioł Gabriel, który dmie w róg. – Pokazała czerwone i żółte trójkąty. – A to ogień.

Nie potrzebowałem szklanej kuli, by wiedzieć, co to oznacza.

Pokazałem jej pytanie.

– Tam-tam-taam... – zanuciła złowieszczy filmowy motyw. Zaśmiała się figlarnie i zebrała karty, ale widziałem, że lekko drżą jej ręce.

Siedzieliśmy w milczeniu, a pociąg śmigał przez Delaware jak pejcz po nieszczęsnym tyłku. Patrząc na przemykające za oknem niewyraźne kontury szeregowej zabudowy i centrów handlowo-usługowych, z niewiadomego powodu zacząłem

myśleć o książce *Mały czerwony wagonik*, którą w dzieciństwie czytała mi mama.

Jak wspaniale wyglądał świat na ilustracjach. Błyszczące
samochody i życzliwi policjanci w mieście, przez które jechał
pociąg; na wsi rumiani farmerzy za kierownicą pick-upów
wyładowanych kukurydzą; wymalowani Indianie na koniach,
gdy pociąg mozolnie wspinał się na górę. Pamiętam, że
godzinami wpatrywałem się w te obrazki, w szczęśliwy,
kolorowy i bezpieczny świat, który na mnie czekał.

Gdy wjechaliśmy do tunelu, zamknąłem oczy i znów zobaczyłem tę kartę: Sąd Ostateczny.

Ciekawe, jakie książeczki czytałbym swoim dzieciom?

Rozdział 45

Była mniej więcej dziewiąta, kiedy wyszliśmy z Penn Station na tętniącą ruchem szeroką przestrzeń Ósmej Alei na środkowym Manhattanie. Ponury nastrój, który ogarnął mnie po postawieniu tarota, nie chciał mnie opuścić. Miasto było mokre. W trakcie naszej podróży lunęło i teraz na zmianę padała mżawka albo gwałtowniejszy deszcz. Mokliśmy na chodniku, bez parasoli, obładowani bagażami. Z ulic unosiła się para, a reflektory samochodów odbijały się od lśniącego asfaltu.

Zatrzymaliśmy taksówkę. Otworzyłem Chloe drzwi i wrzuciłem nasze torby do bagażnika. Wsiadłem i podałem kierowcy swój adres. Siedząca obok mnie Chloe patrzyła przez okno na Empire State Building oświetlony rzędami białych i niebieskich świateł.

– Dawno nie byłam w Nowym Jorku – powiedziała.

Deszcz przybrał na sile i bębnił w dach samochodu jak sypany garściami żwir. Chloe milczała. Przytuliła się do mojego ramienia, a ja słuchałem rytmicznego skrzypienia gumy wycieraczek po szybie. Światła miasta przemykały obok nas, migocząc w ciemności niczym klejnoty pod wodą.

– Odchodzi, prawda? – powiedziała półgłosem w koszulę na mojej piersi.

– Co odchodzi? O czym mówisz?

Lekko się wyprostowała. Miała wilgotne oczy.

– Obawiam się, że Claire Dugard ma rację – rzekła. – Świat się kończy. Wszystko, co każdy z takim trudem osiągnął, nasi rodzice, ich rodzice. Ginie i nikt nic na to nie poradzi... i to po prostu... strasznie smutne.

– Nie możesz tak myśleć – zaprotestowałem, obejmując ją i delikatnie ściskając. – Wiem, że to szaleństwo, ale uda się nam znaleźć rozwiązanie. Coś wymyślimy.

– Nie wiem już, co myśleć. Śniło się nam to samo. Przecież to niemożliwe. A potem w pociągu zobaczyłam tę kartę tarota. To głupie, wiem. Ale śmiertelnie mnie przeraziła. Dziwnie się czuję. Bardzo dziwnie.

Nie wiedziałem, co powiedzieć, więc po prostu ją tuliłem, kiedy zaniosła się przejmującym szlochem. Dużo ostatnio przeszliśmy. Miałem nadzieję, że to tylko zmęczenie podróżą.

Myślałem o tym, co mówiła dystyngowana Alice Boyd o przedziwnym zachowaniu zwierząt, które podobno potrafiły przewidzieć katastrofy żywiołowe. Myślałem o słoniach i ptakach, które ruszyły na wzgórza parę dni przed tsunami.

Jakiego określenia użyła Alice? „Zdarzenie kosmiczne"?

Po chwili spojrzałem na Chloe, która wyciągnęła ręce, położyła obie dłonie na moich policzkach i mocno mnie pocałowała. Jej twarz stopiła się z moją w jedno.

A ja oddałem pocałunek. Oddałem.

Rozdział 46

Żółty. Na dole przed budynkiem zatrzymuje się żółty samochód. Attyla z tupotem podbiega do okna od frontu, patrzy na ulicę. Kiedy otwierają się drzwi taksówki i widzi Oza, wydaje oszalały, przeraźliwy pisk. Zaczyna podskakiwać, wyć z przejęciem.

Po chwili nieruchomieje i milknie. Jego ciemne, lśniące brązowe oczy kierują się w dół i dostrzegają coś jeszcze.

Oz wyciąga rękę do wnętrza taksówki. Z żółtego wozu wyłania się druga osoba. Nawet z wysokości czwartego piętra Attyla widzi, że to samica. Kobieta.

Mina mu rzednie. Zaczyna skomleć. Przyciska do szyby czarne opuszki długich pomarszczonych palców. Patrząc na swojego przyjaciela i nowo przybyłą osobę, wypuszcza powietrze nosem urywanymi, pełnymi żalu sapnięciami.

Przygnębienie przeradza się w poczucie zdrady. W zazdrość. Bezdenna otchłań smutku w jego piersi wypełnia się nowym uczuciem, które zalewa go potężną falą.

Paląca, potworna wściekłość.

Wzbiera w nim i dławi go, jak gdyby za moment miał zwymiotować.

Attyla podskakuje, waląc się w pierś. Wydaje chrapliwe, gardłowe dźwięki i zaczyna się miotać po zrujnowanym mieszkaniu, rozbijając i rozszarpując wszystko na swojej drodze. Rozbija i rozszarpuje rzeczy, których dotąd nie rozbił i nie rozszarpał, a potem rozbija i rozszarpuje rzeczy, które zostały już rozbite i rozszarpane.

Dziś jest dzień gryzienia i rozbijania.

Wali w ściany, zrzucając kilka ostatnich obrazków. Ramki spadają ze stukiem i pękają. Na podłodze rozsypują się odłamki szkła. Attyla łapie kaloryfer w przedpokoju i nim potrząsa. Krzywiąc się z wysiłku, ciągnie i ciągnie. Skrzypi rura łącząca grzejnik ze ścianą. Wreszcie rozlega się pisk, jęk i puszczają mocowania. Attyla wrzuca kaloryfer do łazienki, której drzwi kilka dni temu wyrwał z zawiasów. Kaloryfer trafia w umywalkę i rozbija ją. Umywalka rozpada się na porcelanowe skorupy.

Attyla podchodzi do drzwi, opierając się na kostkach palców. Węszy. Słyszy Oza wchodzącego po schodach, a obok niego albo za nim kroki drugiej pary nóg. Nagle wpada na pomysł. Szybko przebiega przez mieszkanie i wyłącza wszystkie światła.

Zapada ciemność, tylko przez okna sączy się pomarańczowy blask latarni z ulicy. Podarte zasłony rzucają na pokój cień przypominający skórę tygrysa. W dole przejeżdża z łoskotem pociąg, który wywołuje wstrząsy w mieszkaniu. Attyla nasłuchuje zbliżających się kroków na schodach. Ziewa, rozwierając potężne szczęki. Czeka.

Rozdział 47

Gdy taksówka wysadziła nas przed moim domem na Sto Dwudziestej Piątej, wciąż obejmowałem rozluźnione, miękkie i ciepłe ciało Chloe, która ciągle się uśmiechała. Potem przez chwilę rozglądała się po zapuszczonej ulicy. Obok nas pod wiatą na przystanku autobusowym wrzeszczeli na siebie i popychali się dwaj bezdomni, a ich kłótni przyglądał się szczur wielkości chihuahua.

– Nie ma jak w domu – powiedziałem. Nad nami z hukiem przemknęła po torach kolejka linii numer 1. – Nie jest tak źle, jak wygląda. Słowo daję.

– Jest bardzo... – Zakręciła palcem młynka, zastanawiając się nad odpowiednim słowem.

– Miejsko? – podsunąłem.

– *Non, non.* Raczej, eee... jakie to słowo? *Misérable?*

Dysząc ciężko po wniesieniu naszych bagaży na czwarte piętro, przekręcałem właśnie klucz w zamku, gdy usłyszałem jakiś zagadkowy dźwięk. Dobiegał zza drzwi. Urwał się, po czym znów się rozległ – głośny i skrzeczący szum czy syk. Otworzyłem. Zajrzałem w głąb ciemnego mieszkania. Uderzył mnie zapach. Niedobrze. Zalatywało gównem.

Usłyszałem ten dźwięk wyraźniej: dochodził z wnętrza za nieoświetlonym progiem. Ruszyłem przodem, zostawiając Chloe za sobą. Ciemność w drzwiach jakby zgęstniała, przybierając formę krępej sylwetki.

– Attyla? – spytałem.

Co jest, u diabła? Przecież powinien siedzieć w klatce.

– Uu-uu-uu-uu aa-aa-aa hiiaa hiiaa hiiaaaaaaaaa!

Cień wyprężył się i nagle rąbnął w moją pierś z siłą lokomotywy. Cios powalił mnie na ziemię.

– Attyla! – wykrztusiłem.

Chloe wrzasnęła gdzieś za mną. Leżałem na wznak w progu, bez tchu, okolice kości ogonowej piekły jak cholera i próbowałem się zorientować, co jest grane. Attyla przewrócił mnie, a teraz skakał w kółko po mieszkaniu jak szalony.

– Kurwa, co się z tobą dzieje? – zapytałem. Dźwignąłem się na nogi, namacałem włącznik światła i obejrzałem się za siebie, żeby sprawdzić, co z Chloe.

Jak on się wydostał z klatki?

Pewnie się przestraszył, pomyślałem, gorączkowo starając się ocenić sytuację. Wziął mnie za jakiegoś intruza czy coś w tym stylu. Musiałem go uspokoić.

– Słuchaj, Attyla – powiedziałem. – To ja, Oz. Nic ci nie grozi, mały.

Zimne białe jarzeniówki bzyknęły i powoli ożyły, oświetlając mieszkanie.

Widok był przerażający. Mieszkanie wyglądało właśnie tak, jak gdyby przez tydzień buszował w nim dziki szympans. Było w opłakanym stanie. Przez otwarte drzwi cicho szumiącej lodówki sączyło się słabe niebieskawe światło, na podłodze gniło wyrzucone z niej jedzenie. Drzwi szafek zostały wyrwane z zawiasów, rozbite naczynia walały się po podłodze, z kranu ciekła woda, Bóg wie jak długo. Na linoleum dostrzegłem wyschnięte kałuże moczu, a na ścianach rozmazany kał. To była zapowiedź wyglądu reszty mieszkania.

Po chwili Attyla znów pędził prosto na mnie z ciemnego, zrujnowanego wnętrza. Najwyraźniej świetnie wiedział, kim jestem. I miał na głowie moją czerwoną czapkę.

– ATTYLA! – wrzasnąłem, a on zatopił szczęki w moim kolanie.

Broniłem się. Kopałem. Waliłem go w tył głowy. W ogóle nie zwracał na to uwagi. Moje pięści odbijały się od jego czaszki jak gumowe piłeczki. Nie był tym samym szympansem. Coś mu się poprzestawiało we łbie.

Chloe krzyczała – słyszałem ją z oddali, jakbym znalazł się pod wodą.

Na brzegu kuchennego blatu, w zasięgu mojej ręki, leżała odwrócona do góry dnem patelnia. Masywne, czarne naczynie z żeliwa należało do mojej babci pochodzącej z Polski. Jadłem pierogi, które na niej smażyła, a tego dnia patelnia być może ocaliła mi życie.

Chwyciłem ją i zdzieliłem Attylę w ciemię, najpierw nie za mocno, ale nic nie wskórałem, więc zrobiłem zamach jak Roger Federer szykujący się do potężnego krosu. Skrzywiłem się na dźwięk makabrycznego odgłosu patelni uderzającej w czaszkę Attyli. Poczułem, jak uścisk jego zębów słabnie. Walnąłem go jeszcze raz i puścił.

Oszołomiony ciosem, chwiejnym krokiem wycofał się do rogu przy lodówce. Miał twarz wilgotną od krwi. Z wrzaskiem skulił się w kącie.

– Hiiaa! Hiiaa! Hiiaa!

– Oz! – krzyknęła Chloe. – Nic ci się nie stało?

Attyla odwrócił się w jej stronę. Mierzył nas obojętnym, groźnym spojrzeniem. Zaczął się skradać w naszą stronę.

– Nie zbliżaj się do niej!

Rzuciłem w niego patelnią. Uniósł rękę i odtrącił ją, a patelnia śmignęła nad nim i wyleciała przez kuchenne okno z taką łatwością, jak gdyby nie było w nim szyby. Na podłogę posypały się z brzękiem odłamki szkła.

Przez chwilę myślałem, że Attyla już się otrząsnął. Osunąłem się na kolana, krzywiąc się z bólu. Attyla paskudnie mnie ugryzł.

– Attyla – powiedziałem. Pokazałem mu otwarte dłonie, mówiąc swoim najłagodniejszym, kojącym głosem. – Attyla, co w ciebie wstąpiło? Uspokój się! To ja.

Chloe wciąż stała w otwartych drzwiach, jakby była gotowa do ucieczki.

Attyla spojrzał na mnie. Stał w kuchni na stosie potłuczonych talerzy. Przechylił głowę i patrzył na mnie nieruchomym wzrokiem spod czerwonej wełnianej czapki.

Nagle zmienił się wyraz jego twarzy. Przez sekundę zdawało się, że znów jest sobą. Spoglądał w moje oczy z głębokim, nieznośnym smutkiem – jak gdyby czuł się zdradzony.

Potem wskoczył na blat i wymknął się przez okno na schody pożarowe. I już go nie było.

Rozdział 48

Starszy Latynos w wymiętym niebieskim ubraniu roboczym czeka na autobus. Popija piwo Tecate z puszki w brązowej torbie. Wraca z pracy. Podsuwa wyżej daszek zesztywniałej od potu czapki Yankees. Wtem ze schodów pożarowych budynku zeskakuje szympans. Ma na głowie czerwoną czapkę. Puszka ląduje na chodniku.

– Hiiaa! – pohukuje szympans. – Hiiaa-hiiaa!

Przemyka obok niego jak rozpędzony kłębek kosmatych rąk, nóg, stóp, palców. Węszy, rozgląda się, po czym puszcza się biegiem, sadząc wielkie susy i odpychając się długimi, silnymi ramionami.

Nagle świat zmienia się w szalony wir obcych świateł i dźwięków – w rozległą przestrzeń zupełnie nowych wrażeń. Pędząc na oślep po chodniku, Attyla nawet się nie zatrzymuje; wpada wprost w zgiełk na Sto Dwudziestej Piątej. W burzę klaksonów. Wyskakuje przed minivana, którego kierowca jednocześnie wciska hamulec i trąbi, a chwilę potem tył zgniata mu jadący na wschód autobus linii M104. Słychać chrzęst plastiku, metalu, szkła. I znów ryczą klaksony.

Attyla pędzi po drugiej stronie ulicy wzdłuż długiej i jasno oświetlonej witryny drogerii Duane Reade, następnie skręca za róg i mija restaurację fast food.

Pohukuje na kolejkę linii numer 1, która z łoskotem mknie po torze przez dygoczącą stalową estakadę. Biegnie chodnikiem, mijając ławki i hydranty i gorączkowo szukając jakiejś kryjówki.

Grupka nastolatków bez przekonania kopie sfatygowaną piłkę na chodniku przed sklepikiem spożywczym. Przy drzwiach na plastikowym składanym krzesełku siedzi drobny, szpakowaty Latynos, pali papierosa i przygląda się grającym dzieciakom. Na rogu stoi lśniący czarny samochód z przyciemnianymi szybami, który kołysze się na resorach od przytłumionego łomotu rapu dudniącego z głośników w środku.

Między grające w piłkę dzieciaki wpada na oślep szympans w czerwonej czapce. Dziewczyny pokazują go palcami i piszczą. Piłka toczy się na ulicę.

Radiowóz z dwudziestego szóstego posterunku właśnie rusza sprzed baru na Lenox Avenue, gdy przychodzi wezwanie.

– Centrala, powtórz. Kto jest na dachu sklepu ze słodyczami? – pyta sierżant Timothy Perez, wysoki i wysportowany weteran z pięcioletnim stażem, który dostał awans zaledwie przed tygodniem.

Radio skrzypi i trzeszczy.

– Szympans – mówi pudło.

– Że co? – dziwi się siedzący za kierownicą posterunkowy Jack Murphy.

Kiedy policja przyjeżdża na miejsce, na rogu Broadwayu i Sto Dwudziestej Trzeciej kłębi się tłum wylewający się już na ulicę. Koguty radiowozu zalewają ulicę czerwonym i niebieskim pulsującym światłem. Murphy włącza na pół sygnału syrenę i bez ceregieli rozdziela tłum, wjeżdżając samochodem na chodnik.

Sierżant Perez opuszcza szybę i oświetla latarką czerwoną plastikową markizę nad sklepikiem. W jasnym kręgu rozbłyskują oczy.

– Hiiaa hiiaa hiiaaaaaaaaa!

– Niech mnie. Małpy robią małpie figle – mówi Murphy.

No dobra, czyli centrala jednak się nie naćpała, myśli Perez. Na markizie rzeczywiście stoi coś o wyglądzie szympansa. W czerwonej czapce.

Perez i Murphy wysiadają z radiowozu.

– O, jest policja – oznajmia ktoś. – Co zrobiła ta małpa? Obrabowała bank?

Jeden z dzieciaków przed sklepem wali w daszek kijem od miotły.

– Chodź, Bubbles – mówi wysokim głosem. – To ja, Michael*. – Przestaje parodiować gwiazdora i dodaje: – No złaź, bo ci nakopię.

Dzieciaki wybuchają śmiechem. Panuje atmosfera jak w cyrku.

– Daj mi to – mówi Perez, zabierając chłopakowi miotłę.

Spogląda na szympansa. Wydaje mu się, że na twarzy zwierzęcia widać krew, więc kładzie dłoń na rękojeści glocka.

Wie, że sytuacja nie jest zabawna. Jego szwagier, funkcjonariusz policji stanowej New Jersey, opowiadał mu kiedyś o szympansie, który uciekł właścicielowi w West Orange i jakiemuś facetowi zmienił twarz w obraz Picassa. Te zwierzaki potrafią być bardzo groźne. Lepiej skurwielom nie podskakiwać.

---

* Bubbles – imię szympansa należącego do Michaela Jacksona.

Przykłada radio do policzka.

– Znaleźliśmy tę małpę na Sto Dwudziestej Trzeciej i Broadwayu. Siedzi na daszku nad sklepem. Potrzebny ktoś ze straży ochrony zwierząt. Z bronią ze środkiem usypiającym. Na razie możemy przypilnować szympansa.

– Zrozumiałem – odpowiada radio i Perez zawiesza nadajnik na pasie.

– Co jest, gorylu Magilla? – pyta Murphy. – Może chciałbyś banana?

Perez nie może w to uwierzyć. Zdaje się, że jego pierwszy test jako dowódcy będzie polegał na tym, aby nakłonić szympansa do zejścia z dachu.

Attyla zdezorientowany i sparaliżowany ze strachu kuli się pod ceglanym murem budynku. Wdrapał się tu, chcąc uciec przed rozwrzeszczanym tłumem, a teraz nie potrafi zejść ani wejść wyżej. W żyłach pulsuje mu adrenalina, gdy z dołu krzyczy i rechocze coraz więcej głosów i pojawia się coraz więcej samochodów z oślepiająco jasnymi kolorowymi światłami.

Wkrótce do trzech zaparkowanych na ulicy radiowozów dołącza duża furgonetka. Wysiadają z niej dwaj mężczyźni w wyprasowanych beżowych uniformach.

Attyla zerka znad krawędzi markizy, po czym ucieka w róg pod ceglaną ścianę. Kurczy się, próbując jak najbardziej zmaleć. Chce zniknąć.

Przyciśnięty do muru, znajduje wiązkę kabli koncentrycznych biegnącą wzdłuż narożnika sześciopiętrowego budynku. Zaciska na niej palce dłoni i stóp.

Strażnicy ochrony zwierząt, z których jeden jest byłym treserem koni, nie są pracownikami służb miejskich, ale samodzielnymi przedsiębiorcami wynajmowanymi do konkretnych zdarzeń. Były treser ładuje pistolet nabojem usypiającym, a jego partner zdejmuje z dachu furgonetki drabinę. Za późno. Szympans już się wspina.

– Hej, hej, patrzcie! – woła jeden z dzieciaków. – Zapierdziela jak King Kong!

Sierżant Perez i strażnik ochrony zwierząt wymieniają spojrzenia, z ich ust wydobywa się jęk, gdy tymczasem szympans pędzi w górę po pęku kabli rozciągniętych na bocznej ścianie budynku. Wspina się ze zdumiewającą szybkością. Zasuwa jak rakieta.

– Ga-zu, mał-pa, ga-zu! – skandują dzieciaki. Szympans dociera do najwyższego piętra i znika za krawędzią dachu.

Posterunkowy Murphy odczekuje stosowną chwilę, po czym spogląda na swojego przełożonego, wzrusza ramionami i przyłącza się do skandowania.

Rozdział 49

Chloe chciała mnie natychmiast wysłać do szpitala, ale machnąłem na to ręką. Dość czasu spędziłem ostatnio w poczekalniach. Wciąż nabuzowany adrenaliną, wylałem na kolano pół butelki wody utlenionej i owinąłem je garścią papierowych ręczników, które okręciłem taśmą. Trzymając się za nogę, kuśtykałem po mieszkaniu, oglądając resztę ruiny.

Wyglądało to tak, jakby wszystko, co miałem, zostało przepuszczone przez rębak do drewna. W mieszkaniu nie było ani jednego przedmiotu, na którego zniszczenie Attyla nie znalazł sposobu. Nie wspominając o duszącym, budzącym mdłości smrodzie gnijącego jedzenia zmieszanego z moczem i rozmazanym wszędzie kałem. Domyślałem się, że nie mam co liczyć na zwrot kaucji.

Wiedziałem, że Attyla niebawem stanie się nieposłuszny i będę musiał znaleźć mu odpowiedniejsze lokum, ale miał dopiero pięć lat. Na ogół szympansy hardzieją w nieco późniejszym wieku. Zastanawiałem się, czy to, na co patrzę, nie jest skutkiem wściekłości – gniewu skierowanego osobiście przeciwko mnie. Co Attylę mogło do tego skłonić? Lęk przed samotnością? I jak udało mu się wydostać z klatki?

Nasze bagaże wciąż leżały w przedpokoju przy drzwiach. Chloe ostrożnie stąpała wśród pobojowiska, obawiając się dotknąć czegokolwiek.

– Przykro mi, Oz – powiedziała.

Może obecność Chloe tak na niego podziałała. Szympansy mają bardzo silny instynkt terytorialny i wiele razy obserwowano, jak zabijały intruza w sporze o granice. Czyżby Attyla uważał Chloe za zagrożenie dla swojego terytorium?

Z drugiej strony najwyraźniej poświęcił dużo czasu, aby dokonać takiego zniszczenia.

Mijając drzwi sypialni w głębi, poczułem szczególnie obrzydliwy zapach. Jeszcze gorszy od potpourri zgniłego jedzenia i fekaliów, którymi cuchnęła reszta mieszkania.

W drzwiach sypialni wyczułem dochodzący z wnętrza tak skoncentrowany i potworny smród, że bałem się zapalić światło. Ale zapaliłem.

Przez chwilę stałem jak skamieniały, oddychając z trudem.

– Co się stało, Oz?! – zawołała zza moich pleców Chloe z przedpokoju.

Nie chodziło tylko o to, że pokój był doszczętnie zrujnowany. Nie tylko o to, że ściągnięty z łóżka materac został porwany na drobne kawałeczki i zalany moczem – a został.

Wędrowałem wzrokiem po sypialni, czując w skroniach łomot własnego serca. Na ścianach była krew. Cienkie smugi i bryzgi krwi. Szerokie, duże plamy. Odciski dłoni.

Wielkich i długich – odciski dłoni szympansa. Jeden był tuż przy włączniku światła, też poplamionym krwią. Cztery bardzo długie, grube palce i krótki haczykowaty kciuk.

Spojrzałem do góry. Lampę u sufitu pokrywała mgiełka zaschniętej krwi. Nadawała światłu w sypialni nieco różowawy odcień. Ślady krwi były tu od wielu dni. Suche i ciemne, koloru ciemnej rdzy.

Podążyłem wzrokiem za plamami krwi do przeciwległego rogu pokoju.

– Co? – zapytała z przedpokoju Chloe.

W kącie naprzeciwko mnie, między łóżkiem a ścianą, leżało coś na podłodze. Ślady krwi prowadziły tam, tak jak wszystkie drogi prowadzą do Rzymu.

Poczułem za sobą obecność Chloe.

– Zostań tam – powiedziałem. – Nie wchodź.

Przysłaniając twarz kołnierzykiem koszuli, wszedłem dalej do sypialni. Poczułem gorycz w ustach.

Żółć podchodziła mi do gardła.

To było ludzkie ciało. W każdym razie jego większa część. Rozkładające się – i chyba częściowo zjedzone – ludzkie zwłoki. Twarzy nie mogłem rozpoznać, bo twarzy nie było. Tak samo jak stóp i dłoni. Ale zostały długie rude włosy. Rude jak płomień włosy Irlandki, a ciało było ubrane w turkusowy strój chirurgiczny.

Do kieszeni sztywnej od krwi bluzy była przypięta prostokątna plastikowa karta.

Odpiąłem ją i obejrzałem. Pod ciemnobrązową skorupą zaschniętej krwi zobaczyłem na szpitalnym identyfikatorze zdjęcie spłoszonej twarzy Natalie.

NATALIE MARIE SHAW – brzmiał podpis pod fotografią.

Wybiegłem, prawie nie zauważając Chloe w korytarzu, kiedy ją mijałem. Gdy dopadłem drzwi wejściowych, złapała mnie za ramię.

– Co się stało? Powiedz, Oz. Proszę. Co tam jest?

– Moja... – wybełkotałem – ...moja dziewczyna.

Stanęła jak wryta, marszcząc czoło. Na jej twarzy odmalowało się zdumienie, które mogło zapowiadać wybuch gniewu.

– Myślałam, że to twoja była dziewczyna.

– Teraz tak.

. . .

Zadzwoniliśmy na policję z mieszkania pani Mullen, mojej najbliższej sąsiadki – miłej Irlandki, która była tak stara, że pewnie przyjechała do Stanów w czasach wielkiego głodu*. Nie zdziwiłem się szczególnie, gdy pani Mullen powiedziała, że w ciągu minionego tygodnia nic nie słyszała. Staruszka była głucha jak pień. Nie wiedziała nawet, że trzymam w domu szympansa.

Policjanci, którzy pierwsi zjawili się na miejscu, wiedzieli już o Attyli. Powiedzieli mi, że widziano go na ulicy, ale że ciągle jest na wolności. Podobno schował się na dachu jakiegoś sklepu spożywczego.

Co teraz? Co zrobiłem ze swoim życiem?

Mój dom został zrujnowany. Gdybym nie pognał do Afryki i nie poprosił Natalie, żeby zajęła się Attylą, dzisiaj by żyła. To moja wina. Żyłaby, gdybym nie trzymał w domu tej pieprzonej małpy. Też moja wina. Była aniołem. Chociaż ze mną zerwała, przyszła zajrzeć do Attyli. A on ją zabił. Patrzyłem coraz dalej wstecz, analizując ciąg swoich kolejnych decyzji, myśląc o tym, co mógłbym zrobić inaczej. Dużo. Żal drążył mi serce jak kornik.

---

* Klęska głodu w Irlandii w latach 1845–1849.

Chloe siedziała obok mnie na klatce schodowej i trzymała mnie za rękę, gdy w moim mieszkaniu skrzeczały i trzeszczały policyjne radia, a na korytarz wyszli wszyscy sąsiedzi z piętra, żeby się gapić.

Co teraz? Właśnie, co?

Koszmar jeszcze się nie skończył. Bynajmniej.

Księga czwarta

Tubylcy zaczynają się burzyć

Rozdział 50

Pięć lat później

Kiedy poczułem, że pociąg zwalnia, zamrugałem oczami i zacząłem się budzić z nieplanowanej drzemki.

Patrząc przez okno pociągu Acela Express, zobaczyłem, że nie jesteśmy jeszcze w Waszyngtonie. Przejeżdżaliśmy przez jakieś przemysłowe miasto w South Jersey, a może w północnym Marylandzie, które wyglądało na opuszczone. Wszystkie te podupadające miasta wyglądały tak samo przygnębiająco: pozbawione okien ceglane fabryki; nieużywane, rdzewiejące mosty; zabite sklejką okna przy głównej ulicy zarośniętej chwastami. Powolny powrót do natury.

Okazuje się, że apokalipsa nadciąga bardzo wolno. To nie ogień i siarka, ale rdza i mlecze. Nie wielki huk, ale przeciągły jęk.

Być może przyczyną była stale słabnąca gospodarka, lecz w internecie roiło się od plotek. W tych chylących się ku upadkowi miejscowościach umierali ludzie. Nikt nie wiedział dlaczego.

Miałem na ten temat swoje teorie.

Przyglądając się osieroconemu miastu, pomyślałem o fragmencie wiersza Yeatsa:

Wszystko w rozpadzie, w odśrodkowym wirze;
Czysta anarchia szaleje nad światem... *

Przez moment wpatrywałem się tępo w swoje odbicie w czarnym ekranie otwartego laptopa, który cały czas stał przede mną na składanym stoliku. Miałem takie worki pod oczami, że z powodzeniem można by w nie zapakować bagaż na długi weekend.

Tyle do zrobienia i tak cholernie mało czasu.

Przez ostatnie pięć lat non stop pracowałem z przyjaciółmi z Uniwersytetu Columbia, usiłując rozwikłać zagadkę KOCZ. Spora część naszej pracy polegała na zbieraniu zwłok zwierząt, które zaatakowały ludzi, i przeprowadzaniu ich sekcji.

Mieliśmy dużo okazów. Zbyt dużo. Tygrysy z Indii. Niedźwiedzie z Rosji. Bobry, rosomaki, a nawet susły i świszcze. Tyle gatunków ssaków przejawiało tak niespotykanie agresywne zachowanie, że zaczynaliśmy tracić rachubę.

To nie była wścieklizna. Z przeprowadzonych przez nas autopsji wynikało, że to raczej nie był wirus. Zauważyliśmy jednak coś ciekawego. Mózgi wszystkich zbadanych zwierząt były nieco cięższe niż u normalnych osobników. Co więcej, mózg każdego z nich był cięższy zawsze o tę samą wielkość, czyli prawie o 1,3 procent. Zwiększenie masy substancji mózgu następowało głównie w okolicy ciała migdałowatego – części mózgowia ssaków, która według powszechnej oceny odpowiada za zapamiętywanie i uczenie się.

Odkrycie było na tyle niezwykłe, że w końcu zaangażował się rząd. W ciągu ostatniego roku dostaliśmy niezłe środki

---

* William Butler Yeats, *Drugie przyjście*, przekład Stanisław Barańczak.

finansowe i współpracowaliśmy z koordynatorem z Departamentu Zdrowia i Usług Społecznych.

Dobra wiadomość była więc taka, że pokazaliśmy światu dowód na to, że coś wywołuje nietypową mutację w ciele migdałowatym ssaków, która z kolei powoduje odbiegające od normy agresywne zachowania. Zła wiadomość natomiast była taka, że nie mieliśmy pojęcia, co to jest.

Dręczyły nas jeszcze inne pytania. Dlaczego dotykało to akurat te, a nie inne zwierzęta? I dlaczego u ludzi w ogóle nie zachodziły takie mutacje? Czy ze zmianami wiązały się jakieś inne symptomy? Owszem, objawy zmieniały się w zależności od gatunku. U niektórych, na przykład u lwów, mutacje dotykały tylko samców. Nie zaobserwowaliśmy tego u innych gatunków. W Tajlandii doszło do okropnego przypadku dziwnego, psychotycznego zachowania w stadzie słonic. Ilekroć intuicja podsuwała nam odpowiedź na jakieś pytanie, rozwiązywał się worek z nowymi pytaniami. Pytania, na które udawało się odpowiedzieć, rodziły następne, jak odrastające głowy Hydry: odetniesz jedną, a na jej miejsce wyrastają dwie.

Patrzyłem na jałową ziemię, którą stawała się Ameryka, rdzewiejąc pod bezlitosnym niebem lata.

Rozdział 51

Tego ranka dostałem jeszcze jedną złą wiadomość; prze-
znaczoną specjalnie dla mnie. Musiałem przerwać badania,
żeby jechać do Waszyngtonu i wystąpić w swojej życiowej
roli Kurczaka Małego na następnym posiedzeniu komisji
w Kongresie. Mimo gromadzonych przez nas dowodów nau-
kowych – i gwałtownego wzrostu liczby ataków ze strony
zwierząt, czego nikt nie mógł zakwestionować – wiele osób,
zarówno w rządzie, jak i wśród obywateli, wobec których
wybrani przez nich urzędnicy państwowi mają podobno zo-
bowiązania, wciąż nie przyjmowało do wiadomości, że dzieje
się coś odbiegającego od normy.

Nie byłem już jedynym głosem wołającego na puszczy,
ale i tak nie wszyscy mnie usłyszeli. W ciągu pierwszych
kilku lat toczyliśmy długą i żmudną walkę, aby uzmysłowić
ludziom, co się dzieje. Na łamach prasy na stronach z komen-
tarzami często kłóciłem się z Harveyem Saltonstallem. Zgadza
się, właśnie z tym Harveyem Saltonstallem: biologiem ewo-
lucjonistą, autorem publikacji popularnonaukowych, który
kierował katedrą ufundowaną przez Henry'ego Wentwortha
Wallace'a na Harvardzie. Odbyłem z nim także kilka debat

publicznych. Harvey i ja parę razy wystąpiliśmy jako goście programów informacyjnych. Był najbardziej znanym z moich krytyków, a jego opór wobec KOCZ na pewno sprawił, że świadomość tego zjawiska dotarła do opinii publicznej o parę lat później, niż powinna. Dyskusje z nim doprowadzały mnie do szału – on miał mocną pozycję w świecie akademickim, nazwisko, życiorys, a ja kim, do cholery, byłem? Obok tego poważnego, przystojnego mężczyzny w tweedowym garniturze, który mówił przytłumionym barytonem z akcentem nowoangielskiej elity i miał okropny nawyk odgarniania do tyłu siwych włosów, wyglądałem jak informatyk z pierwszego lepszego biura. Jak ostatni pacan.

Masowałem kciukami pulsujące skronie, czując nadciągający tępymi, ćmiącymi falami ból głowy, kiedy podszedł jakiś nieznajomy facet i usiadł naprzeciwko mnie. Jego widok wywołał u mnie raczej zaskoczenie niż niepokój. Wyglądał jak były mąż Britney Spears: chude ramiona, sine od kiepskich tatuaży, kapelusz w pepitkę w stylu Franka Sinatry i bródka, która wyglądała jak dorysowana.

W głębi duszy zastanawiałem się, czy naprawdę już nie śpię.

– Czym mogę służyć? – zapytałem.

– Jackson Oz?

Chyba przewróciłem oczami. Zaczyna się.

Otóż napisałem książkę na temat KOCZ, która stała się kontrowersyjnym bestsellerem. Z jednej strony była to najlepsza rzecz, jaką dotąd zrobiłem, żeby rozpowszechnić informacje o KOCZ; dzięki temu mogłem się pojawiać w poważnych mediach, gdzie próbowałem ostrzec ludzi o rosnącym niebezpieczeństwie i pilnej potrzebie natychmiastowych, skoordynowanych działań. Z drugiej strony stałem się w pewnym sensie sławny – a raczej osławiony. Nie przepadali za mną właściciele zwierząt. Szczególną pogardę żywili wobec mnie i moich tez „psiarze", zwłaszcza odkąd udało się nam skłonić Kongres i Biały Dom, aby zastanowili się nad wprowadzeniem ogólnokrajowej kwarantanny.

– Mówiąc szczerze, nie – odparłem. – Ale często mnie z nim mylą.

Mężczyzna był zupełnie niezrażony moją odpowiedzią.

– Czemu tak nienawidzisz psów, co? Po co robisz ludziom wodę z mózgu? Żeby sprzedać swoje durne książki? Moja rottweilerka nie jest zła. To najsłodsza sunia na świecie.

– Wszystko w porządku? – zapytał olbrzymi czarnoskóry mężczyzna w dopasowanym garniturze w cienkie prążki, który właśnie zmaterializował się w drzwiach obok męża Britney.

– Rozmawiam przecież – powiedział ze świętym oburzeniem facet. – To prywatna rozmowa.

– Już nie – odparł agent specjalny FBI Nimo Kade, który czasami towarzyszył mi jako ochroniarz. Błysnął zębami w ujmującym uśmiechu oraz odznaką. – Znajdzie pan swoje miejsce, czy potrzebuje pan mojej pomocy?

Nimo lekko wypchnął upierdliwca z przedziału, a ja odetchnąłem z ulgą.

Współpraca z rządem ma pewne korzyści.

Często przytrafiały mi się takie rzeczy. W mojej skrzynce odbiorczej było tyle e-maili z pogróżkami, że ostatnio od razu je kasowałem, nie interesując się nawet, co może się w nich znajdować.

– Przyciągasz samą intelektualną śmietankę, co, Oz? – rzekł Nimo, kiedy faceta już nie było.

– To dzięki mojej błyskotliwej osobowości – odparłem. – Gdzie wszyscy?

W drzwiach przedziału pojawiła się Chloe. W ciągu ostat-

204

nich pięciu lat – pięciu niewdzięcznych lat niewolniczej pracy w laboratorium, nieustannych podróży i nieustannych frustracji – najjaśniejszym punktem była Chloe. Pracowała równie ciężko jak ja. A nawet ciężej. Mimo to zamiast przejąć mój styl gościa z przepalonym bezpiecznikiem, pozostała sobą; istotą o jedwabistej skórze i sowich oczach, o ciele gibkim i eleganckim jak wykaligrafowana litera.

Nagle rozległ się głośny kwik i przez otwarte drzwi wbiegło coś spoconego i rozchichotanego, wdrapało się na siedzenie i usiadło mi na kolanach.

– Przebóg! Potwór! – zawołałem głosem z przedwojennych słuchowisk, kiedy nasz trzyletni syn Eli wspiął się na mnie jak sir Edmund Hillary na Mount Everest. Założyłem mu chwyt na szyję i pocałowałem w czubek kędzierzawej blond czupryny.

Eli nie tylko był niezwykle żywym dzieckiem, które uwielbiało zapasy i składanie pistoletów z klocków Lego. Była z niego piekielnie bystra bestia. Kiedy miał półtora roku, układał słowa z liter magnetycznych na lodówce. I był dwujęzyczny: mówił po angielsku i francusku.

Gdy Chloe dowiedziała się, że jest w ciąży, nazajutrz wzięliśmy szybki ślub w ratuszu. Dwa miesiące później zorganizowaliśmy uroczystość dla rodziny i przyjaciół. Eli urodził się osiem tygodni przed terminem i został umieszczony w inkubatorze. Baliśmy się, że może nie przeżyć. Ale po tygodniu doszedł do formy. Zaczął rosnąć i zdrowieć.

Przyglądałem się, jak wskakuje na siedzenie obok Chloe naprzeciw mnie i otwiera swoją ulubioną *Księgę dżungli*, a moje przygnębienie ustąpiło miejsca nowej determinacji.

Do diabła z Yeatsem, pomyślałem. Nie wszystko się rozpadnie. Wir trzeba powstrzymać. Musiałem to zrobić dla żony i syna. Powstrzymam go albo umrę.

Rozdział 52

W drodze z Union Station do Kapitolu ugrzęźliśmy w korku. Eli, wiercąc się na moich kolanach na tylnym siedzeniu luksusowego, czarnego rządowego sedana, zajadał jak gremlin ruloniki z suszonych owoców, które kupiliśmy w Trader Joe's. Zaczynał się denerwować. Chloe już była zdenerwowana, bo Eli nie miał fotelika, chociaż zapewniano nas, że fotelik będzie. Morze chromu i szkła połyskiwało w blasku popołudniowego słońca, które pastwiło się nad nami jak potężny żółty tyran, a marna klimatyzacja w samochodzie nie przynosiła żadnej ulgi.

Sam zaczynałem się denerwować. Znowu jakieś diabła warte posiedzenie? Czy to ma sens? Podczas tych nieformalnych sądów zawsze odbywała się ta sama szopka, w której wszyscy odgrywali starannie przygotowane role i stroili teatralne miny. Najgorsze było jednak to, że w komisji miał dziś zasiąść senator Charlie Chargaff, mój zaprzysięgły i największy wróg. o prostu nie mogłem się doczekać dociekliwych i demaskato kich pytań tego poczciwego jegomościa z przeszczepiony włosami i sztuczną opalenizną, który zamierzał przedstawić mnie w Białym Domu jako demona.

Kiedy wreszcie udało się nam skręcić za róg, zobaczyłem powód sparaliżowania ruchu. Przecznicę od kompleksu Kapitolu grupka młodych ludzi w czarnych bluzach z kapturami i czarnych maskach stała naprzeciwko kolumny policjantów z tarczami. Kilku demonstrantów wymachiwało czarnymi flagami z wymalowaną białym sprayem literą A w kółku, symbolem anarchii. Spowijały ich kłęby różowego dymu. Wszędzie wokół nas trąbiły klaksony przypominające beczenie stada znudzonych owiec.

– Przeciwko czemu tym razem protestują ci idioci? – spytała Chloe, patrząc kątem oka, jak Eli wali figurką Batmana w siedzenie, nadyma policzki i wydaje odgłosy eksplozji. – Przecież mają to, czego chcieli. Anarchia już jest.

Kierowca oderwał się od kolumny samochodów, zawrócił i ruszył na tyły budynku Kapitolu. W podszewce marynarki poczułem łaskoczące wibrowanie telefonu.

Na wyświetlaczu pojawił się napis: RZĄD USA.

– Kto dzwoni? – zapytała Chloe.

– Wuj Sam – odparłem.

– Pan Oz? – usłyszałem donośny głos.

– Tak, słucham.

– Jest pan już na posiedzeniu?

– Straszne korki, jeszcze nie dojechałem. Kto mówi?

– Stanley Marshall, szef personelu Białego Domu. Wydarzyło się coś ważnego, sprawa ma związek z bezpieczeństwem państwa. Potrzebujemy pana pomocy. Proszę nadłożyć drogi i przyjechać na spotkanie.

– Teraz? Mam zaplanowane wystąpienie za pół godziny.

– Rozumiem, panie Oz. Ale prezydent chciałby z panem rozmawiać. Ta sprawa jest pilniejsza. Proszę dać do telefonu któregoś agenta; przekażę mu instrukcje.

Pochyliłem się w stronę przedniego siedzenia i podałem telefon Nimo.

– O co chodzi? – spytała Chloe, gdy samochód znów zawrócił. W momencie manewru Eli upuścił na podłogę figurkę Batmana.

– Mamusiu! Daj Baćmana!

– Nie wiem – odpowiedziałem półgłosem. – Mamy się chyba spotkać z prezydent.

Dziesięć minut później samochód wjeżdżał do wielopoziomowego miejskiego parkingu w Dupont Circle. Miejsce wydało mi się podejrzane. Ponownie pochyliłem się do przodu.

– Mamy się spotkać z Głębokim Gardłem? – zapytałem. – Myślałem, że jedziemy do Białego Domu.

Nimo obejrzał się do tyłu i wzruszył ramionami.

– Kazali nam przyjechać tutaj – odparł, gdy wspinaliśmy się na podjazd.

Wjechaliśmy po ślimaku na sam dach. Było zupełnie pusto. Nic z tego nie rozumiałem.

– Co się dzieje? – zdziwiła się Chloe. – Przecież tu nikogo nie ma.

– Niech to szlag – mruknąłem.

– Mamusiu! – zawołał Eli. – Daj Baćmana!

– Co? – zapytała Chloe, nie zwracając na niego uwagi.

– To pewnie był podstęp. Sprawka senatora Chargaffa. Pewnie znalazł mój numer, kazał komuś zadzwonić, podać się za szefa personelu, żebym nie pojawił się na posiedzeniu i wyszedł na dziwaka, na którym nie można polegać. Drań.

Usiłowałem zadzwonić pod numer, z którego dzwonił rzekomy szef personelu. Słuchałem sygnału, czekając, by ktoś odebrał telefon, gdy nagle rozległ się niski, przytłumiony furkot – jak gdyby dźwięk przemysłowego wentylatora dobiegający przez poduszkę.

Jakaś plastikowa torebka unosząca się wzdłuż betonowej ściany za przednią szybą samochodu załopotała i z wdziękiem ptaka poderwała się do lotu nad stolicą. A potem usłyszeliśmy ogłuszające, pulsujące dudnienie, które wypełniło powietrze jak migrena głowę Boga.

Maszyna, która wylądowała pięć pustych stanowisk na lewo od naszego sedana, była olbrzymim black hawkiem z wojskowymi oznakowaniami. Wyskoczył z niego pułkownik w lustrzanych okularach i bluzie udekorowanej jak choinka i truchtem podbiegł do samochodu.

– Tatusiu! – wrzasnął mi Eli prosto do ucha.

– Co?! – zawołałem, usiłując przekrzyczeć pulsujący huk.

– Daj... Baćmana!

Rozdział 53

I pomyśleć, że martwiliśmy się brakiem fotelika dla Eliego w samochodzie.

Kilka minut później, przypięci pasami do foteli w wyjącym, bujającym śmigłowcu wojskowym, oderwaliśmy się od dachu garażu i maszyna niczym rozkołysany słodki rydwan z pieśni uniosła nas nad centrum Waszyngtonu. Nabraliśmy wysokości, a po chwili straciliśmy z oczu beton i autostrady, których miejsce zajęły umykające rozległe szmaragdowe mokradła Wirginii. Spojrzałem na Eliego, który siedział na kolanach Chloe. Chłopiec ściskał mocno swojego Batmana, rozglądając się oczami wielkimi jak frisbee, oniemiały z podziwu.

Wykonaliśmy ostry przechył i pomknęliśmy na północ, a mniej więcej dwadzieścia minut później znów zaczęliśmy się zniżać. Z lasu wynurzył się park przemysłowy złożony z prostych budynków ze szkła. Z wysokości tysiąca metrów wyglądały jak topniejące na trawie bloki lodu. Zeszliśmy gwałtownie w dół, w stronę centralnego budynku. Myślałem, że siądziemy na lądowisku obok, oznaczonym czerwoną literą H, ale pilot skierował maszynę na płaski dach budynku.

– Dziękuję, pułkowniku! – krzyknął siwy mężczyzna

w granatowej wiatrówce, który czekał na nas na dachu, gdy wysiadaliśmy. – Zajmę się resztą.

Pułkownik zasalutował, a śmigłowiec za naszymi plecami ponownie wzniósł się w niebo.

Gdy mężczyzna prowadził mnie, Chloe, Eliego i Nimo w stronę drzwi po spękanym od słońca asfalcie na dachu, na elektronicznym identyfikatorze przypiętym do kieszeni wyprasowanej białej koszuli dostrzegłem litery NSA. Agencja Bezpieczeństwa Narodowego: instytucja zajmująca się ogólnoświatową elektroniczną inwigilacją na potrzeby wszystkich służb wywiadowczych. Tak tajna i zakonspirowana, że niektórzy odczytują jej skrót jako No Such Agency – taka agencja nie istnieje.

– Szef sekcji Mike Leahy – przedstawił się mężczyzna, podając mi dłoń, gdy weszliśmy do budynku. – Dziękuję, że zgodził się pan przylecieć.

Zaprowadził nas z klatki schodowej do długiego, oślepiająco białego korytarza.

– Przepraszam za tę widowiskową akcję, ale kiedy wpadnie się po uszy w... – zerknął na Eliego – ...w sam pan wie co, wszystko zaczyna się dziać bardzo szybko.

Skręciliśmy za róg i weszliśmy do półokrągłej sali z rzędami siedzeń ustawionymi przed podium. Pomieszczenie przypominało salę wykładową w college'u. Za podium stał lśniący imponujący ekran telewizyjny wielkości billboardu.

Otworzyły się boczne drzwi i do sali wkroczył ciemnoskóry mężczyzna w średnim wieku. Podczas gdy Leahy był ubrany w garnitur, ten facet miał na sobie czarną koszulkę polo, czarne dżinsy i trampki, które skrzypiały jak zwierzątka z balonów na lśniącej białej podłodze. Błyszczący na przegubie złoty rolex dodawał całości odrobiny blichtru.

211

– Pan jest prezydent? – zapytał Eli, wpatrując się w niego z zadartą głową.

– Nie, nie jestem – odparł mężczyzna.

– Szczerze mówiąc – odezwał się Leahy ze sztywnym uśmiechem – panią prezydent coś zatrzymało. To jest Conrad Marlowe z Departamentu Obrony.

– Nie drażnij się z nimi, Mike – odparł Marlowe. Jego zęby wyglądały jak kostki do gry w madżonga, a głos brzmiał jak aksamitna wiolonczela. – Pan Oz jest nazbyt inteligentny. Przewidział to w dwa tysiące dwunastym roku. Cholera, nawet w dwa tysiące jedenastym i dziesiątym. Pani prezydent nie przyjdzie. Tak się tylko mówi, żeby człowiek wsiadł do samolotu. Formalnie rzecz biorąc, nie jestem z Departamentu Obrony. Pracuję w think tanku. Gry wojenne. Tego typu pierdoły. Myślą, że poradzę sobie z tą kostką Rubika, ale ja mam wątpliwości.

– Naprawdę potrzebujemy pańskiej pomocy, panie Oz – dodał Leahy.

W drzwiach pojawiła się drobna, energiczna kobieta o surowym wyrazie twarzy. Miała starannie wyregulowane brwi i włosy ściągnięte do tyłu ciasno jak łyżwiarka figurowa. Dwa razy stuknęła kostkami palców w drzwi. Leahy odchrząknął.

– To Jen, moja asystentka – przedstawił ją. – Zgodzą się państwo, żeby wzięła Eliego do pokoju naprzeciwko? Chłopiec dostanie lody, zagra na komputerze, a my tymczasem przejdziemy do meritum.

– Kurczę, jeżeli nie będzie chciał, jestem następny w kolejce – oznajmił Marlowe, zerkając na Jen z błyskiem w oku.

– Mogę iść, mamusiu?

– Nie będzie lodów bez magicznego słowa, zrozumiano?

– Proooszę! – Po chwili Jen wyprowadziła z sali roz-promienionego jak słońce Eliego.

– Trudno tak szybko znaleźć opiekunkę – wyjaśniłem, zwracając się do Leahy'ego.

– No dobrze – powiedziała Chloe, gdy Eli i asystentka wyszli. – Przejdźmy do rzeczy. O co chodzi? Po co tu jesteśmy? Co się stało?

– To już jest, pani Oz – odrzekł Leahy.

– Co jest? – spytałem.

– KOCZ pojawił się w Stanach Zjednoczonych i zaatakował jak burza – powiedział Marlowe. – Zwierzęta weszły na ścieżkę wojenną. To się rozprzestrzenia. Pandemonium.

– Nazwaliśmy tę fatalną sytuację w środowisku Z-O-O – wyjaśnił Leahy, literując ostatnie słowo. – Ten skrót coś oznacza, ale za cholerę nie umiem sobie przypomnieć co.

Marlowe zachichotał.

– A my jesteśmy po prostu zwierzętami.

Rozdział 54

Annapolis, Maryland

Doktor Charles Groh czeka, aż syk i skwierczenie na żeliwnej patelni osiągnie apogeum, a potem, czując, że spód zaczyna się przypalać, widelcem po kolei odwraca plastry bekonu na drugą stronę. Bekon trzęsie się i wybrzusza, strzelając w górę chmurą dymu i drobin tłuszczu.

Jego czekoladowy labrador Charlie II, rozciągnięty na mozaice z meksykańskich płytek Talavera, żałośnie skomle, waląc ogonem w bok kuchennej wyspy. Po chwili skomlenie przechodzi w skowyt.

– Cierpliwości, Charlie. Cierpliwości – mówi Groh, wymachując widelcem jak dyrygent batutą. – Przy ważnych rzeczach w życiu chodzi przede wszystkim o wyczucie czasu. A bekon jest bardzo ważny.

Ułożywszy skwierczące plastry na papierowym ręczniku, kuśtyka o lasce do zlewu i przemywa rękę. Goryl, który kilka lat temu zaatakował go w laboratorium prymatologii na Uniwersytecie Johna Hopkinsa, pozbawił go lewej dłoni, a także nosa, warg, prawego oka, lewego ucha i lewej nogi poniżej kolana. Groh używa protez ręki i nogi.

Właściwie wypadek był dla niego darem niebios – w sensie

kosmicznym. Przedtem wszystko, co nie wiązało się z pracą, znajdowało się na drugim planie. Miał etat na uniwersytecie i CV grubości książki telefonicznej, jego karierze nic nie zagrażało. Pisał podręczniki akademickie, wydał też kilka popularnonaukowych książek o gorylach, dostał „stypendium dla geniuszy" fundacji MacArthura. Był bożyszczem w kręgach intelektualistów. Ale gdy jego kariera nabierała coraz większego rozmachu, unosząc go na niebotyczne wyżyny, coraz mniej czasu spędzał ze swoją żoną Adrianną i synem Christopherem Robinem. Oddalał się od rodziny, a Christopher wychowywał się bez niego. Zaniedbywał też wykłady, zrzucając większość prowadzonych przez siebie zajęć na asystentów.

Mimo strasznych obrażeń i bólu, wypadek oraz długi powrót do zdrowia w pewnym sensie go ocaliły – sprowadziły na ziemię. Owszem, musi teraz występować publicznie w ciemnych okularach i nie mógłby robić kariery jako model prezentujący nową linię obuwia, ale nadal może uczyć. Choć niektóre pozycje nie wchodzą w grę, wciąż może się kochać z żoną. I smażyć bekon.

W sumie, myśli Groh, unosząc kubek parującej kawy do chirurgicznie zrekonstruowanych ust, można mnie uznać za szczęściarza.

Składa plasterek bekonu i wsuwa do ust, po czym włącza radio obok zlewu. Odbiornik jest ustawiony na jakiś poranny talk-show pełen trajkoczących głosów, więc kręci gałką, dopóki nie trafia na muzykę klasyczną. Verdi. Tak lepiej. Odwraca się, słysząc brzęk naczyń na marmurowym blacie wyspy. Jego dwunastoletni syn, bąkając „dzień dobry", przechyla nad miseczką pudełko płatków Lucky Charms. Jest przystojnym chłopakiem, teraz o skórze brązowej jak czekolada od przebywania na świeżym powietrzu na półkoloniach.

- Cześć, młody - wita go Groh. - Wstrzymaj się z tymi płatkami. Zrobiłem bekon.

- Bekon z czym? - pyta Chris, włączając MLB Network w kuchennym telewizorze. Wyłącza fonię i przy dźwiękach muzyki Verdiego ogląda relację z wczorajszego meczu, w którym Braves przegrali z Orioles.

- Na razie bekon z bekonem - odpowiada Groh i otwiera lodówkę. - Co powiesz na jajko?

- Mogę zjeść bekon z płatkami? - Chris nie odrywa wzroku od ekranu.

- Nie wiem. Mama by ci pozwoliła?

Adrianna wyjechała na kilka dni do Baltimore do swojej matki, której właśnie usunięto woreczek żółciowy.

- Zwariowałeś? Pewnie, że nie.

Groh z uśmiechem podaje mu parujące kawałki wieprzowiny.

- W takim razie spróbuj - mówi. - Mama niedługo przyjedzie.

Idąc z kuchni w stronę drzwi wejściowych, słyszy zatrzymujący się samochód. Zerka przez okno i przed domem sąsiadów po drugiej stronie ulicy widzi furgonetkę firmy ogrodniczej Lawn Doctor. Mieszka tam dwoje bezdzietnych lobbystów, którzy zarabiają chyba grubą forsę, sądząc po dwóch bmw. Na pewno nie są architektami krajobrazu. Ich rachityczny trawnik jest upstrzony chwastami i brązowymi plamami przypominającymi parchy na skórze. Stąd obecność specjalistów od pielęgnacji ogrodu.

Gdy Groh odwraca się od okna, Charlie II patrzy w stronę otwartych drzwi wejściowych i dyszy, podglądając razem z nim sąsiadów przez szybę w zewnętrznym skrzydle drzwi. Groh człapie o lasce z powrotem w stronę kuchni i głaszcze

216

psa po gładkim brązowym, gapowatym pysku. Charlie II robi minę, jak gdyby za chwilę w jego oczach miały rozbłysnąć świetliste czerwone komiksowe serduszka.

– No dobrze – mówi Groh, biorąc z blatu klucze i pobrzękując nimi. – Idę do pracy. Przez następną godzinę będziesz sam, Chris. Mama wyjechała już od babci i zdąży cię odwieźć na te twoje półkolonie. Kocham cię.

– Zaczekaj, tato – zatrzymuje go Chris. – Prawie zapomniałem.

Groh przygląda się, jak jego syn szpera w plecaku wiszącym na wieszaku przy drzwiach wejściowych. Wyciąga coś i podaje mu. Przedmiot przypomina czerwono-biały plastikowy naszyjnik.

– To smycz. Zrobiłem wczoraj na zajęciach – wyjaśnia. – Pomyślałem sobie, że mógłbyś nosić okulary na szyi, jak pracujesz czy coś. Zrobiłem czerwono-białą, w kolorach Nationals.

Groh patrzy na smycz, potem na syna, czując, że w jego jedynym oku zaraz pojawi się łza.

– Dzięki, młody – mówi. – Jest wspaniała. Nats dzisiaj grają?

– U siebie. Z Diamondbacks. O siódmej. Zaczyna Strasburg.

– Chcesz iść?

– Co? Na stadion? Kurczę, pewnie, że chcę! – woła Chris i przybija ojcu piątkę.

Szczęściarz, myśli Groh, klepiąc syna po ramieniu, a potem wychodzi do garażu.

Rozdział 55

– Hej, Charlie, chcesz bekonu? – mówi do psa Chris po wyjściu ojca. – Słyszałeś to, stary? Mecz Natsów. Stephen Strasburg rzuca jakieś sto osiemdziesiąt na godzinę. – Wraca do kuchni. Psie pazury stukają za nim po podłodze wyłożonej płytkami.

Nikt z rodziny nie kocha Charliego II tak jak Chris. Właściwie razem się wychowali, równocześnie przechodząc przez „szczenięcy" wiek. Rodzina przeprowadzała się trzy razy, gdy Charles zmieniał miejsce pracy, i zawsze Charlie II był najlepszym przyjacielem Chrisa, zanim chłopiec zaprzyjaźnił się z ludźmi. Chris pamięta, jak trudno było zmusić psa do pozostania w domu, kiedy wychodził pobawić się z kolegami. Charlie żałośnie skomlał, z rozpaczą patrząc przez okno na oddalającego się chłopca. Gdyby Chris się obejrzał, być może nie potrafiłby odejść. Psu najtrudniej jest chyba znosić nieobecność Chrisa. Są sobie bliscy jak bracia.

Chłopiec wycisza Verdiego w radiu, włącza fonię w telewizorze i jedną ręką przerzuca kanały, szukając ESPN. Drugą bierze z zatłuszczonego papierowego ręcznika plaster bekonu i podaje Charliemu II pod blatem.

Dłoń przeszywa mu parzący ból. Chris upuszcza pilota.

– Ej!!! – Wyszarpuje rękę i ogląda ją. Charlie go ugryzł. Na skórze są nakłucia. – Au! Kurwa, co jest? Po coś to zrobił?! Chris patrzy z rozdziawionymi ustami na Charliego II, który stoi obok niego w kuchni. Bekon leży nietknięty na podłodze. Coś... coś jest nie tak. W oczach psa lśni coś dziwnego – jakaś świadoma złość, której Chris nigdy wcześniej nie widział. Charlie zaczyna warczeć. Wargi unoszą się nad zębami, ślina bulgocze głęboko w gardle. Prawie czterdziestokilogramowy labrador spręża się do skoku, jeżąc na karku sierść, która sterczy sztywno jak stalowa wata. Obnaża zęby i warczy niczym pies obronny, a z pyska zwisa mu nitka gęstej śliny, zbierając się w kałużę na kuchennej podłodze.

– Co się dzieje? Co z tobą, stary? Przestań. To ja. Co z tobą?

Pies wygląda tak, jak gdyby coś mu się stało z jednym okiem. Gwałtownie potrząsa łbem na bok jak bokser próbujący oprzytomnieć po ciosie. Naprawdę dzieje się z nim coś złego.

Charlie przysiada na tylnych łapach i zaczyna ujadać głośno i groźnie. Nigdy dotąd czegoś takiego nie robił. Szczeka zajadle jak stróżujący pies, który chce przepędzić intruzów ze złomowiska, nie jak pupil rodziny, którym był ponad pół życia. Charlie jest wściekły. Jego płuca wyrzucają krótkie, głośne gardłowe dźwięki brzmiące jak HOR-ROR, HOR-ROR!

Chris ma dość. Boi się. Ogarnia go panika. Zrywa się z krzesła i rzuca do ucieczki. Na nogach czuje gorący oddech Charliego, słyszy kłapanie jego zębów.

Najbliżej ma do spiżarni w korytarzu. Wpada do środka i zatrzaskuje drzwi, a po chwili słyszy potężne łup, gdy Charlie rzuca się na nie całym ciężarem ciała. Chris opiera się plecami o drzwi spiżarni, przytrzymując je, żeby się nie otworzyły.

Charlie naciera na nie z drugiej strony i drzwi trzęsą się w zawiasach od jego uderzeń. Skrobie w nie pazurami, wali oszalały, jak gdyby chciał rozszarpać Chrisa na strzępy. W ciągu lat, które pies spędził w ich domu, nigdy nie zachowywał się jak... jak dzikie zwierzę.

Zwariował, myśli Chris. Widział to w jego oczach. Kompletnie mu odbiło. Już nie jest Charliem II. Stał się kimś innym. Zupełnie innym psem. Złym psem.

Chris czuje, że łzy napływają mu do oczu. Słyszy, jak pies zatacza koła, czając się w korytarzu. Wciąż pomrukuje gniewnie, czasem kicha, czasem wyrzuca z siebie następną falę wściekłego ujadania.

– HOR-ROR, HOR-ROR, HOR-ROR!!!

Chris ogląda swoją dłoń. Ślady po ugryzieniu nie są duże, ale głębokie, i krwawią. Ma całkiem zakrwawione spodenki.

Potrząsa głową, ocierając oczy. Musi się uspokoić i pomyśleć. Ciągle krwawi. Trzeba się tym zająć.

Kuca i sięga po paczkę papierowych ręczników leżących na dolnej półce. Z opakowania uśmiecha się przystojny drwal we flanelowej koszuli. Chris rozrywa plastik zębami, owija dłoń kilkoma ręcznikami i zaciska prowizoryczny opatrunek paskiem folii spożywczej.

Siedzi w dusznej i ciemne klitce, słuchając kroków i powarkiwań psa w korytarzu. Zastanawia się, czy nie spróbować użyć kija od szczotki, żeby powstrzymać zwierzę od ataku i pobiec po pomoc. W tym momencie dzwoni telefon w kuchni.

Rozlega się sygnał sekretarki i ktoś zaczyna nagrywać wiadomość. Chris słyszy, jak Charlie II biegnie z powrotem do kuchni.

Chłopiec wyskakuje ze spiżarni i pędem rzuca się na schody

w głębi domu. Gdy jest w połowie drogi do swojego pokoju, na stopniach przed nim pojawia się Charlie.

Chris daje nura w bok, do sypialni rodziców. Chwilę potem do pokoju wpada Charlie, zmuszając go, by ukrył się w łazience. Chłopiec zatrzaskuje za sobą drzwi, a ułamek sekundy później zderza się z nimi rozpędzony pies, który wpada w szał, jazgocząc z zapamiętaniem.

Niech to szlag. Chris zamierzał zadzwonić do mamy albo taty z komórki, która leży w jego pokoju. Jednak znowu utknął.

– Charlie! – woła zza drzwi. – Coś się z tobą dzieje. To ja, Chris.

Słyszy w swoim głosie błagalny ton, który najwyraźniej wywołuje w psie jeszcze większą pogardę.

Charlie albo go nie słyszy, albo to nie ma dla niego znaczenia. Szczeka i warczy bez ustanku, drapiąc w drzwi pazurami.

– HOR-ROR, HOR-ROR, HOR-ROR!!!

Wtedy właśnie Chris przypomina sobie, że mama jest w drodze do domu. Nie wie, że Charlie II wpadł w szał. Jeżeli wejdzie do domu, pies też może ją ugryźć.

Trzeba do niej zadzwonić. Komórka jest w jego pokoju. Chris zaczyna chodzić tam i z powrotem po jasnej podłodze. Łazienka wciąż jest zaparowana po prysznicu. Nagle przypomina sobie o pudełku w szafie. Tata uwielbia gadżety; trudno mu wyrzucić stare części zapasowe, kable do komputerów i tego typu rzeczy. Chris pamięta, że w pudełku było parę starych komórek. Ze starej komórki można przecież zadzwonić pod 911? Chyba gdzieś to słyszał. Ma nadzieję, że to prawda.

Szafa rodziców jest tuż obok łazienki. A ściany są z płyt

gipsowo-kartonowych, nie? Kiedy się tu wprowadzili, raz, wygłupiając się na strychu, przebił stopą sufit, poznał więc na własnej skórze, jaki to miękki i kruchy materiał.

Ma już plan. Zrobi dziurę w ścianie i spróbuje przez nią wejść do szafy. Znajdzie w pudełku starą komórkę. Zadzwoni pod 911.

Odkręca metalowy pręt, na którym wisi zasłonka prysznica, i wali nim w ścianę. To mu zajmuje trochę czasu. Gdy dziura ma średnicę mniej więcej piłki do koszykówki, słyszy z dołu elektryczny brzęk otwieranej bramy garażowej.

Charlie II przestaje szczekać i wybiega z pokoju.

Chris wpada w panikę. Spóźnił się. Pies pogryzie mamę. Myśli o strzelbie taty. Kilka razy polował z tatą na kaczki; czasami towarzyszył im wujek, gdy ich odwiedzał. Chris wie, że strzelba jest w szafie. Nie jest pewien, czy w domu są naboje.

Chris rzuca pręt, który z brzękiem ląduje na podłodze, szarpnięciem otwiera drzwi i idzie do szafy. Strzelba leży na najwyższej półce, na dwóch złożonych czerwonych kamizelkach myśliwskich. Nie może dosięgnąć. Nogą podsuwa sobie krzesło i wspina się na nie. Po omacku przeszukuje kamizelki i w jednej z nich znajduje pudełko amunicji. Wysypuje parę naboi, chowa w kieszeni i ze strzelbą w garści zbiega na parter.

Na schodach manipuluje przy broni. Jak się ładuje to cholerstwo?

Powoli, mówi sobie. Pomyśl.

Strzelał z niej może trzy razy w życiu, zawsze pod nadzorem ojca, który sam ją ładował. Przypomnij sobie. Obraca strzelbę i z boku zauważa zamkniętą szczelinę. Manipulując zatrzaskiem pod spodem, odciąga suwadło do przodu i otwiera szczelinę. Wkłada do niej nabój i zasuwa zamek. Rozlega się klik-klak.

Ślizgając się w skarpetkach na lśniącej drewnianej podłodze w korytarzu, skręca za róg i słyszy, jak matka wchodzi do domu.

– Halo?! – woła. – Chris?!

– Mamo! – krzyczy przez korytarz. – Uważaj! Coś się dzieje z Charliem!

Wtedy pojawia się pies. Ukazuje się na drugim końcu korytarza. Jego pazury stukają o drewno podłogi. Z pyska zwisają nitki spienionej śliny. Znów jak szalony kilka razy szarpie łbem, kicha.

Wolno posuwa się naprzód. Warczy. Unosi obwisłe wargi, obnażając zęby.

Chris patrzy na podchodzącego psa. Nie chce strzelać. Charlie to nie tylko zwierzę. To jego brat.

– HOR-ROR, HOR-ROR, HOR-ROR!!!

Pies rusza naprzód biegiem i skacze.

Chris unosi lufę strzelby i naciska spust. Uderzenie kolby przewraca go na podłogę. Pies pada.

Ściany spryskuje krew.

Salwa pozbawia labradora całego pyska. Pies nie ma na nim skóry; z miejsca, gdzie były jego oczy, leje się krew.

Chris gramoli się na kolana, ale zaraz osuwa się z powrotem na podłogę i płacze. Upuszcza broń. Słyszy szybkie kroki.

– Co tu się dzieje, do cholery?! – krzyczy mama.

Łapy psa żałośnie drgają, a krew tryska na podłogę, wsiąkając w skarpetki Chrisa. Zwierzę leży i kona niecały metr od niego.

– Przepraszam – mamrocze półszeptem Chris. – Och, przepraszam, przepraszam...

Rozdział 56

Następne godziny wydawały się zupełnie nierealne. Usied-
liśmy przed ogromnym telewizorem na skrzypiących, niewy-
godnych krzesłach, które były przykręcone do podłogi. Leahy
przygasił światła, żeby pokazać nam zarejestrowane przez
NSA ataki w różnych miejscach kraju. Najbardziej przerażający był materiał z Kalifornii.

Film zaczynał się ujęciem z wypadku, które zrobiono
z helikoptera monitorującego ruch drogowy. Złożona jak
scyzoryk ciężarówka FedExu leżała przewrócona na bok przy
wyblakłej od słońca autostradzie. Ruch został niemal sparaliżowany, ponieważ kierowcy zwalniali, patrząc z zaciekawieniem
na sterty pudeł i paczek rozsypanych w rowie na poboczu.

– To materiał z kanału informacyjnego z dzisiejszego ranka
z Petalumy – wyjaśnił Leahy. – Z autostrady sto jeden na
północ od San Francisco.

– Z wiadomości? – zdumiałem się. – Pokazuje mi pan coś,
co widzowie już obejrzeli?

– Czas dorosnąć, Jimmy Olsenie – odparł Marlowe. – To
jest nagranie. Federalni przechwycili je, zanim zdążyło
pójść w eter.

Następne ujęcie przedstawiało tę samą autostradę z nieco większej wysokości. Wzdłuż równoległej do autostrady drogi dojazdowej widać było brudną brązową wodę płynącą rowem melioracyjnym.

Gdy helikopter się zniżył, zobaczyłem, że to nie jest woda zalewowa – w rowie coś się poruszało.

– Co to, do cholery? – szepnąłem przede wszystkim do siebie. Przymrużyłem oczy i pochyliłem się do przodu, starając się dostrzec coś więcej na niewyraźnym obrazie.

To była ogromna fala sierści.

– Mon Dieu – powiedziała Chloe. – Czy to... psy?

Leahy skinął głową.

Oglądałem dalej. Kamera zrobiła zbliżenie.

– Kurde, co tu się dzieje? – odezwał się przez szum zakłóceń operator kamery, który prawdopodobnie mówił do kogoś w helikopterze. Jego głos na moment zaburzył poziom dźwięku.

Trudno powiedzieć – niektóre psy były chyba zdziczałe, ale większość wyglądała na domowe: grube, nieporadne, w obrożach. Brudne i oszalałe, wdrapywały się jeden na drugiego jak migrujące lemingi. Kamera oddaliła się, panoramując większy obszar. Zobaczyliśmy coś zupełnie nowego. Falująca kolumna ciągnęła się chyba kilometrami.

– Pewnie jest ich... – zaczęła Chloe.

– Według naszych szacunków od pięciuset do tysiąca – odparł Leahy.

– Czekajcie. Ciii! – syknął Marlowe. – Zaraz będzie najlepsze.

Helikopter zszedł niżej i ruszył wzdłuż rowu, aż wreszcie dotarł do szpicy potężnego, zwartego pochodu zwierząt.

– Na czele tej hordy, naszym zdaniem, idą dogi argentyńskie – rzekł Marlowe. – Dogo argentino, olbrzymie, agresywne

225

psy, hodowane w Ameryce Południowej do walk. W niektórych krajach są na czarnej liście.

Nagle dogi wykonały ostry, gwałtowny zwrot, wychodząc z rowu i skręcając w prawo w dół skarpy. Cała kolumna zwierząt ruszyła ich śladem. Zmieniała kierunek jednocześnie jak stado ptaków.

Operator zrobił duże zbliżenie, próbując uchwycić więcej szczegółów. Obraz lekko drgał. Rozległo się ujadanie. A potem usłyszałem krzyk ludzi w helikopterze. Maszyna gwałtownie się uniosła. Coś warknęło i kamera została raptownie skierowana w dół: helikoptera uczepił się pitbul, zaciskając szczęki na płozie i szarpiąc, jakby chciał ją zagryźć. Pies kołysał się na lecącej maszynie jak absurdalne, oszalałe wahadło, by wreszcie dać za wygraną i runąć prosto do rzeki sierści i zębów.

Leahy zapalił światła.

Odwróciłem się do Chloe, która patrzyła na mnie wielkimi, błyszczącymi jak monety oczami. To wyglądało gorzej, niż mogliśmy sobie wyobrazić.

Zamknęła oczy.

– Chcę stąd zabrać Eliego i wyjść – szepnęła.

Bezsilnie pogładziłem ją po ręce, nie wiedząc, co powiedzieć.

Rozdział 57

Po południu Marlowe i Leahy wkręcili nas w spotkania z kilkoma innymi osobami. Z każdą chwilą zjawiali się kolejni ludzie ze służb federalnych. Wśród nich była Alicia Swirsky z CIA, drobna kobieta w średnim wieku, której delikatne, elfie rysy równoważył grobowo poważny sposób bycia, oraz dwaj agenci FBI w granatowych garniturach – Rumsy, młokos z typowym dla żółtodzioba entuzjazmem, i Roberts, facet o dziobatych policzkach i oldskulowym wyglądzie człowieka, który pamięta imię swojego fryzjera i krawca. Ostatnią z przybyłych osób był czterogwiazdkowy generał Albert Garcia. Wparował do sali z butną, arogancką miną sukinsyna przyzwyczajonego, że na jego widok wszyscy zrywają się z miejsc i salutują. Towarzyszyli mu dwaj umundurowani adiutanci. Obładowany odznaczeniami mundur Garcii błyszczał jak gniazdo sroki, jego sylwetka przypominała murowany grill ogrodowy, a głowa wyglądała, jak gdyby wyciosano ją piłą łańcuchową z pnia drzewa.

Kiedy chyba po raz piętnasty pokazano nagranie wideo gigantycznego stada czy raczej hordy psów, Garcia odchrząknął.

– Tak... według doniesień obserwatorów z lądu wszystkie zwierzęta biorące udział w tym ataku to samce – powiedział. – Niech pan powtórzy dlaczego.

– Jedną z zasadniczych cech tego zjawiska jest skupianie się samców w duże grupy. Nie jesteśmy pewni, dlaczego tak się dzieje – odparłem. – Samce ssaków, a właściwie wszystkich gatunków zwierząt, w których samce rywalizują o samice, zwykle wykazują bardziej agresywne zachowanie.

– Raport mówi, że zaginęły tysiące zwierząt domowych – odezwał się agent Rumsy, wertując rozłożony przed sobą segregator. – Giną tylko samce?

– To kolejna zagadka – wtrącił Mike Leahy. – Suki uciekają tak samo jak psy, ale to nie one sprawiają kłopoty. Właściwie nikt nie wie, co się z nimi dzieje.

– Co w takim razie udało się ustalić od strony naukowej, panie Oz? – zapytała Alicia Swirsky z CIA.

W kilku zdaniach streściłem im wyniki badań przeprowadzonych na Uniwersytecie Columbia, mówiąc o różnicach wagi mózgu oraz dziwnej mutacji w ciałach migdałowatych agresywnych ssaków.

– Przejdźmy do rzeczy – odezwał się agent Roberts, wycierając kciukiem kartoflowaty nos. W jego głosie pobrzmiewał lekki akcent z prowincji. – Mamy jakieś teorie na temat przyczyny?

Nie zabrzmiało to jak pytanie.

– Nadal próbujemy to rozgryźć – odrzekłem.

Generał Garcia z trzaskiem zamknął segregator i rzucił go na stół. Oparł się na krześle i zaplótł dłonie. Miał palce grube i brązowe jak kiełbaski.

– Wszystko to bardzo pięknie – oznajmił. – Ale, panie i panowie, uważam, że pora przejść do konkretów.

Ruchem głowy dał znak siedzącemu obok niego adiutantowi, który poszperał w aktówce i wyciągnął teczkę grubości encyklopedii. Z rozmachem położył ją na stole, z którego uniósłby się obłok kurzu, gdyby pomieszczenie nie było tak czyste, że można by w nim montować układy scalone.

– Trzeba porozmawiać o planie awaryjnym. Prezydent podpisała już rozporządzenie pięćdziesiąt jeden i wydała dekret rozpoczęcia operacji Garden Plot – ciągnął Garcia.

– Jakiej operacji? – zdziwiłem się.

– Planu awaryjnego ochrony bezpieczeństwa wewnętrznego – wyjaśnił Roberts, przeciągając po teksasku samogłoski. – Skorzystano z niego w czasie zamieszek w Los Angeles na początku lat dziewięćdziesiątych i po jedenastym września.

– Tak jest – dodał generał. – To normalna procedura postępowania w takich wypadkach. W sytuacji wyjątkowej wojsko wspomaga lokalne organa ścigania. To daje sekretarzowi obrony i prokuratorowi generalnemu prawo do wykorzystania wszystkich stosownych sił niezbędnych do przywrócenia porządku.

– A co z ustawą Posse Comitatus, która zakazuje oddziałom wojskowym pełnić funkcję organów bezpieczeństwa wewnętrznego? – zapytała Swirsky.

– Moim zdaniem, w obecnej sytuacji nie ma zastosowania, proszę pani – odparł szorstko Garcia z lekceważącym skinieniem głowy. – Jako koordynator z ramienia Departamentu Obrony wydam rozkazy rozpoczęcia mobilizacji rezerwistów Gwardii Narodowej.

Miałem ochotę wyrywać sobie włosy z głowy. KOCZ to nie były zamieszki ani zamach terrorystyczny. Był raczej czymś w rodzaju katastrofy ekologicznej. Co za stek biurokratycznych bzdur. Chcieli wypowiedzieć zwierzętom wojnę? Dlaczego skupiali się na ataku? Powinniśmy raczej myśleć o obronie. Istne szaleństwo.

– Trzeba odkryć źródło problemu, a nie zabijać zwierzęta – powiedziałem, starając się zachować spokój. – Bo, przepraszam, nie rozumiem, na czym dokładnie polega wasz plan. Zbombardować zwierzęta? Zniszczyć? Jak? Może lepiej jednak wydać ogólnokrajowe ostrzeżenie przed zwierzętami, zwłaszcza domowymi, żeby ograniczyć straty, dopóki nie ustalimy przyczyny?

– Nie lepiej, ponieważ wywołałoby to w całym kraju panikę bardziej niebezpieczną niż epidemia – odpowiedział Garcia. – I dlatego, że mieliście mnóstwo czasu, żeby „ustalić przyczynę", a teraz przyjeżdżacie do nas z niczym. W Iraku był problem dzikich psów, dopóki nie zaczęliśmy ich tępić. Przecież sam pan pamięta, starszy sierżancie Oz?

Wzdrygnąłem się. Dobrze się przygotował z mojego życiorysu.

– Jeżeli wyślemy odpowiednio dużo rekrutów, stłumimy to w zarodku w kilka tygodni. Góra miesiąc.

Siedziałem, gotując się ze złości. Już miałem im zwrócić uwagę, jak bezsensowny był pomysł wytępienia psów, ale się powstrzymałem. Była na mnie pora. Musiałem wrócić do Nowego Jorku, jeszcze intensywniej zająć się badaniami, zrobić, co tylko się da, żeby wyjaśnić tę sprawę, zanim wojsko zaatakuje zwierzęta napalmem.

Wstałem i pochwyciłem spojrzenie Leahy'ego w głębi sali.

– Jeżeli niczego więcej państwo nie potrzebują, to z mojej strony wszystko, co mogłem dla was zrobić. Mój syn już się chyba niecierpliwi. Gdyby mieli państwo jeszcze jakieś pytania, służę informacjami.

230

Leahy wyprowadził nas z sali. Odebraliśmy Eliego i zeszliśmy na dół. Czarny lincoln town car czekał na parkingu z mruczącym silnikiem. Na fotelu pasażera siedział już Nimo.

– Panie Oz, wszystko, co pan dzisiaj usłyszał, jest ściśle tajne – uprzedził mnie Leahy, kiedy wyszliśmy w ostre słońce. – Dlatego ufamy, że zachowa pan dyskrecję. W interesie bezpieczeństwa państwa.

– Oczywiście – zapewniłem go, wsiadając z rodziną do czarnego samochodu.

Pół godziny później, gdy las zaczął się przerzedzać, ustępując miejsca obszarowi metropolitalnemu Waszyngtonu, znów poczułem łaskoczące wibrowanie telefonu w podszewce marynarki.

Była to wiadomość od Charlesa Groha. W jego głosie brzmiało, powiedzmy, zdenerwowanie.

– Słuchaj, Oz. KOCZ już tu jest. Dzisiaj oszalał mój własny pies. Mój dwunastoletni syn był zmuszony go zabić.

– O co chodzi? – zapytała Chloe, gdy pokręciłem głową.

Chciałem ją okłamać, ale nie potrafiłem.

Rozdział 58

6.00 rano
Dwie mile morskie na południe od Galveston
w stanie Teksas

Stojąc na rufie *Leda Lady Queen*, swojego rdzewiejącego kutra, Ronnie Pederson zapala czwartego tego ranka papierosa i mrużąc oczy, patrzy na lekko rozkołysaną powierzchnię Zatoki Meksykańskiej.

Wybrzeże Teksasu – wyspa Galveston, a za nią południowe przedmieścia Houston – jest teraz tylko płaską brązową linią na północnym horyzoncie. Na południu linię między niebem a morzem zaciera wilgoć w powietrzu. Gdzieś za tą niebieskoszarą zamgloną dalą woda znika z pola widzenia, podążając za krzywizną powierzchni ziemi. Choć w zupełnie bezchmurny dzień widzialność na morzu nie przekracza dwunastu mil, z jakiegoś powodu na otwartej wodzie czuje się ogrom świata o wiele lepiej, niż kiedykolwiek można go doświadczyć na lądzie.

Niebo jest dość czyste, a woda aż po horyzont gładka jak stół, mimo to Ronnie ma oczy szeroko otwarte. Na zatoce trzeba uważać na pogodę. Teraz, pod koniec sierpnia, wystarczy chwila, żeby rozpętała się burza.

Na łodzi panuje cisza. Tak jak Ronnie lubi najbardziej. Słychać tylko pyrkotanie starego diesla i szum rozcinanej dziobem wody. Duane i Troll, jego dawni kumple z boiska futbolowego w szkole średniej, a dziś wspólnicy w rybackim biznesie, stoją na swoich pozycjach na rufie i dziobie, pogrążeni we własnych porannych myślach.

Godzinę później, gdy słońce wreszcie wyłania się zza horyzontu, po raz pierwszy wyciągają liny włoka. Sądząc po zamaszystych ruchach ramion Trolla, pracującego z takim mozołem, jakby kopał rów, połów jest niezły. Wkrótce pokładowe zbiorniki są wypełnione krewetkami, które wiją się jak oślizgłe robaki, gdy Duane posypuje je lodem.

Dwa tygodnie wcześniej powiększyli załogę o jedną osobę, jednak to zupełnie nie wypaliło. Chłopak z college'u pracował za dwóch, ale okazał się zielony jak szczypiorek. Źle na niego działało kołysanie łodzi. Drugiego dnia ciągle wymiotował – karmił mewy, jak to nazywali – musieli się więc z nim pożegnać. I znów są na pokładzie tylko we trzech.

Gdy słońce wspina się wyżej, postanawiają spróbować szczęścia trochę dalej. Przez moment w powietrzu wyczuwa się obiecujący powiew chłodu i Ronniego ogarnia dobry nastrój. Taki sam, jaki towarzyszył mu kiedyś na boisku. To samo głębokie poczucie spokoju i odizolowania od świata, tuż przed zwaleniem z nóg biegacza z przeciwnej drużyny, który wywijał kozła i padał za boczną linią.

– Ej! – woła Duane z drugiego końca łodzi. – Patrzcie!

Ronnie z hałasem przechodzi przez metalowy pokład, pochylając się, by nie uderzyć głową w liny i urządzenia.

– Co?

Patrzy w stronę, którą wskazuje Duane.

Daleko przed nimi płynie szybko kilka delfinów, choć

z powodu dużej odległości wydaje się, jak gdyby w ogóle się nie poruszały. Chyba krótkopyskich, choć Ronnie nie jest pewien. Lekko wyskakują z wody i wskakują do niej, kreśląc w powietrzu wdzięczne łuki. Są trzy czy cztery. Ich lśniące, srebrzyste ciała przemykają nad powierzchnią morza w idealnym rytmie, wszystkie poruszają się jednocześnie. Skąd, do diabła, wiedzą, jak to się robi? Gdzie się tego nauczyły? Dlaczego wszystkie wystrzeliwują z wody i nurkują z powrotem w tym samym czasie? Musi być jakiś powód. Ronnie wie, że ciało zwierzęcia robi wszystko, by osiągnąć jak najwięcej przy minimalnym wydatku energii. Każde takie zjawisko musi mieć jakiś powód. Zwierzęta nie robią niczego bez powodu. Widok jest piękny.

Ronnie przerywa te rozmyślania, słysząc głośny i ciężki łomot w łodzi.

– Co, do cholery... – dobiega go z tyłu głos Trolla.

Trzej przyjaciele patrzą na to, co znalazło się na pokładzie kutra, a potem spoglądają po sobie. Delfin. Dorosły delfin krótkopyski wyskoczył z wody i wylądował z tyłu łodzi, gdzie jest pochylnia rufowa do wciągania sieci, i teraz jak szalony trzepocze się i wije na pokładzie.

Bardziej mógłby ich tylko zdumieć widok syreny wskakującej do łodzi.

Delfin wyjęty z wody wygląda absurdalnie. Ma prawie dwa metry długości i kwiczy jak świnia.

– Niezły widok – mówi Duane.

Ronnie wyłącza silnik i idzie na tylny pokład.

– Nigdy nie widziałem czegoś tak niesamowitego – stwierdza Troll.

– W każdym razie chyba trzeba go wrzucić z powrotem – stwierdza Duane.

Podchodzi, aby zepchnąć delfina do wody. Zwierzę opiera się i chichocze.

– Będzie o czym opowiadać wnukom, nie?

Śmieją się, próbując stoczyć z pokładu prężącego się delfina.

Nagle wszyscy wzdrygają się i odskakują do tyłu, bo z wody wyskakuje następny delfin, zatacza łuk w powietrzu, znacząc za sobą ślad sznurem kropelek wody błyszczących jak perły, z potężnym plaśnięciem ląduje na pokładzie tuż obok nich, sunie dalej i zatrzymuje się dopiero w połowie długości łodzi.

Przyjaciele patrzą po sobie, a potem wybuchają śmiechem.

– To jakiś delfiński kawał? – pyta Duane.

Wtedy zaczyna się dziać coś naprawdę dziwnego. Pojawiają się kolejne delfiny. Jeden za drugim, jeden za drugim, grube, lśniące zwierzęta wyskakują z morza i lądują w kutrze.

Ronnie stoi na pokładzie, patrząc na trzepoczące się delfiny, których jest już siedem czy osiem. Dość powiedzieć, że nigdy w życiu nie widział takiego zachowania. Dziwacznego. Kompletnie popieprzonego.

To, co przed chwilą było zabawne, staje się niepokojące.

Na kutrze są już dziesiątki delfinów. Wtedy właśnie Ronnie przestaje się dziwić i zaczyna bać. Dzieje się coś nie tylko dziwnego, ale bardzo złego. Delfiny torują sobie drogę w głąb pokładu, ślizgając się na sobie nawzajem. Łódź zasypuje lawina ciężkich, oślizgłych ciał, przy akompaniamencie pisków, gwizdów, chichotów.

Wydawało się, jak gdyby morze samo wyrzucało zwierzęta, wyciągając je z połyskującej toni zatoki.

Po pewnym czasie już nie tylko pokładowe zbiorniki są pełne; na całym pokładzie kłębi się masa delfinów. Trzej mężczyźni desperacko próbują rękami i nogami zrzucać je do wody, ale wskakuje ich coraz więcej.

Jest już chyba ponad setka. Ronnie brnie wśród wijących się delfinów w kierunku koła sterowego i zwiększa obroty silnika.

W odpowiedzi trzydziestoletni kuter, obciążony jak nigdy dotąd, przechyla się jak pijak po trzydniówce i przewraca na bok.

Ronnie, utrzymując się pionowo w wodzie, doznaje szoku, który ogarnia go jak gdyby w zwolnionym tempie.

Pierwszy w panikę wpada Troll. Pływa pieskiem obok przewróconego kutra. Rozpaczliwie młóci rękami wodę i głośno dyszy.

– Cholera, uspokój się! – krzyczy do niego Ronnie. – Zrzuć buty! Oszczędzaj siły!

Delfiny napierają na nich jak stado bydła, wydając piski, chluszcząc na nich wodą i dusząc ich.

Troll ciągle się miota, kurczowo trzyma się krawędzi tonącej łodzi i broni się przed hordą delfinów. W następnej minucie znika pod powierzchnią, wynurza się z powrotem i znów znika. Tym razem na dobre.

Parę minut później w ślad za nim na dno idzie Duane.

Wkrótce w falach ginie *Leda Lady Queen*.

Ronnie, unosząc się z szeroko rozłożonymi rękami i nogami, utrzymuje się na powierzchni trochę dłużej. Kiedy już wie, że nikt mu nie pomoże, przyjmuje to po męsku. Przestaje się bronić, wciąga tyle słonej wody, ile potrafi i pogrąża się w ciemnej, zimnej toni, pozwalając, by woda przykryła go jak koc, pozwalając się połknąć zatoce.

Choć trzej mężczyźni już nie żyją, delfiny dalej figlują. Skaczą, pluskają się, chichoczą i baraszkują.

Prawdopodobnie z radości.

Rozdział 59

Centrum Badań Karisoke
Góry Wirunga, Rwanda

Barbara Hatfield nie wie, która jest godzina, kiedy odzyskuje przytomność na łóżku pod zwiewnym jak mgiełka baldachimem moskitiery. W ciemnym pokoju w chatce z desek i za oknami jest teraz szaro. Czas, przestrzeń i materia mają różne odcienie smutnej, ciężkiej jak ołów szarości.

Barbara wciąż ma na sobie szorty, koszulkę i buty tropikalne oblepione skorupą błota. Drapie się w miejsce, gdzie powstał strup po ukąszeniu moskita pod tłustymi włosami, drapie się po rękach i nogach. Nie kąpała się od czterech dni.

Zatrzymuje wzrok na pustej drugiej stronie łóżka. Bierze poduszkę Sylvii i przyciska do twarzy.

W tkaninie pozostał jej zapach. Uśmiech Sylvii wracającej z biegania, zarumienionej i mokrej od potu. Jej zwinne dłonie, które zawsze były czymś zajęte: naprawą przeciekającego czterdziestoletniego dachu chatki w obozie, zmianą oleju w land roverze, pielęgnowaniem ogrodu – wyglądała prześlicznie zabrudzona ziemią po łokcie i kolana, ze spiętymi włosami przewiązanymi bandanką jak Rózia Nitowaczka. Stawała w drzwiach w tej chustce na głowie i zniszczonych skórzanych rękawiczkach, trzymając sekator i naręcze zielska związanego sznurkiem, a Barbara miała ochotę chwycić ją i całować tak długo i mocno, aż Sylvia musiałaby ją odepchnąć, by zaczerpnąć tchu.

Ten roczny grant był najlepszą rzeczą, jaka mogła się przydarzyć w życiu prymatologowi, szczęśliwym losem na loterii. Przyznano jej dość środków, by przez rok mogła mieszkać w rwandyjskim obozie, pracując w ośrodku badań nad gorylami górskimi, rozsławionym przez Dian Fossey.

Sylvia obawiała się, że to zbyt niebezpieczne, ale Barbara przekonywała i błagała, aż wreszcie udało jej się nakłonić Sylvię, by na rok zostawiła ogród społecznościowy i pojechała z nią do Afryki.

Wracały do obozu po pracy, która polegała na liczeniu goryli w ramach wymaganego przez ONZ rocznego spisu gatunków zagrożonych, gdy doszło do nieprawdopodobnego zdarzenia. Barbara szła za Sylvią ścieżką prowadzącą do chaty, kiedy w otwartych drzwiach ukazały się trzy dorosłe samce.

Chwilę później goryle były już wszędzie. Dorosłe i młodsze samce. Obóz chroniło ogrodzenie pod napięciem, ale gorylom w jakiś sposób udało się je sforsować. Wydając pomruki, rzucały szczątkami zniszczonych przedmiotów, zeskakiwały z dachów chat i budynków gospodarczych. Klekotały drewniane skrzynie; zewsząd dobiegał łomot, dyszenie i sapanie.

Barbara pamięta, że biegła w głąb dżungli, czując ból w płucach, słysząc chrzęst i trzask gałęzi oraz odgłos łamanych liści. Potem obejrzała się przez ramię i zobaczyła, że nie ma za nią Sylvii.

W końcu zebrała się na odwagę i w nocy wróciła do obozu, lecz nikogo tam nie zastała. Nie było trzech rwandyjskich tropicieli, czterech młodych ludzi z patrolu antykłusowniczego ani Sylvii. Wszyscy zniknęli bez śladu.

Leżąc na łóżku, Barbara jęczy i ściska dłońmi pulsującą od bólu głowę, próbując wycisnąć to wspomnienie z mózgu jak wodę z gąbki. Szybko zlekceważyła paranoiczne głosy o KOCZ, cały ten absurdalny, histeryczny raban podniesiony przez internetowych szaleńców. Uważała ich teorię za idiotyzm, bo znała się na zwierzętach, zwłaszcza na gorylach. Teraz jednak opadły ją wątpliwości. Wydawało się, jak gdyby zachowanie wszystkich ssaków, nawet górskich goryli, zaczęło ulegać całkowitej zmianie.

Barbara jest w dramatycznej sytuacji. Radio i agregaty zostały zniszczone, podobnie jak broń. Do najbliższej wioski jest prawie pięćdziesiąt kilometrów drogi przez górską dżunglę tak trudną do przebycia, że przywieziono je tu helikopterem. Następna dostawa zapasów planowo będzie za czterdzieści osiem godzin.

Trzeba przetrwać dwa dni, myśli. Jeżeli goryle wrócą, nie będę miała żadnych szans.

Siedzi na łóżku, kołysząc się do przodu i do tyłu, pogrążona w rozpaczy.

Nagle doznaje dziwnego wrażenia. Wyraźnie czuje czyjąś obecność, jak gdyby w pokoju była Sylvia. Siedzi i uważnie ją obserwuje. Nie tylko zresztą obserwuje, ale jest wkurzona na swoją dziewczynę za to, że zgrywa księżniczkę w opałach, panikuje i traci nadzieję.

– Niczego cię nie nauczyłam? – mówi niewidzialna Sylvia. – Odwagi, dziewczyno. Pokaż, że masz jajniki.

Barbara podnosi się z łóżka, gwałtownym ruchem odsuwając na bok szarą mgiełkę moskitiery. Sylvia ma rację. Musi coś zrobić. Po chwili już wie co.

Za szopą stoją beczki z paliwem do agregatów. Barbara może napełnić kilka kanistrów, wylać benzynę wzdłuż linii drzew i podpalić. Boi się myśleć o zniszczeniu tak cennego ekosystemu, ale to kwestia życia i śmierci. Ściślej rzecz biorąc, jej życia i śmierci. Może dym zwróci uwagę ludzi z wiosek w dolinie i ktoś w końcu postanowi sprawdzić, co się dzieje. I ją stąd zabierze.

Kiedy wychodzi zza szopy z dwoma chlupoczącymi blaszanymi kanistrami, słyszy dobiegający z lewej trzask gałęzi. Odwraca się. Zatrzymuje wzrok na linii drzew. Upuszcza kanistry, które przewracają się u jej stóp.

Spomiędzy drzew wyłania się coś przekraczającego ludzką wyobraźnię.

W odległości około dwustu metrów od niej na polanę wchodzą nosorożce. Sześć potężnych nosorożców.

Niemożliwe. Jak tu się dostały? Nosorożce pasą się na równinach. Muszą mieć w pobliżu wodę. Po co nosorożce miałyby się oddalić o ponad sto kilometrów w linii prostej i paręset metrów wyżej od swojego naturalnego środowiska? Kto się po nich ukaże? Niedźwiedzie polarne?

Nadchodzi coraz więcej zwierząt. Nosorożców jest już kilkanaście. Ich widok jest czymś niesłychanym i niedorzecznym, jakby świat stanął na głowie.

Gdy wielkie stworzenia zbliżają się do niej, w jej pamięci odżywa pewne wspomnienie. Barbara ma jedenaście lat i siedzi ze swoją rodziną w pierwszej ławce w kościele baptystów w północnej Florydzie. Srogi pastor, celując sękatym palcem w małą trzódkę wiernych, czyta wersety z Apokalipsy świętego Jana.

– „Zwierzę pierwsze podobne do lwa" – mówi teatralnie złowrogim tonem, zwracając oczy ku niebu. – „Zwierzę drugie podobne do wołu. Zwierzę trzecie mające twarz jak gdyby ludzką"*.

Koniec czasów, myśli Barbara, patrząc, jak ogromne zwierzęta kroczą z zaciekawieniem przez zarośla dżungli. Jest tak zrozpaczona, że niemal zaczyna się modlić.

---

* Ap 4,7, Biblia Tysiąclecia.

Rozdział 60

Concord, stan Massachusetts

Oddział kapitana Stephena Bowena z postawionej w stan gotowości 10. Dywizji Górskiej z Fort Drum składa się z dwóch czteroosobowych zespołów ogniowych. To mała, ale elitarna jednostka.

Mężczyźni w mundurach maskujących wspinają się po zboczu zalesionego wzgórza, poruszając się w zwykłej formacji klina. Porozumiewają się bez słów, za pomocą znaków patrolowych dawanych rękami, i są prawie niewidoczni. To stała procedura operacyjna patrolu bojowego.

Natomiast fakt, że patrol bojowy posuwa się ścieżką rowerową w lesie Hapgood Wright niedaleko jeziora Walden w Concord w stanie Massachusetts, zdecydowanie nie jest zgodny z SPO, standardową procedurą operacyjną. Raczej z TPPO, czyli totalnie popieprzoną procedurą operacyjną. Zdaniem kapitana Bowena, głupszego zadania nie można dostać.

Bowen wie z niezachwianą pewnością, że to, co robią, jest nielegalne. Powinni pomagać kierować ruchem policjantom, a nie prowadzić działania bojowe na terenie publicznego parku. Ale naprawdę wydano takie rozkazy, jeżeli można je tak nazwać.

Bowen, choć ma zaledwie dwadzieścia siedem lat, był twardzielem, zanim jeszcze odsłużył swoje w Afganistanie i Iraku, spędzając trzy tury w gównie po szyję. Na piersi ma wytatuowany gotycką czcionką łukowaty napis NIEWIERNY, a na plecach skrzyżowane miecze z odznaki dywizji oraz swoje credo – ZABIĆ: NIE MA NIC INNEGO.

– Kapitanie, tam w dole – mówi King idący na czele szyku. – Jakiś ruch. Na godzinie szóstej.

– Na co czekasz, żołnierzu? – pyta Bowen. – Zdejmuj jak gorący garnek z ognia.

King otwiera ogień z M16A4.

Na dźwięk znajomego, ciężkiego terkotu karabinu, odbijającego się echem wśród wzgórz, oczy Bowena rozbłyskują jak u Truskawkowego Ciastka z kreskówki.

Czy jest na świecie coś lepszego niż opróżnianie magazynka? – myśli. Czy jest coś, od czego równocześnie w oczach stają ci łzy, a w spodniach fiut?

– Kurde – mruczy z niesmakiem King po trzech trzystrzałowych seriach. – Pudło. Może jeszcze raz.

– Moja też mi tak mówi – odzywa się Chavez.

– Pokażę ci, jak to się robi, Poindexter – mówi Bowen, ruszając naprzód i rozsuwając liście.

Kiedy kapitan staje na szczycie wzgórza, wydaje w duchu okrzyk Uuuaarr! Jak Scooby-Doo? Na wprost przed nimi, poniżej biegnącej po pochyłości wydeptanej ścieżki, widzi trzy... co? – myśli Bowen. Psy? Ogląda je przez lornetkę o dziesięciokrotnym powiększeniu. Hm. Lisy? Kilkanaście. Patrzcie, państwo. Wściekłe, krwiożercze lisy. Zresztą wszystko jedno.

– Darzbór, skurwiele – mówi, opuszczając lornetkę, i płynnym ruchem przykłada karabin do ramienia.

Gdy naciska spust, nowa broń trochę bije w lewo, ale udaje mu się skorygować ogień.

Schodząc ze wzgórza, mężczyźni zaczynają się śmiać.

– Niech mnie szlag, kapitanie, nie myślałem, że idziemy dzisiaj na polowanie – odzywa się Chavez, dźgając lufą jednego z martwych lisów. – Zdaje pan sobie sprawę, że PETA* dostanie stosownego e-maila?

Na noc rozbijają obóz nad strumieniem pod starym mostem kolejowym, trzy kilometry na północ. Jest tu zdezelowana kanapa, amatorskie graffiti, walają się spłowiałe na słońcu kartony po puszkach piwa Coors i opakowania po prezerwatywach.

– Nocne powietrze nastraja mnie romantycznie – mówi Gardner, otwierając paczkę z racją żywnościową. – Ktoś ma ochotę na spacer przy księżycu?

– A może upieklibyśmy kiełbaski, chłopcy? – słychać czyjś falset.

Bowen siedzi po turecku przy ognisku i reguluje kluczem imbusowym szczerbinkę karabinu. Zastanawia się, kiedy i czy w ogóle zdradzić im prawdziwy powód, dla którego tu są.

Dwa dni temu coś się zdarzyło. Doszło do masakry wszystkich mieszkańców zaułka przy Cambridge Turnpike. Bowen widział zdjęcia. Rzadko oglądał tak przerażające sceny, a to wiele mówiło. Nie mógł zapomnieć zwłaszcza jednej fotografii. Małego chłopca leżącego na łóżku w kształcie samochodu wyścigowego, z wnętrznościami wywleczonymi na dywan.

---

* People for the Ethical Treatment of Animals – międzynarodowa organizacja walcząca o prawa zwierząt.

– Zadrutujcie porządnie obóz, moje panienki – mówi Bowen, spoglądając w ciemność za ogniskiem. – Wiem, że jest fajnie, ale nie jesteście na imprezce. To operacja bojowa, więc się zachowujcie.

Atak zaczyna się przed drugą w nocy. Bowena budzą wrzaski i strzały. Między seriami słychać wycie. Gardłowe, bulgoczące, nieludzkie głosy. Dźwięki wydawane przez jakiegoś pieprzonego potwora z baśni.

– Kurwa, mamy tu ogra?! – krzyczy, jednym ruchem zrywając się na nogi i łapiąc karabin.

Jak gdyby tego było mało, słyszy gwizd i trzaski kul śmigających tuż przy jego uszach.

– Uwaga na strefy strzału, do cholery! – wrzeszczy na żołnierzy. – Uwaga na strefy!

Ktoś strzela racą. Rozbłysk światła rzuca długie cienie na czarne, rachityczne pnie drzew.

W odległości pięciu, sześciu metrów od nich wzdłuż strumienia galopują niedźwiedzie. Cztery największe brunatne niedźwiedzie, jakie w życiu widział.

Bowen nie ma czasu myśleć. Zdejmuje z kamizelki granat odłamkowy M67, zrywa blokadę i wkładając palec w zawleczkę, odciąga od niej granat, tak jak uczą. Przez chwilę trzyma granat, a następnie puszcza kciukiem dźwignię, by uruchomić zapalnik.

– Granat! – wrzeszczy i rzuca go, padając na bok.

Błysk i stłumiony huk. A potem cisza.

Gdy ktoś strzela następną racą, widzą, że wszystkie cztery niedźwiedzie padły. W ciemności słychać, że pozostałe szybko się wycofują, plaskają łapy w strumieniu.

Bowen obrzuca szybkim spojrzeniem i przelicza ludzi,

sprawdzając stan osobowy oddziału. Nikogo nie brakuje. Przykłada sobie rękę do piersi i czuje, jak serce tłucze mu się o żebra: łup, łup, łup. Jakby jakiś cholerny krasnoludek robił w piwnicy buty dla szewca. Niedźwiedzie w obozie? Cholera jasna, niewiele brakowało. Te brednie o powstaniu zwierząt przeciwko człowiekowi to jednak wcale nie takie brednie.

Odwraca się. W ciemności, zza ogniska i z drugiego brzegu strumienia, kapitan Bowen wyczuwa wpatrzone w nich oczy.

Mnóstwo oczu.

Rozdział 61

Miewałem lepsze poranki.

Tego dnia obudził mnie sen. Śniło mi się, że chodzę razem z Eli po nowojorskim Muzeum Historii Naturalnej. Światło było przedziwne, mdłe, bladoniebieskie. Zatrzymaliśmy się przed dioramą wilka. Ulubionym eksponatem Eliego. Wilki zostały przedstawione w trakcie polowania, biegnące przez zaśnieżony las w pościgu za łosiem. Łoś popełnił błąd. W momencie ataku wilka nie wolno się ruszać. Jeżeli stoisz nieruchomo, masz szansę przeżyć. Zaczynasz biec i już jesteś martwy. Jeden z wilków zaciskał szczęki na tylnej nodze łosia. Oczy wilków lśniły żółto jak zimowy księżyc, spod uniesionych warg błyskały zęby. Trzymałem Eliego za rękę. Nagle wilki ożyły i w tej samej chwili okazało się, że diorama nie ma szyby. Zwierzęta błyskawicznie zeskoczyły na posadzkę muzeum. Ręka Eliego wysunęła się z mojej dłoni, a wilki rzuciły mu się do gardła.

W tym momencie otworzyłem oczy. Dopiero po pewnym czasie zorientowałem się, kim jestem i gdzie jestem. Kiedy już to ustaliłem, chciałem z powrotem zasnąć. I może śnić lepszy sen.

Ocknąłem się jeszcze przed świtem. Byłem w mieszkaniu w części Manhattanu nazywanej Alphabet City, do którego przeprowadziliśmy się z Chloe i Elim rok temu.

Usiadłem na łóżku. Położyłem dłoń na ciepłych, nieruchomych plecach Chloe, po czym spojrzałem w półmrok pokoju, gdzie w kącie w łóżeczku smacznie spał Eli, przyciskając do piersi pluszowego króliczka.

Otarłem pot z twarzy. Drżała mi ręka. Moje dziecko i moja żona. Oboje bezpieczni. Przynajmniej na razie.

Od naszego powrotu z Waszyngtonu problemy się nasilały. Z każdym dniem. W zawrotnym tempie. W wiadomościach już co wieczór pojawiały się informacje o dziwnych, wyjątkowo brutalnych atakach zwierząt, do których dochodziło wszędzie, od New Hampshire po New Delhi, od Szwecji po Singapur.

W Nowym Jorku też odnotowano kilka zagadkowych przypadków agresji ze strony zwierząt. Przedwczoraj w nocy znaleziono ciała dwóch pracowników kuchni w eleganckim francuskim bistro w West Village. Zginęli w tajemniczych okolicznościach. Policjant z dziewiątego posterunku, który zbiegiem okoliczności mieszkał w naszym budynku, powiedział nam coś, co gazety przemilczały na prośbę władz. Mężczyzn zabiły szczury, które wdarły się przez piwnicę. Ich ciała zostały ogryzione do kości. Nie wiadomo jeszcze, czy to wpłynie na notowania bistro w rankingu Zagat.

Zjawisko nazwano Światową Epidemią Zwierzęcą i nawet moi najbardziej zagorzali krytycy przyznawali, że to największa globalna katastrofa ekologiczna wszech czasów. Urywały się telefony od dziennikarzy domagających się komentarza, ale nie miałem już siły. Nie byłem dumny, że miałem rację, nie powtarzałem z satysfakcją: „A nie mówiłem?".

Wręcz przeciwnie, robiłem sobie wyrzuty. Miałem całe lata, żeby się przygotować, żeby powiedzieć o wszystkim światu, żeby ustalić przyczynę i spróbować znaleźć jakieś rozwiązanie. Poległem na całej linii. Siedząc w półmroku i patrząc na syna, uświadomiłem sobie, że kompletnie go zawiodłem – syna, żonę, wszystkich.

– Gdzie Eli? – spytała Chloe.

Raptownym ruchem usiadła na łóżku obok mnie.

Głaszcząc ją po plecach, czułem, że jej serce bije równie mocno i szybko jak moje. Chloe tak jak ja była zdruzgotana. Martwiła się narastającą falą złych wiadomości i zadręczała myślami, jak możemy ochronić siebie i naszego syna. Paranoja i bezsenność stały się u nas normą.

– Śpi spokojnie. Wszystko w porządku – powiedziałem i przyciągnąłem ją do siebie.

Kiedy łapiesz się na powtarzaniu banałów, w które sam nie wierzysz, to już wiesz, że jest coraz gorzej.

– Która godzina? – zapytała Chloe, wyciągając szczupłą rękę o oliwkowej skórze i po omacku szukając zegarka na nocnej szafce. Wciąż wyglądała przepięknie. To się nie zmieniło. – Nie możesz się spóźnić na spotkanie.

Poprzedniego dnia dzwonił do mnie burmistrz. Chciał się spotkać ze mną osobiście. Chociaż Gwardia Narodowa została zmobilizowana po raz pierwszy od jedenastego września, asystentka burmistrza poinformowała mnie, że chce on, abym udzielił mu wszelkich wskazówek, jak ma sobie poradzić z falą agresji ze strony zwierząt.

– Spotkanie jest o ósmej – odparłem. – Zaraz wstaję. Jak stoimy z jedzeniem? Podobno dzisiaj znowu otwierają targowisko na Union Square.

Powodem do zmartwień były nie tylko ataki, ale także

problemy z żywnością. Niektórzy mówili, że na zachodzie kraju kłopoty mają rolnicy i dostawcy. W internecie krążyły plotki, że na Long Island są ogromne braki w zaopatrzeniu. Jednak nikt naprawdę nie wiedział, co się dzieje, a w każdym razie nikt nie wiedział, co robić. Co dzień ludzie uciekali z miasta i na ich miejsce tłumnie przybywali następni. Pojawiły się apokaliptyczne nastroje.

– Jeszcze nie jest tak źle – powiedziała Chloe. – Skończyło się nam mleko, ale ten sklep spożywczy przy Alei A ciągle jest otwarty.

– W porządku, tylko nie wychodź na dłużej, niż będziesz musiała. I weź ze sobą straszak na niedźwiedzie.

Oprócz zainstalowania alarmu i założenia krat w oknach w sklepie ze sprzętem sportowym na Broadwayu kupiłem też parę straszaków na niedźwiedzie. Urządzenie wyglądało jak długopis, ale w rzeczywistości było bardzo głośną petardą, którą turyści odstraszali dziką zwierzynę.

Szybko zwlokłem się z łóżka, pocałowałem Chloe i poszedłem wziąć prysznic.

Sprawdzając zamki krat okiennych w łazience, przypomniałem sobie kryptonim, jaki władze nadały tej katastrofie ekologicznej – ZOO.

Dlaczego? Stałem pod prysznicem ze wzrokiem utkwionym w kafelkach, a po włosach spływała mi gorąca woda. Dlaczego to wszystko się dzieje? Co się zmieniło w nieodległej przeszłości – co teraz mamy, czego wcześniej nie było?

W historii ludzkości jeszcze nigdy większość z nas nie oddaliła się tak bardzo od zwierząt jak dziś. Odsunęła się od nich psychicznie i fizycznie. Jeśli ktoś na przykład tak jak ja mieszka w Nowym Jorku, to przez cały dzień tak naprawdę nie ma kontaktu z żadnym zwierzęciem. Wystarczy pomyśleć o tym, jak świat musiał wyglądać przed rewolucją przemysłową. Człowiek potrzebował wołów, żeby zaorać pole. Najszybszym środkiem transportu było koń. Znajomość zwierząt, ich bliskość były częścią stylu życia. Dziś coraz więcej ludzi ma coraz mniej takich doświadczeń. Homo sapiens tak bardzo zżył się z psem, że można wręcz mówić o koewolucji. Różnica genetyczna między człowiekiem a szympansem jest mniej więcej taka sama jak różnica między dwoma podgatunkami świszcza, które ewoluowały na przeciwległych brzegach rzeki. Mimo to nawet Attyla uległ epidemii. Z pewnością źródłem KOCZ była jakaś bardzo niewielka i bardzo niedawna zmiana. Zmiana, z którą ludzkość potrafiła sobie poradzić, bo wydawało się, że jesteśmy jedynymi ssakami na planecie, które są na nią odporne. Bez względu na przyczynę, cokolwiek to było, nie powodowało żadnych szkód w naszych mózgach, ale okazało się wyjątkowo nieprzyjazne dla mózgów chyba wszystkich pozostałych ssaków.

Zgadza się, to jest zoo, pomyślałem, zakręcając wodę i patrząc przez kraty na Siódmą Ulicę. Ale wyglądało na to, że teraz do klatek miał trafić homo sapiens.

Rozdział 62

Dwadzieścia minut później jechałem na poranne spotkanie taksówką, brnąc przez gęsty ruch na Bowery przy dźwiękach łomoczącego w głośnikach portorykańskiego reggae. W innych okolicznościach taki hałas jak zwykle doprowadziłby mnie do szału. Z zaskoczeniem stwierdziłem jednak, że tego ranka nowojorska nerwowość, której nie da się porównać z żadną inną, działa na mnie dziwnie kojąco. Zanim dotarliśmy do okolic Flatiron Building, z czułością myślałem o powodzi samochodów i jazgocie ryczących bezcelowo klaksonów.

Oznaczało to, że obojętnie, czy staliśmy w obliczu katastrofy, czy nie, ludzie szli dzisiaj do pracy. Nowy Jork nie dostał jeszcze wiadomości o końcu świata.

Wtedy zauważyłem na ulicy psa. Szedł chodnikiem na północ od Trzydziestej Czwartej.

Kilkanaście metrów przede mną ze wschodniej strony Trzeciej Alei zszedł na jezdnię średniej wielkości mieszaniec czarno-białego border collie z zawiązaną na szyi brudną niebieską bandanką. Kundel był sam, a gdy na niego patrzyłem, przechodził przez aleję ze wschodu na zachód, lawirując między samochodami.

Wskazówki mojego wewnętrznego systemu alarmowego drgnęły na widok zdecydowania i spokoju tego psa. Bezpańskie psy zwykle wyglądają, jak gdyby przekradały się chyłkiem ulicami w poczuciu winy, zwłaszcza w dużym mieście w biały dzień. Ten nie szedł ani za szybko, ani za wolno, na nikogo też nie patrzył. Był skupiony, pewny siebie – jak gdyby doskonale wiedział, dokąd zmierza.

Tknęło mnie przeczucie.

Pochyliłem się w stronę taksówkarza.

– Niech się pan zatrzyma – poleciłem.

– Tutaj?

Rzuciłem mu banknot.

– Reszty nie trzeba.

– Chce pan paragon?

Wyskoczyłem z taksówki i przebiegając przez Trzecią Aleję i ruszając na północ, żeby gonić psa, omal nie nadziałem się na maskę ciężarówki z piwem. Dobiegłem do rogu Czterdziestej Czwartej i spojrzałem w lewo, w przecznicę, gdzie skręcił pies. Z początku w ogóle go nie zauważyłem. Potem wyszedłem na jezdnię między zaparkowanymi samochodami i ujrzałem biały merdający ogon na szczycie wzniesienia przy Lexington Avenue.

– Co pan wyprawia, do cholery?! – krzyknął na mnie policjant z drogówki, kiedy na środku skrzyżowania bawiłem się w żabkę z gry Frogger.

Nie spuszczałem oczu z collie, gdy przebierał białymi łapami, biegnąc przez Park Avenue przecznicę dalej.

Ruszyłem sprintem, więc udało mi się nie zgubić psa przechodzącego teraz przez Madison Avenue. Cały czas biegł Czterdziestą Pierwszą na zachód w stronę Piątej Alei i schodów przed głównym wejściem do nowojorskiej biblioteki publicznej.

Kiedy dobiegłem do Piątej Alei, zdążyłem zobaczyć, że skręcił na północ i idzie zachodnią stroną ulicy w kierunku rogu Czterdziestej Czwartej.

Omijając slalomem poranne tłumy ludzi gęste jak pas planetoid, pobiegłem wschodnią stroną ulicy, równolegle do psa, który pędził już naprawdę szybko, zasuwał jak rakieta w kierunku Czterdziestej Drugiej. Dotarłem na róg, ale był za duży ruch, żeby przebiec, musiałem więc zaczekać na zmianę świateł.

Dziesięć sekund trwało wieczność.

W końcu zapaliło się zielone światło i ruszyłem z kopyta przez Piątą Aleję, patrząc w obie strony, a następnie rozglądając się w lewo i prawo po Czterdziestej Drugiej. Pies mógł skręcić gdziekolwiek – może do Bryant Park za biblioteką po zachodniej stronie. Równie dobrze mógł się też zakraść do któregoś biurowca.

Przepadł bez śladu. Dokąd pobiegł i czego mogłem się dzięki niemu dowiedzieć, nie było mi dane poznać.

Kiedy zerkając na zegarek i próbując obliczyć, jak bardzo spóźnię się na spotkanie, przechodziłem na drugą stronę Czterdziestej Drugiej, żeby złapać kolejną taksówkę, nagle na przejściu dla pieszych prawie między nogami przebiegł mi inny pies. Szybko się odwróciłem i patrzyłem, jak biały yorkshire terrier skręca na rogu na zachód i rusza biegiem południową stroną Czterdziestej Drugiej. Mikrus miał jakąś misję.

Oz, idź za tym yorkiem.

Na skraju Bryant Park stał niewielki, bogato zdobiony kamienny budynek. Nie odrywając od niego wzroku, patrzyłem, jak biały piesek drepcze na krótkich nóżkach w kierunku budynku i znika w ukrytym we wnęce wejściu.

Po chwili stałem przed niskim budynkiem, który łatwo było przegapić. We wnęce kilka stopni prowadziło do podwójnych drzwi z kutego żelaza zabezpieczonych łańcuchem zamkniętym na kłódkę.

Stałem u szczytu schodów i patrzyłem zdumiony. Byłem kompletnie skołowany. Bo nie zobaczyłem nic. Pies zniknął.

Rozdział 63

Zszedłem po cuchnących betonowych schodkach, słysząc echo własnych kroków. Pchnąłem drzwi. Skrzypnęły i bez trudu się uchyliły, tak że powstała szeroka szpara ograniczona ciężkim czarnym łańcuchem. Przypuszczałem, że pies prześlizgnął się właśnie przez tę szparę.

Pytanie, po co to zrobił, pozostawało jednak zagadką.

Zajrzałem do ciemnego wnętrza, wytężając wzrok. Zastanawiałem się, czy pójść do biblioteki i dowiedzieć się, kto może mieć klucz do kłódki.

Przez mniej więcej cztery sekundy.

Porzuciłem ten zamiar i gdy przeciskałem się nogami naprzód przez wąską szczelinę, urwałem dwa guziki przy koszuli.

Wewnątrz znalazłem kontakt i włączyłem światło. Nade mną rozbłysła słaba pomarańczowa lampa. To był magazyn pełen kosiarek, grabi i innych narzędzi do pielęgnacji parku.

Oprócz sprzętu zobaczyłem po prawej następne schody prowadzące do obniżającego się stromo korytarza, którym biegły rury i przewody.

Łukowo sklepiony tunel był zbudowany ze staroświeckiej czerwonej cegły. Przypominałem sobie mgliście, że Bryant Park stoi chyba w miejscu, gdzie w połowie dziewiętnastego wieku znajdował się główny miejski zbiornik wody. Tunel biegł półkoliście i trzy metry dalej wychodził na niewielkie okrągłe pomieszczenie pełne od dawna nieużywanych rur i zaworów, pokrytych warstwą lepkiego brudu i skorupą rdzy. Największa rura była otwarta na końcu i osadzona w bocznej ścianie jak tunel na wysokości kilkudziesięciu centymetrów.

Kucnąłem obok jej wylotu i poczułem zapach – obrzydliwy, z nutą piżma, tak charakterystyczny, że nie można go pomylić z żadnym innym.

Zapach mokrego psa.

Więcej niż jednego. Odór mieszał się ze smrodem śmieci, skunksów, padliny i gówna. Od tego fetoru mogłyby się powyginać ramy w oknach. Na dnie szerokiej rury czuć było jakąś wilgoć, a smród buchał z niej jak dym z płonących opon. Ostry, gryzący, ohydny.

Wpatrywałem się w cuchnący mrok. Bardzo długo. Myśląc o atakach psów, zastanawiałem się, czy nie zawrócić. Coś w zachowaniu zaabsorbowanych psów, za którymi szedłem, mówiło mi, że jestem bezpieczny. Wszedłem do rury.

Miałem wrażenie, jak gdybym wpełzał w tyłek szatana. Co metr czy półtora musiałem się zatrzymywać, żeby opanować odruch wymiotny. Kiedy brnąłem w głąb ciasnego korytarza, moje dłonie, kolana i stopy chlupotały w czarnej lepkiej brei.

Ciemność. Smród. Klaustrofobia.

Słyszałem dźwięki dobiegające najprawdopodobniej z drugiego końca rury. Skowyt. Skomlenie. Odgłosy wydawane przez psy.

Wreszcie dotarłem do końca i stanąłem w mroku nowego pomieszczenia. Zapach był tu jeszcze bardziej stężony. Czyżbym wlazł do kanału ściekowego?

Skądś padało słabe, ledwie świecące, drżące pomarańczowe światło. Mój wzrok powoli przyzwyczajał się do półmroku. Zobaczyłem podziemną komorę wielkości sali balowej, a w dole, poniżej moich stóp, poruszającą się posadzkę.

Jak okiem sięgnąć, widziałem rozkołysane i falujące kłębowisko oczu, zębów i sierści.

Nigdy dotąd nie widziałem, żeby psy łaziły po sobie w ten sposób. Wiły się jak robaki w pojemniku. Byłem w zasięgu węchu ich wszystkich, mimo to ani jeden nie zwrócił łba w moją stronę.

Wiele z nich kopulowało. Psy pieprzyły się beznamiętnie z wywalonymi na wierzch jęzorami i obojętnymi, nieruchomymi minami. Inne wyglądały na chore, a ich sierść była upstrzona białawymi plamami przypominającymi pleśń. Tu i ówdzie dochodziło do drobnych walk. Nagle kilka psów naskakiwało na siebie i powstawała kotłowanina wierzgających nóg, kłapiących szczęk i jazgotu. Po chwili jeden z psów zdobywał przewagę, pokonany poddawał się z żałosnym skomleniem, a pozostałe szybko czmychały. Pomieszczenie spowijał gorący zaduch od ruchu mnóstwa ciał, przesycony wilgocią parujących oddechów i wywieszonych jęzorów. Słychać było parsknięcia i kichnięcia. Drgały łby. Zgrzytały pazury.

Wzdłuż ściany po mojej prawej stronie były wydrążone w gołej ziemi nory, w których samice karmiły szczenięta. Leżące na boku suki miały wzdęte brzuchy o różowej, delikatnej skórze, ciężkie od mleka, które ssały stłoczone przy nich młode.

Spojrzałem z góry na orgię skłębionych w podziemiach psów. Odnosiłem wrażenie, jak gdyby zachowywały się w jakiś zorganizowany sposób, jak rój kierowany inteligencją rozproszoną. Zachowywały się bardziej jak owady niż ssaki. Wtedy znów zapaliła mi się w głowie żarówka. Rój. Insekty. To właśnie jeden z kluczy do zrozumienia tego, co się działo.

Wszystkie zwierzęta zachowywały się jak owady prowadzące stadny tryb życia – roiły się i mrowiły, żerując i rozmnażając się gromadnie.

Ten widok przypomniał mi coś, co widziałem podczas studiów, kiedy wyjechaliśmy na badania na Kostarykę. Zobaczyłem wtedy mrówczą spiralę śmierci. To zdumiewające zjawisko. Natknęliśmy się na setki mrówek, które maszerowały w gigantycznym kręgu. Jak gdyby ścigały się po kolistej bieżni, przebiegając kolejne okrążenia – falujący czarny wir mrówek. Takie zachowanie pokazuje siłę feromonów. Mrówki podążają jedna za drugą, idąc tropem feromonów. Gdy napotka się szereg maszerujących mrówek, oznacza to, że każda z nich idzie chemicznym śladem swojej poprzedniczki, odbierając zapach wrażliwymi czułkami. Ale raz na jakiś czas zdarza się coś, co przerywa szlak feromonów, na przykład w poprzek szeregu spadnie kłoda. Nagle jakaś mrówka w środku łańcucha znajdzie się przed inną. Wpada w panikę (antropomorfizuję te owady, ale proszę o cierpliwość). Biega w kółko jak szalona, szukając tropu, którym mogłaby iść dalej. W końcu go odnajduje i rusza śladem drugiej mrówki. Nie wie jednak o tym, że znalazła feromon mrówki idącej za nią w jej własnym szeregu. Kolumna skręca, tworząc pętlę. Mrówki podążają na oślep jedna za drugą, po prostu krążą i krążą, dopóki nie zdechną.

Feromony, pomyślałem.

Rozdział 64

Inta, Rosja
Dwadzieścia pięć kilometrów na południe
od koła podbiegunowego

Czesław Prokopowicz wdrapuje się na sosnę syberyjską, ciężko dysząc, a dziesięć metrów nad ziemią zatrzymuje się i niepewnie wychyla, ostrożnie balansując ciałem na konarach, które na tej wysokości wyrastają z pnia coraz rzadziej.

Patrzy przez splątane gałęzie i widzi rozległą skalistą dolinę rzeki, kilkukilometrową panoramę, którą zakłóca tylko wyniosły i ostro przecinający perspektywę transkontynentalny maszt transmisyjny – powód istnienia wioski tak daleko wysuniętej na północ.

Tego popołudnia nie zamierza jednak podziwiać widoków.

Prokopowicz ostrożnie zdejmuje z ramienia sztucer i zerka w dół na poszycie lasu, szukając pozostałych myśliwych. Z tej wysokości Sasza, Jirg i Kirył wyglądają identycznie. Trzej Rosjanie mają na sobie wojskowe buty i tanie myśliwskie kombinezony maskujące. Wszyscy są krępi, jak gdyby zbudowani z ciężkich kamieni, łysi i mają grubo ciosane rysy.

Czterej mężczyźni, którzy mieszkają w Incie i przyjaźnią się od zawsze, pracowali kiedyś razem w kopalni niklu otwartej w radosnych czasach po zburzeniu muru berlińskiego. Ich doroczne polowanie pod koniec lata ma być chwilą wytchnienia, zanim wszystko przysypie śnieg i skuje lód, zanim arktyczne mrozy zepchną ich do podziemia i zamkną w domach przy ogniu na sześć miesięcy – sześć długich, przeraźliwie nudnych miesięcy siedzenia na tyłku, wypełnionych morzem wódki i niekończących się partyjek durnia.

Prokopowicz czeka na tę wyprawę przez cały rok, zwłaszcza na cudowną chwilę tuż przed ustrzeleniem łosia, gdy całe ciało przeszywa dreszcz podniecenia, a serce radośnie trzepocze w piersi jak u dziecka.

Właśnie teraz serce mi tak trzepocze, myśli, chuchając na lunetę i przecierając ją rękawem.

Przyciska do policzka sztucer przerobiony z karabinu Mosin-Nagant. Patrzy przez celownik na północny las zimozielonych drzew, jodeł i sosen porastających cały krajobraz.

Ściślej mówiąc, szuka wilków. Wilków, które depczą im po piętach od samego rana.

Jest ich kilkadziesiąt. Największych i najbardziej agresywnych, jakie w życiu widział. Prokopowicz nie ma pojęcia, dlaczego aż tyle postanowiło połączyć się w watahę i ruszyć za nimi. Wie tylko, że gdyby Kirył nie obudził się wcześnie, żeby się wysikać, i nie dostrzegł ich z oddali, kiedy pędziły po zboczu, wspinając się w górę jak lawa płynąca w odwrotną stronę, prawdopodobnie już by nie żyli.

Prokopowicz naprowadza celownik na rozklekotany most kolejowy łączący brzegi wąwozu, który pokonali wcześniej. Nieużywana linia kolejowa została zbudowana przez więźniów gułagu w latach pięćdziesiątych, kiedy działała jeszcze sieć państwowych obozów pracy. Zamierzali uciec, przechodząc po rozpadającym się starym moście. Uznali, że wilki będą się bały albo nie dadzą rady się tędy przedostać. Z drzewa obserwuje więc most przez lunetę sztucera, czeka i patrzy.

Kiedy myśli o swojej żonie, wilki wypadają całą zgrają spomiędzy drzew i pędzą w kierunku wąwozu.

– *Czto za galima* – mruczy pod nosem, gdy zwierzęta zmierzają prosto na most.

Patrzy, jak zaczynają powoli i z uwagą przeprawiać się na drugą stronę, ostrożnie stawiając zwinne łapy, jedna za drugą, na rozsypujących się podkładach i żelaznych belkach.

– *Blad'!* – mówi do nieba. – *Wsio zajebało!*

Rozdział 65

Wypluwając lepką sosnową igłę, Prokopowicz wpatruje się nieruchomym wzrokiem w zbliżające się wilki. Próbuje je policzyć, mimo że poruszają się dość szybko. To zadanie wkrótce go jednak przerasta. Nie da rady ich zliczyć. Jest ich za dużo. Nie wierzy własnym oczom. Słyszał o watahach złożonych z dziecięciu, może piętnastu zwierząt. A teraz z lasu wysypuje się co najmniej pięćdziesiąt wilków i przechodzi przez most, żeby ich dopaść.

Zarzuca sztucer na plecy i szybko schodzi z drzewa.

– No i co, panie łowczy? – pyta Kirył, kojąc nerwy łykiem wódki z manierki.

Kirył ma kalafiorowatą twarz pokrytą różowym trądzikiem. Jego oczy przypominają rodzynki.

Prokopowicz milczy przez chwilę, marszcząc czoło. Nie boi się o Saszę, który ciągle gra w hokeja, ani o swojego kuzyna Jirga, sztangistę; najbardziej niepokoi się o najtęższego z całej trójki, swojego najlepszego przyjaciela. Hałaśliwy i mało rozgarnięty Kirył kuca oparty plecami o pień drzewa, sapiąc z wysiłku po szybkim marszu pod górę. Kirył jest gruby jak wieprz, pali jak lokomotywa i rusza się wolno jak soki w drzewach w styczniu.

Balast, myśli ponuro Prokopowicz, gdy patrzy na przyjaciela.

– *Blad'!* Wiejemy, zapijaczona świnio. Spadamy stąd!

Wilki są teraz chmarą szarych kropek w oddali i wspinają się po zboczu, omijając slalomem drzewa. Nie wydają żadnego dźwięku.

Nie słychać żadnego wycia ani warczenia. Biegną w ciszy.

– Szybciej! Wiej, jeżeli ci życie miłe!

Mają ostatnią szansę. Nad wąwozem jest jeszcze jeden most, niecały kilometr na północ od nich. W gorszym stanie niż pierwszy, właściwie sam szkielet, bez żadnych podkładów. Będą musieli się wspiąć po zardzewiałej kratownicy. To plan prawie samobójczy, zwłaszcza dla biednego grubego Kiryła. Ale nie ma innego wyjścia. W każdym razie nie ma sposobu, żeby czworonożne wilki zdołały pokonać most. Chodzi tylko o to, żeby zdążyć.

Kiedy mają już most w zasięgu wzroku, nagle Kirył pada na ziemię. Wygląda okropnie. Rozpaczliwie łapie oddech jak ryba wyjęta z wody, kaszle w kułak. Ma spuchniętą twarz, która przybrała kolor barszczu.

– *Bolsze... niet* – wysapuje między haustami powietrza. – Dalej... nie... mogę. Ani... kroku.

– Niech cię szlag! – Prokopowicz wymierza mu mocnego kopniaka. Z takim samym skutkiem mógłby kopnąć oponę. – *Mudak!* Wstawaj, sukinsynu.

– *Blad', blad'* – wtrąca Jirg. – Moja żona nie zostanie wdową dlatego, że jesteś gruby, skurwielu.

– *Pojditie!* Idźcie! Obaj! – mówi Prokopowicz, klękając z chrzęstem na sosnowych igłach obok Kiryła. – Kirył musi złapać oddech. Dogonimy was przy moście.

Saszy i Jirgowi nie trzeba powtarzać. Znikają w mgnieniu oka.

Prokopowicz obejmuje rozdygotane ramiona Kiryła i spogląda smętnie na majaczące w oddali na wschodzie szczyty Uralu.

– Idź, Czesław – dyszy Kiryl. – Nie zostawaj. – W jego małych oczkach maluje się rezygnacja i smutek. – Jirg ma rację. Jestem gruby i do niczego. Za słaby jestem. Zawsze byłem.

Kiryl to niezgrabny i nieporadny dureń wyśmiewany przez wszystkich. Ratuje go tylko to, że sam zawsze śmieje się z siebie najgłośniej, dlatego właśnie jest najlepszym przyjacielem Czesława.

Sprawdzając amunicję w sztucerze, Prokopowicz widzi wilki wbiegające między drzewa.

– Przepraszam – mówi Kiryl, gdy słyszą już dyszenie wilków. Płacze. Głos mu się łamie i drży. – Zawsze uwielbiałem te polowania. Jesteś moim wielkim przyjacielem, Czesław. Milionerem nie zostałem, ale jak mam takiego przyjaciela, czuję się bogaty.

– *Zatknis'!* – Prokopowicz z lekceważeniem strzyka śliną w sosnowe igły. – Zamknij się, cioto, i łap za broń. Przeżyjemy.

Wilki zbliżają się do nich, a tymczasem Prokopowicz patrzy na dolinę. Na tej wysokości świeci ostre słońce, ale równinę za mostem, gdzie leży wioska, spowijają chmury i ciemna czerwonofioletowa poświata, jak gdyby zalewał ją czarny blask.

A więc tu umrę, myśli Prokopowicz.

Po chwili na polanie staje pierwszy wilk, samiec o oczach żółtych jak księżyc.

Jest ogromny, waży co najmniej z pięćdziesiąt kilo. Kiedy Czesław w dzieciństwie polował z ojcem, widział raz, jak wilk mniejszy od tego powalił byka łosia.

Szkoda, że nie jestem bykiem łosia, myśli.

– Wstawaj, idioto – mówi do Kiryła.

Kirył z trudem podnosi się na nogi.

Stoją plecami do siebie, trzymając broń w pogotowiu. Prokopowicz wie, jak postępować z wilkami. Trzeba stać w miejscu. Jeżeli się nie ruszysz, uszanują cię i będziesz żyć. Zaczniesz uciekać – już po tobie.

Wilki gromadzą się wokół nich. Nadchodzi ich coraz więcej. Grupy wilków zaczynają się łączyć, mieszać ze sobą, zwierać szeregi. Słychać pomruki, kłapanie zębów, staccato groźnych warknięć. Zwierzęta otaczają ich kołem. Podchodzą i wycofują się na przemian. Powietrze wypełnia kakofonia krótkich szczeknięć.

Prokopowicz czuje, że oparty o niego Kirył dygocze.

– Stój spokojnie, *mudak* – mruczy pod nosem. – Będziemy stać w miejscu, przeżyjemy. Zaczniemy uciekać, zginiemy. One wyczuwają twój strach.

– *Eto pizdiec, eto pizdiec* – na wpół jęczy, na wpół mamrocze Kirył. – Wszystko w pizdu.

Naciska spust swojego sztucera i strzela z biodra, mierząc na oślep do gromady wilków. Czesław czuje uderzenie kolby broni przyjaciela w łokieć. W górę tryska strumień krwi jak jasny sok z jeżyn, rozlega się żałosny skowyt.

– Kirył! – krzyczy. – Nie!

Słyszy, że Kirył znów naciska spust. Znów wycie i strumień krwi.

Przez krąg wilków przetacza się nowa fala poruszenia, szczekanie wybucha z nową zajadłością.

Wszystko jedno, myśli Czesław. Pieprzyć to. I też strzela do watahy.

Zabijają jakieś siedem sztuk. Wciąż nadchodzi ich więcej.

Nagle Kirył postanawia zwiać. Porzuca ich stanowisko pośrodku kręgu i próbuje uciekać. Chwilę później – ułamek chwili, tak krótki, że trudno go nawet nazwać mgnieniem oka – krąg wilków błyskawicznie się zamyka. Zmienia się w wir sierści, rozwartych gardeł, wierzgających łap, zaciśniętych szczęk, skotłowanych w bezładną masę. Prokopowicz posyła w stado jeszcze parę kul, ale to i tak nie ma sensu. Wilki rzucają się na obu mężczyzn, którzy znikają pod ich ciałami.

Zgiełk i kotłowanina ustają dopiero po kilku minutach. Wataha się cofa, wilki rozdzielają się i zaczynają krążyć po polanie, obwąchując ziemię. Tarzają się i warczą, nie groźnie i agresywnie, ale w zabawie.

Czesława i Kiryła już nie ma. Nie ma ciał. Na trawie i igliwiu czerwienieje krew. Wiele wilków ma umazane krwią pyski i wargi, kilka z nich zlizuje krew z wilgotnej, zlepionej sierści. Inne tu i ówdzie wykłócają się o kości. Ale obaj mężczyźni po prostu zniknęli.

Rozdział 66

Kiedy z impetem otworzyłem drzwi naszego mieszkania, na pewno wyglądałem jak zombie, który właśnie wylazł z krypty. Z kuchni dobiegały brzęki i szybkie kroki Chloe wypakowującej zakupy. Zostawiłem klucze w zamku i szybko pobiegłem przez przedpokój.

Stanąłem w drzwiach kuchni, a Chloe spojrzała na mnie, jakbym do reszty zwariował. Tak zresztą wyglądałem: byłem czarny od lepkiego brudu i ciężko dyszałem po długim biegu z Bryant Park.

Ale nie zwariowałem.

Po raz pierwszy od lat wiedziałem, że się nie mylę.

– Hej – powiedziałem.

– No i jak spotkanie z burmistrzem? – spytała Chloe.

W jej głosie brzmiała nuta sarkazmu.

– Niewiarygodnie owocne.

Chloe, która klęczała przed otwartą lodówką, wstała i ją zamknęła.

– Właśnie dzwonili z biura burmistrza. Co się z tobą działo, do cholery?

Wziąłem z rąk Chloe słoiczek z salsą, który trzymała

w roztargnieniu, i z rozmachem postawiłem go na blacie. Chwyciłem ją za ramiona, usiłując złapać oddech.

– Już wiem! – Z podniecenia słowa więzły mi w gardle. Próbowałem się uspokoić. – Te ataki... przyczyną nie jest żaden wirus... tylko feromony.

Chloe spojrzała na mnie z niedowierzaniem.

– Chyba mówisz bez sensu, Oz.

Chciałem klapnąć na krzesło przy kuchennym stole.

– Nie dotykaj mebli! – krzyknęła.

Zatrzymałem się w pół ruchu i nie usiadłem.

– W drodze na spotkanie zauważyłem bezpańskiego psa – powiedziałem. – Wszedłem za nim do tunelu pod Bryant Park. Zobaczyłem tam więcej psów. Tysiące.

Chloe skinęła głową. Powoli kojarzyła.

– Widziałeś inną sforę? – zapytała. – Taką jak tamta z wideo?

– Aha – przytaknąłem, kiwając głową. Zacząłem brudnymi palcami wycierać pot z oczu, ale po zastanowieniu zmieniłem zamiar i próbowałem go usunąć, mrugając powiekami. – A teraz posłuchaj. Wszystkie były razem, w wielkiej gromadzie, ocierały się o siebie. Nigdy dotąd nie widziałem takich zachowań u psów. Parzyły się, wymiotowały. Miały specjalne pomieszczenia, w których suki się szczeniły.

– Obrzydliwe – odparła Chloe.

Nagle odsunęła się ode mnie, przysłaniając rękami twarz.

– *Mon Dieu!* Co to za smród? – zapytała, gdy z całą ostrością poczuła zapach pozostawionej przez psy mazi, przez którą się czołgałem.

– Właśnie!

Wyśliznąłem się z koszuli. Chwilę później zrzuciłem spodnie. Zostawiałem czarne ślady na wyłożonej płytkami

podłodze. W samej bieliźnie i skarpetkach zacząłem prze-
szukiwać kuchenne szuflady, dopóki nie znalazłem plastikowego worka, do którego wrzuciłem ubranie i mocno go
zawiązałem.

– Musimy zbadać moje ubranie. Chodzi o zapach. Wydaje
mi się, że wydzielają go psy. One prawie w ogóle nie zachowywały się jak psy, Chloe. Wiem, że to brzmi idiotycznie.
Zachowywały się jak owady. Jak mrówki, pszczoły, coś w tym
rodzaju. Zwierzęta nie fiksują z powodu wirusa takiego jak
wirus wścieklizny. Trzeba przeprowadzić badania pod kątem
jakiegoś nowego feromonu w środowisku.

– To wariactwo – odrzekła Chloe, nie odrywając dłoni od
twarzy.

– Naprawdę tak myślisz? – spytałem. – Od początku mieliśmy odpowiedź przed nosem. Jak porozumiewają się zwierzęta? Mówię o podświadomości. W jaki sposób psy, niedźwiedzie, hieny rozpoznają się nawzajem, poznają swoje
środowisko i terytorium?

– Wydzielając i wyczuwając feromony – odparła Chloe.

– Życie na swoim podstawowym poziomie to chemia –
powiedziałem. – Zgadza się?

– Hm.

– Grupy związków cząsteczkowych reagują na grupy innych związków cząsteczkowych. Kiedy zwierzę wyczuwa
rywala albo drapieżnika, dostaje informację, która zmienia
jego zachowanie. I to właśnie tu zachodzi. W pewnym sensie.
Tyle że zwierzęce sygnały ulegają jakimś zakłóceniom. Od-
bierane sygnały każą zwierzętom zachowywać się wbrew
instynktowi. Coś jest nie tak, coś się zmieniło albo w samych
feromonach, albo w sposobie, w jaki zwierzęta je odbierają.

– Może to rzeczywiście ma sens – uznała Chloe, powoli

kupując moje argumenty. – Te nieprawidłowości, które znaleźliśmy w mózgach zwierząt, występowały w ciele migdałowatym, zwykle kierującym zmysłem powonienia.

Chodziłem po kuchni w samej bieliźnie tam i z powrotem, wciąż trzymając worek na śmieci wypchany moim cuchnącym ubraniem.

– To może mieć coś wspólnego nawet z tym, co napadło Attylę – ciągnąłem. – Szympans nie ma zbyt dobrego węchu. Tylko że wyciągnąłem go z laboratorium wytwórni perfum, gdzie przeprowadzali na nim eksperymenty chemiczne. Pewnie ten feromon, czy cokolwiek to jest, doprowadził Attylę do szału.

– Na przykład steryd lub coś w tym rodzaju – stwierdziła Chloe. – Zwierzęta wpadają we wściekłość pod wpływem czynnika chemicznego?

– Niewykluczone.

– Ale dlaczego tak niespodziewanie? Co zmienia sposób odbierania feromonów?

– Nie wiem. Ale wiem, że trzeba znaleźć ekspertów od feromonów i posadzić ich przy wspólnym stole. To zadanie na wczoraj, a raczej na pięć lat temu. Zadzwonię do laboratorium, a ty dzwoń do Leahy'ego, tego faceta z rządu. Chyba w końcu coś się nam udało.

Rozdział 67

Przez resztę poranka długo i intensywnie korzystałem z prysznica oraz telefonu, który grzał się jak w telewizyjnej akcji charytatywnej Jerry'ego Lewisa.

Po południu siedzieliśmy z Chloe i Elim przy stole w kuchni, spakowani i gotowi do wyjścia. Kiedy mój telefon leżący na blacie wydał bzzzt, bzzzt, a na ekranie pojawił się komunikat NUMER NIEDOSTĘPNY, domyśliłem się, że przed domem stoi już nasz transport. Podszedłem do okna i wyjrzałem.

Kiedy Mike Leahy z NSA powiedział, że wysyła samochód, żeby odwieźć nas w bezpieczne miejsce, myślałem, że mówi o zwykłym samochodzie.

Na chodniku przed budynkiem stał pancerny wojskowy humvee w maskujących kolorach z karabinem maszynowym na stalowej wieżyczce, przy którym siedział żołnierz. Pewnie nie chcieli zwracać uwagi na ulicy.

W korytarzu na dole spotkaliśmy młodego, rudego i piegowatego chłopaka, jak gdyby prosto z komiksów o Archiem Andrewsie. Zasalutował.

– Porucznik Durkin, Trzecia Dywizja Piechoty – przedstawił się, wyrzucając z siebie słowa w wojskowym rytmie, ze wznoszącą intonacją.

– Jezu, naprawdę robi się aż tak poważnie, poruczniku? – zapytałem, wskazując na wojenny pojazd, do którego najwyraźniej mieliśmy za chwilę wsiąść. Durkin wziął od nas bagaże jak służący i zaprowadził nas do humvee.

– Trwa ewakuacja Manhattanu na południe od Dziewięćdziesiątej Szóstej – powiedział. – Zaczynamy od szpitali i hospicjów.

– Co takiego?! Dlaczego?

– Przez szczury.

Jadąc przez Manhattan, widzieliśmy barykady i posterunki kontrolne. W mieście roiło się od kobiet i mężczyzn w wojskowych strojach maskujących. Jedynymi pojazdami, jakie mijaliśmy po drodze, były służbowe autobusy do ewakuacji ludności i wojskowe hummery.

Na Times Square było pusto. Gdy przejeżdżaliśmy obok Ed Sullivan Theater, gdzie nagrywają wieczorny program Davida Lettermana, spojrzałem na ciemną markizę. Dzisiaj nie będzie żadnych głupich żarcików o zwierzętach.

Kiedy skręciliśmy na zachód w Pięćdziesiątą Siódmą, usłyszeliśmy huk płomieni i wyjrzeliśmy przez okno. Zobaczyliśmy dwóch żołnierzy w srebrnych kombinezonach, którzy klęczeli przy otwartej studzience włazowej i mierzyli z miotaczy ognia w podziemia.

Zatrzymaliśmy się na rogu Piątej Alei i Osiemdziesiątej Pierwszej. W poprzek ulicy przed Metropolitan Museum of Art rozciągnięto ogrodzenie z siatki i wzmocniono workami z piaskiem.

Czyżby Upper East Side została już zajęta? Kiedy się to wszystko stało? I czemu o niczym nie słyszałem? Świat tak szybko stanął na głowie? W ciągu kilku godzin? Jeszcze dziś rano wydawało mi się, że wszystko jest w porządku.

– Na razie kwatera główna mieści się w budynkach na tym odcinku ulicy – wyjaśnił Durkin, kiedy strażnik wpuścił nas przez prowizoryczne ogrodzenie. – To trochę przypomina Zieloną Strefę w Bagdadzie.

– Albo Strefę Zero po jedenastym września – odparłem.

Minęliśmy przyczepy wypełnione workami z piaskiem i piramidy skrzynek z butelkami z wodą, aż zatrzymaliśmy się przed okazałym przedwojennym budynkiem z granitu, dokładnie naprzeciwko muzeum. Wnętrze pyszniło się złoceniami, kolumnami korynckimi, szkłem, marmurem, mosiądzem i paprociami w donicach. Durkin zaprowadził nas do wielkiego holu, gdzie sierżant nowojorskiej policji skontrolował nasze dowody tożsamości i bez widocznej przyczyny sprawdził nas ręcznym wykrywaczem metalu – nawet Eliego, aby się upewnić, czy nasz trzyletni synek nie wnosi ukrytej broni.

– Kto tu dowodzi? – zapytałem Durkina.

– Pułkownik Walters, ale jest w terenie.

– W terenie?

– To znaczy w mieście. Chyba jest tu kilku innych naukowców. Ale najpierw zaprowadzę państwa do kwatery.

Kwatery były bardzo ładne. Wprowadził nas do dwupoziomowego apartamentu za parę milionów, wysokiego na ponad trzy i pół metra, z olbrzymimi kominkami i kasetonami na suficie. Salon był zastawiony marmurowymi rzeźbami i obwieszony afrykańskimi maskami. Ścianę w jadalni zdobił Chagall.

– Niczego sobie. Jak wojsku udało się podnająć Xanadu? – zwróciłem się do Durkina.

Porucznik wzruszył ramionami.

– Wątpić nie nasza to rzecz* – odparł. – Proszę się rozgościć. Spotkanie odbędzie się na parterze o szesnastej. Udanych wakacji na końcu świata.

---

* Parafraza fragmentu wiersza *Szarża Lekkiej Brygady* Alfreda Tennysona w przekładzie Stanisława Barańczaka.

Rozdział 68

Zostawiliśmy Eliego w tymczasowym punkcie opieki, który zorganizowano dla dzieci naukowców na piątym piętrze budynku, i zeszliśmy na dół pomóc w przygotowaniach do spotkania. Zdziwiłem się, jak szybko Chloe i ja zaadaptowaliśmy się do realiów tego katastroficznego scenariusza. Odwozisz dziecko do przedszkola, a nazajutrz zabierasz je do punktu opieki przy rządowym centrum ewakuacji. Cóż innego mogliśmy zrobić?

Pracowaliśmy z wojskowymi technikami ubranymi w mundury maskujące w dużej niszy przestronnego marmurowego holu, starając się zamienić salę jadalną w salę konferencyjną z prawdziwego zdarzenia, wyposażoną nawet w tablicę interaktywną. Podłużny stół w krwistym kolorze mahoniu miał tak lśniący blat, że światło odbijało się w nim jak w lustrze. Pomieszczenie było ogromne, wysokie na ponad cztery i pół metra, z marmurowymi sztukateriami w rogach, ozdobione ciemnymi olejnymi portretami rekinów finansjery z końca XIX wieku. Nad stołem wisiał żyrandol jak kiść kryształowych winogron.

Przez następną godzinę Chloe i ja witaliśmy naukowców,

których władze dowiozły na miejsce hummerami i helikopterami. Poza moją koleżanką doktor Quinn udało się zwerbować większość pozostałych pracowników laboratoriów z Columbii oraz kilkunastu czołowych entomologów, ekologów i przedstawicieli innych nauk.

– O, popatrz, kto przyszedł – powiedziałem do Chloe, przysłaniając usta ręką. – Doktor Harvey Bufon.

Chloe przewróciła oczami.

Doktor Harvey Saltonstall, szef katedry biologii ufundowanej przez Henry'ego Wentwortha Wallace'a na Harvardzie, uścisnął mi rękę, witając mnie sztywno i ozięble. To dość miłe uczucie, gdy nasi wrogowie przekonują się na własne oczy, że mamy rację, więc nie mogłem się powstrzymać od ironicznego uśmieszku. Nie lubiłem tego faceta. Kiedy ostatni raz go widziałem, zajmował drugą połowę ekranu w MSNBC w programie prowadzonym przez Rachel Maddow. Ponad rok temu. Oczywiście wypadłem jak oszołom na tle jego wizerunku arystokraty – przystojniaka w tweedowym garniturze, od czasu do czasu odgarniającego do tyłu elegancką siwą czuprynę.

Publiczny i głośny sprzeciw Harveya Saltonstalla wobec KOCZ opóźnił badania o dobre parę lat. Dlaczego w ogóle się nie zdziwiłem, że ten pieprzony nadgorliwy pieszczoch elit zajmuje honorowe miejsce w zespole, któremu władze powierzyły rozwiązanie problemu?

Wreszcie stanąłem u szczytu stołu konferencyjnego, przy którym zasiadły najświatlejsze umysły w kraju. Miałem nadzieję, że wystarczy nam wiedza tęgich głów zgromadzonych w tej sali. I że nie jest jeszcze za późno.

Zacząłem od zdania relacji z tego, co rankiem widziałem w podziemiach Bryant Park.

– Na początku sądziłem, że KOCZ ma podłoże wirusowe – powiedziałem, spoglądając na twarze zebranych. Każdy z nich pokiwał głową. – Ale widząc dziś z bliska tak dziwne zachowanie zwierząt, uważam, że czas przyjąć inne założenie. Moim zdaniem, w grę wchodzą feromony. Psy, które dziś widziałem, przejawiały podręcznikowe zachowanie wywołane działaniem feromonów agregacyjnych. Przypuszczam, że w środowisku pojawił się jakiś zmodyfikowany feromon, prawdopodobnie z naszej winy, ponieważ wszystko wskazuje na to, że jesteśmy jedynym gatunkiem ssaków odpornym na jego działanie.

– I po to tu przyszliśmy? – Harvey Saltonstall z pietyzmem podniósł stojącą przed nim filiżankę i napił się kawy, podczas gdy wszyscy czekali na jego następne słowa. – Środowisko? Litości. Ta teoria jest po prostu infantylna. Feromon to specyficzna substancja chemiczna służąca komunikacji w obrębie jednego gatunku. Nigdy nie słyszałem o tym samym feromonie działającym na wiele gatunków. Sugeruje pan istnienie jakiegoś niewidzialnego gazu, który miesza w głowach wszystkim ssakom oprócz człowieka? Dlaczego nie ma na nas wpływu?

Choć Saltonstall potrafił być irytujący, wiedziałem, że trafił w dziesiątkę. Od razu wsadził palec w największą dziurę w mojej teorii. Przygryzłem wargi i zatopiłem się w myślach.

Rozdział 69

Harvey Saltonstall splótł palce i zaczął je zginać i prostować, zamierzając ze zdwojoną siłą przypuścić atak. I nagle do dyskusji wtrąciła się Chloe, aby mnie ratować.

– A zanieczyszczenie? – wypaliła.

– Co zanieczyszczenie? – zdziwił się Saltonstall.

– Czasem zanieczyszczenie środowiska powoduje zmiany mutacyjne u zwierząt. Weźmy na przykład nylonazę. W zbiorniku ze ściekami przy zakładzie produkującym nylon w Japonii znaleziono gatunek bakterii żywiącej się tylko nylonem. Zanieczyszczenie doprowadziło do genetycznych zmian u bakterii, które żyły tam już wcześniej.

– Wszystko to brzmi bardzo pięknie i przekonująco, kiedy mowa o zanieczyszczeniach – odparł Saltonstall. – Wydawało mi się jednak, że rozmawiamy o feromonach. Co wspólnego mają zanieczyszczenia z feromonami?

Zabębniłem palcami o blat stołu.

– Węglowodory – powiedziałem. – To one łączą feromony i zanieczyszczenia. Feromony składają się z węglowodorów. Tak jak ropa naftowa.

Wszyscy przy stole nieco się wyprostowali. Myśli kłębiły

279

mi się w głowie. Nie mogłem się powstrzymać. Zerwałem się z miejsca i zacząłem chodzić tam i z powrotem za swoim krzesłem.

– Węglowodory są wszędzie – ciągnąłem. – Rozwój motoryzacji i działalności przemysłowej w ciągu ostatnich dwustu lat spowodował gigantyczny wzrost poziomu lotnych węglowodorów w atmosferze. Metanu, etylenu...

– Nie mówiąc o upowszechnieniu ropy naftowej – dodała Chloe. – Ropa jest wszędzie: w plastiku, farbach do malowania ścian, balonach, poduszkach, szamponie. Przenika do wód gruntowych.

– W latach dziewięćdziesiątych prowadzono zdaje się jakieś badania nad zagrożeniem tworzyw sztucznych dla zdrowia, kiedy odkryto ich podobieństwo chemiczne do estrogenów, prawda? – odezwał się doktor Terry Atkinson. Był inżynierem chemikiem z Cooper Union.

Miałem ochotę skoczyć przez stół i przybić mu piątkę. Ale tego nie zrobiłem.

– Tak! – potwierdziłem. – Jeżeli węglowodory mogą imitować estrogen, nie można wykluczyć, że mogłyby imitować feromony.

– A na przykład związek stosowany w plastikowych butelkach na wodę – odezwała się doktor Quinn, wymachując długopisem w powietrzu. – Odkryto, że z jakiegoś powodu wywołuje skokowy wzrost poziomu estrogenu u ryb. W jeziorze niedaleko zakładu produkcyjnego w Niemczech badacze nie znaleźli żadnych samców ryb.

– Brniemy w ślepy zaułek, proszę państwa – upierał się Saltonstall. Odchrząknął i przygładził srebrzystą czuprynę. – Jak mogą się zmieniać chemiczne właściwości węglowodorów bez żadnego katalizatora? Mamy plastik od ponad pięćdziesięciu lat. Jeżeli oddziałuje na sposób, w jaki zwierzęta wytwarzają i odbierają feromony, chyba zauważylibyśmy to dużo wcześniej, prawda?

Wypuściłem powietrze z płuc, zastanawiając się nad odpowiedzią. Saltonstall znów wysunął celny kontrargument.

– Przepraszam, panie Oz – powiedziała Betty Orlean, sozolog z Uniwersytetu w Chicago. – Krótkie pytanie. Kiedy zaczął pan obserwować wzrost agresji u zwierząt?

– Z moich danych wynika, że około tysiąc dziewięćset dziewięćdziesiątego szóstego roku – odparłem. – Ale sytuacja stała się poważna dopiero w pierwszej dekadzie tego wieku.

– W dziewięćdziesiątym szóstym, czyli w czasie, kiedy zaczęły zyskiwać popularność telefony komórkowe – powiedziała nieco zagadkowo Betty. – A od tego momentu liczba użytkowników telefonów komórkowych gwałtownie wzrosła. – Jej myśl nie była do końca uformowana.

– Co z tego? – spytał Saltonstall.

– Otóż wiemy, doktorze Saltonstall – odrzekła – że telefonia komórkowa wykorzystuje energię o częstotliwości radiowej. Powstają pola promieniowania elektromagnetycznego, które mogą oddziaływać na niektóre funkcje życiowe zwierząt na poziomie komórkowym. Od lat istnieje obawa, że jedno pole może zakłócić drugie. Dlatego prowadzi się tyle badań nad związkiem między używaniem telefonów komórkowych a rakiem mózgu. Nasz świat od lat zalewa bezprecedensowe morze promieniowania.

– Tak – powiedziałem, zapalając się coraz bardziej. – Być może promieniowanie telefonów komórkowych przekształca istniejące w środowisku węglowodory w nieznany dotychczas sposób: tworząc z nich substancję chemiczną, którą zwierzęta odbierają jako feromon. A ona zmienia fizjologię ich mózgu, jak zaobserwowaliśmy w trakcie badań na Uniwersytecie Columbia. Wiemy, że hiperagresywne zwierzęta mają powiększone ciało migdałowate.

– Oz, chyba coś sobie przypominam – wtrąciła doktor Quinn. – To było badanie pszczół w Holandii. – Mówiła wolno i w roztargnieniu, stukając w stojący przed nią laptop. – Mam. Wyświetlę to na tablicy.

Po chwili na ekranie tablicy interaktywnej pojawił się artykuł naukowy pełen wykresów.

– Badanie przeprowadzono w Holandii w połowie lat dziewięćdziesiątych – ciągnęła. – Pokazuje wpływ promieniowania na pszczoły, których gniazdo zostało przeniesione w pobliże wieży przekaźnikowej. Jak widać na pierwszym wykresie, kiedy pszczoły mieszkały w lesie, bez kłopotu trafiały do gniazda, wracając z żerowania.

Wstała, podeszła do tablicy i wskazała krzywe linie na następnym wykresie.

– Tu jednak widzimy, że kiedy umieszczono gniazdo obok wieży przekaźnikowej, powrót pszczół trwał coraz dłużej, aż w końcu cały rój zginął.

– Zaintrygowała mnie teoria pana Oza – oświadczyła doktor Orlean. – Wydaje mi się, że znaleźliśmy sprawców: zanieczyszczenie węglowodorami i promieniowanie elektromagnetyczne telefonów komórkowych wspólnie doprowadziło do katastrofy w biosferze.

Zebrani przy stole pokiwali głowami. Harvey Saltonstall był wyraźnie zirytowany. Niemal widziałem, jak podnosi mu się ciśnienie i para bucha uszami.

– Ale to nie wyjaśnia, dlaczego te rzekome węglowodoropochodne feromony nie oddziałują na człowieka. Potrafi to pan wytłumaczyć, panie Oz?

Lekko zaakcentował słowo „panie", aby wszystkim przypomnieć, że nie mam doktoratu.

Znów przygryzłem wargę. Tym razem jednak chciałem tylko zrobić dramatyczną pauzę. Odpowiedź już znałem.

– Ludzie nie mają narządu Jacobsona – powiedziałem do Saltonstalla. – Organu przylemieszowego w głębi jamy nosowej, reagującego na feromony w powietrzu. Występuje prawie u wszystkich ssaków, ale nie u człowieka. Pojawiły się teorie, że ludzki narząd Jacobsona mógł tracić na znaczeniu w miarę ewoluowania naszych związków z psami. U psa rósł, u człowieka zanikł. Wiele genów kluczowych dla funkcjonowania narządu Jacobsona jest zupełnie nieaktywnych u ludzi.

Rozejrzawszy się po sali, zorientowałem się, że wygrałem.

Saltonstall miał minę, jak gdybym na oczach wszystkich ściągnął mu spodnie, przypuszczałem więc, że wie, o czym mówię. Doktor Orlean uśmiechnęła się do mnie.

– Brawo, panie Oz – powiedziała. – Chyba nikt nie zaprzeczy, że to przełom w tej sprawie. Myślę, że w końcu trafiliśmy w dziesiątkę. Po raz pierwszy odnoszę wrażenie, że mamy szansę zrozumieć, co wywołało KOCZ.

– Tak, ale to, niestety, prowadzi nas do następnego pytania – odparłem. – Jak go zatrzymać?

Rozdział 70

Poobijany policyjny van lawiruje po zatłoczonych i tonących w tumanach kurzu ulicach wschodniego Delhi, wydając słaby, modulowany pisk.

Siedzący za kierownicą furgonetki świeżo awansowany młodszy aspirant Pardeep Sekhar ociera pot z twarzy rękawem bluzy w kolorze khaki i o mały włos nie potrąca sprzedawcy owoców. Handlarz rzuca stekiem przekleństw, na które Pardeep odpowiada lekceważącym machnięciem ręki.

– Lepiej sobie wyczyść uszy, kmiotku – burczy obojętnym tonem przez okno. – Ten dźwięk to nie żaden demon, tylko syrena. Która mówi: z drogi. Jedzie policja!

Za napływ migrantów ze wsi do stolicy w ciągu ostatniego dziesięciolecia Pardeep wini telewizję i internet. Wszystkie te kanały wabiące naiwnych analfabetów blaskiem świateł i bollywoodzkim stylem życia, którego nigdy nie zakosztują. Kiedy nie mogą znaleźć pracy, zaczynają się parać drobnymi przestępstwami – złodziejstwem, kradzieżą torebek. A wtedy na scenę wkracza on.

Na następnym zatłoczonym skrzyżowaniu śmieje się w duchu, patrząc, jak facet w wiśniowym lamborghini próbuje ominąć wóz zaprzężony w osła. Luksusowy włoski samochód przemykający z rykiem silnika obok kłapoucha – oto Indie dwudziestego pierwszego wieku w pigułce. Epoka cyfrowa spotyka się z epoką kamienia.

Gdybym tylko miał aparat, myśli. Zdjęcie na pewno spodobałoby się chłopakom na komisariacie.

Rewir Pardeepa to Yamuna Pushta – największe slumsy w Delhi, czyli poważny kandydat na największe slumsy na świecie. Wszędzie ciągną się rzędy *jhuggis*, prowizorycznych chatek skleconych z drewna i kartonów powiązanych sznurkami. Dzielnica nędzy nie ma elektryczności ani kanalizacji. Dzisiaj jej mieszkańcy puszczają latawce i grają w siatkówkę; w błocie bawią się uśmiechnięte nagie dzieci.

Pardeep zatrzymuje vana przed dwupiętrowym betonowym blokiem mieszkalnym, który stoi przy wyjątkowo cuchnącym odcinku Jamuny. Jamuna to dopływ Gangesu. Kąpiel w jego wodach, zdaniem świętych mężów, ma uwolnić człowieka od mąk śmierci.

Pardeep zakręca okno i przez zakurzoną szybę patrzy na gładką, brązową powierzchnię tego szamba. Wzdycha i wyłącza silnik.

Zgoda, rzeka może uwolnić człowieka. Ale nie od śmierci. Od życia.

Spogląda na posępny dwupiętrowy budynek River Meadow Apartments. Ładnie brzmi, prawda? Nadeszły stąd sprzeczne zgłoszenia. Ludzie krzyczeli przez telefon, że ktoś się włamał, że po korytarzach krąży morderca szaleniec.

Pardeep wzrusza chudymi ramionami. Z zewnątrz dom wygląda całkiem spokojnie. Pewnie to jakiś kawał.

Mimo to na wszelki wypadek bierze z podłogi przed fotelem pasażera nowo przydzielony automat. To karabinek INSAS produkcji indyjskiej, w który wyposażono funkcjonariuszy po zamachach terrorystycznych w Mumbaju. Pardeep swobodnym ruchem zarzuca broń na ramię i rusza do wejścia.

W głębi serca ma cichą nadzieję, że to jednak nie kawał, ale prawdziwe zagrożenie terrorystyczne. Niczego bardziej by nie pragnął, niż rozwalić na kawałki jakiegoś cholernego radykała urodzonego za granicą i może przy okazji dostać awans i wyrwać się z tego śmierdzącego zadupia.

Zastanawia się, do której dzielnicy chciałby w nagrodę dostać przydział, gdy z budynku wybiega z krzykiem starszy mężczyzna.

– *Raksasom! Rana! Atanka!* – zawodzi, mijając biegiem policyjną furgonetkę.

Potwory. Zgroza. Uciekać.

Potwory. Pardeep w rozbawieniu uśmiecha się do siebie. Kawał jak nic. Pewnie dzieciaki płatają figle przesądnym staruszkom.

– Halo! Policja – mówi, wchodząc do holu. Pusto. – Policja!

Panuje tu okropny smród. Mieszanka odoru gówna, śmieci, śmierci – czyli niczego niezwykłego dla tej dzielnicy.

Nikt mu nie odpowiada. Pardeep rusza po schodach w górę.

Stojąc na półpiętrze, dostrzega jakiś ruch w półmroku na końcu korytarza. Nisko przy podłodze, może na wysokości pasa. Wygląda to tak, jakby przez pozbawioną okien klatkę schodową przemykała na czworakach okryta kocem kobieta. Pardeep nic z tego nie rozumie. Sięga po latarkę, robiąc kilka kroków naprzód.

Po chwili coś bardzo szybko rusza z ciemności w jego stronę. Pardeep włącza latarkę i widzi szmaragdowy błysk jasnych oczu. Sekundę później pada na wznak.

Nie zdąża nawet krzyknąć, gdy lampart rozdziera jego ciało od brzucha po podbródek.

Pojawiają się dwa następne, skradając korytarzem.

Lampart to jedno z najbardziej niebezpiecznych zwierząt na świecie. Piękne stworzenie o turkusowych oczach jest czasem nazywane skaczącą piłą łańcuchową, ponieważ podczas ataku używa nie tylko zębów, ale i ostrych jak brzytwy pazurów tylnych i przednich łap.

Zanim ciemna mgła zasnuwa Pardeepowi oczy, przez jego głowę przepływa ostatnie słowo.

Raksasom.

Potwory.

Rozdział 71

W nocy miałem sen. Śnił mi się krąg mrówek. Maszerowały jedna za drugą jak falujący czarny wir. Kręciły się bezustannie, a każda z nich na oślep podążała feromonowym tropem mrówki idącej przed nią. Zamknięty krąg. Wąż połykający własny ogon. Symbol bezsensu. Uwięzione w pętli mrówki biegały w kółko jak oszalałe – zdesperowane, głupie, skazane na zagładę.

Nie wiem, która była godzina, kiedy ocknąłem się w ciemności na dźwięk, który brzmiał jak sygnał oznajmiający koniec świata.

Usłyszałem przeraźliwe IIIN, IIIN, IIIN jakiegoś alarmu. Miałem wrażenie, jakbym był w łodzi podwodnej, która właśnie została storpedowana.

Zdarłem z siebie pościel i błyskawicznie usiadłem. Czujnik dymu? – pomyślałem. Jakiś alarm wojskowy?

I wtedy zauważyłem pulsujące światło na szafce nocnej i zdałem sobie sprawę, że źródłem dźwięku jest mój iPhone. Jak przez mgłę przypomniałem sobie, że poprzedniego dnia bawił się nim Eli. Trzylatek znał się na tym głupim urządzeniu lepiej niż ja. Chwyciłem telefon i wyłączyłem go. Dzieciak ustawił mi jakiś idiotyczny dzwonek DEFCON 3. Było to nawet zabawne, biorąc pod uwagę obecne niby-apokaliptyczne okoliczności*. Serce znów zaczęło mi bić i omal nie wybuchnąłem śmiechem. Odebrałem telefon.

– Panie Oz, przepraszam, że niepokoję pana o tej porze – powiedział porucznik Durkin. – Mam dla pana wiadomość od pana Leahy'ego z NSA. Na dziś rano zaplanowano spotkanie na najwyższym szczeblu w Białym Domu. Będzie na nim pani prezydent, a także Kolegium Połączonych Szefów Sztabów. Pan Leahy prosił, żeby stawił się pan osobiście i zaprezentował nową teorię, którą opracował pan z zespołem naukowców.

Przetarłem oczy. Co? Znowu spotkanie?

– Ach tak, jasne. Chyba – odpowiedziałem, włączając lampkę nocną przy łóżku. Mój mózg jeszcze nie całkiem oprzytomniał.

– Może pan zabrać ze sobą żonę i syna, ale ponieważ podróżowanie staje się niebezpieczne, chyba byłoby lepiej, gdyby zostali tu, w Bezpiecznej Strefie. Odwieziemy pana z powrotem jeszcze przed kolacją.

– W porządku, poruczniku. Kiedy wyjeżdżam? – zapytałem.

– Samolot odlatuje z Teterboro, będzie gotowy za mniej więcej godzinę. Może pan być gotowy za, powiedzmy, dwadzieścia minut?

Dwadzieścia minut, pomyślałem, jęcząc w duchu. Wczorajsze spotkanie skończyło się grubo po północy. Czułem się, jak gdybym spał najwyżej dwadzieścia minut.

---

* DEFCON (defence condition) – system oznaczający pięć poziomów gotowości bojowej amerykańskich sił zbrojnych.

– Oczywiście. Spotkamy się w holu – odparłem.

Kiedy się rozłączyłem, natychmiast zadzwoniłem do Leahy'ego.

– Leahy, po co mam się stawić osobiście? Nie wystarczyłaby telekonferencja?

– Sprawa jest skomplikowana, Oz – powiedział. – Wiem, że to wredne ściągać cię do stolicy, ale naprawdę jesteś potrzebny. Jako bardzo przekonujący mówca.

Zaskoczony zamrugałem oczami. O czym on mówi?

– Przekonujący? – spytałem. – Do czego trzeba przekonać prezydent?

– Powiem ci na miejscu – odparł Leahy.

Coś mi tu nie grało. Z jakiegoś powodu wskazówka mojego wykrywacza ściemy się poruszyła. Ostatnią rzeczą, jaką miałbym ochotę zrobić w obliczu zagłady świata, było rozstanie z rodziną, ale wyglądało na to, że chyba nie mam innego wyjścia.

– No dobrze. Do zobaczenia – powiedziałem.

Kiedy wychodziłem spod prysznica, Chloe otworzyła jedno oko.

– Prezydent i Kolegium Połączonych Szefów Sztabów organizują naradę w Białym Domu – poinformowałem ją. – Chcą mnie posłuchać. Mam się stawić osobiście w Waszyngtonie.

– Znowu masz jechać do Waszyngtonu? – zapytała, otwierając drugie oko i siadając w łóżku. – Przecież nie możesz. To zbyt niebezpieczne. Nie mogą z tobą porozmawiać, bo ja wiem, przez Skype'a czy coś w tym rodzaju?

– To miałoby sens, ale chodzi o spotkanie władz federalnych. Zdaje się, że trzeba ich przekonać do teorii o feromonach. Dopóki nie znajdą się po naszej stronie, nie posuniemy się do przodu i nie damy rady opanować tego szaleństwa. Poza tym przez całą drogę będę miał wojskową eskortę. Powiedzieli, że wrócę przed kolacją.

Kiedy skierowałem się do drzwi naszego luksusowego apartamentu, w którym ulokował nas rząd, Eli wystawił głowę ze swojego pokoju.

– Cześć, mały – przywitałem syna i przyklęknąłem obok niego. – Zmieniłeś mi melodyjkę w telefonie?

– Hm, może? – odparł.

Zmierzwiłem mu włosy i przytuliłem go do siebie.

– Posłuchaj, monsieur Może. Lecę do Waszyngtonu. Musisz tu zostać i zaopiekować się mamusią aż do wieczora, dopóki nie wrócę.

– Tatusiu, nie – powiedział Eli, krzywiąc buzię. Wstałem z klęczek. Eli objął moją nogę. – Nie mogę się opiekować mamusią. Nie wyjeżdżaj. Musisz zostać. Nie chcę, żebyś jechał.

Zanim Chloe pomogła mi oderwać go od siebie, sam byłem bliski płaczu. Zamknięcie za sobą drzwi było najtrudniejszą rzeczą, jaką ostatnio musiałem zrobić.

W holu spotkałem porucznika Durkina i razem wyszliśmy z budynku. Przy wzmocnionej workami z piaskiem bramie w poprzek Piątej Alei żołnierze i policjanci pili kawę z papierowych kubków, stojąc obok konwoju opancerzonych hummerów i policyjnych radiowozów. Silniki pojazdów pracowały, dysząc spalinami, które wirowały w białych smugach światła reflektorów.

– Jadą z nami inni naukowcy? – zapytałem porucznika Durkina, kiedy wsiadaliśmy do jednego z hummerów.

– Dostałem rozkaz, żeby odwieźć tylko pana, ale jeżeli chce pan wziąć kogoś jeszcze, mogę to sprawdzić.

Machnąłem ręką. Trochę się zdziwiłem, ale nawet mi się podobało, że zaproszono tylko mnie. W drodze na lotnisko Teterboro minęliśmy kilka punktów kontrolnych. Gdy skręciliśmy na wjazd na most Waszyngtona, zauważyłem czarny słup dymu unoszący się w oddali nad południowym Bronxem. Porucznik Durkin popatrzył na dym, a potem na mnie.

– Drobne kłopoty przy ewakuacji – wyjaśnił, odwracając wzrok. – Szabrownicy i tak dalej. Staramy się tego nie nagłaśniać.

Rozdział 72

Kiedy dotarliśmy na lotnisko Teterboro, porucznik Durkin minął bramę w ogrodzeniu z siatki i wjechał prosto na płytę lotniska. Z prawej strony z pobliskiego hangaru wynurzył się biznesowy odrzutowiec i zaczął powoli kołować w naszą stronę, mrugając światłami na skrzydłach.

Zauważyłem, że kremowa i lśniąca maszyna to najlepszy w swojej klasie gulfstream G650, luksusowy samolot, który potrafił przeskoczyć Atlantyk, osiągając prędkość blisko jednego macha.

Jeżeli sądzili, że zrobią na mnie wrażenie, podstawiając G650, żeby mnie zawieźć do Waszyngtonu, to im się udało.

Potem przyszła mi do głowy inna myśl.

To wszystko tylko dla mnie?

Dlaczego ni stąd, ni zowąd zaczęli mnie traktować jak VIP-a? Tak na pewno nie wyglądały standardowe przewozy służbowe rządu. Czyżby z jakiegoś powodu chcieli mi się podlizać?

Czego, u diabła, miało dotyczyć to spotkanie?

Porucznik Durkin został na płycie lotniska. Jakiś inny wojskowy zaprosił mnie gestem na schodki, więc wsiadłem na pokład, nie mając ze sobą nic oprócz garnituru na grzbiecie.

W kabinie gulfstreama zobaczyłem płaskie ekrany monitorów na lśniących jak lustra blatach z tekowego drewna oraz wygodne skórzane fotele, w których człowiek mógł się zapaść jak w budyń.

Kiedy zajmowałem jedno z ośmiu wolnych miejsc, pomyślałem, że wnętrze jest urządzone jak czyjś prywatny gabinet. Gabinet, który latał na wysokości piętnastu tysięcy metrów z prędkością tysiąca stu kilometrów na godzinę. Nie zdążyłem się nim jednak nacieszyć. Zanim jeszcze wystartowaliśmy, stewardesa podała mi kubek kawy, którą ciągle piłem, gdy dwadzieścia pięć minut później koła samolotu z cichym piskiem dotknęły płyty lotniska Reagan National.

Samolot kołował przy cichnącym wizgu silników. Wyjrzałem przez okno. Lotnisko wyglądało dość dziwnie. Przy terminalach stały jumbo jety, ale żaden się nie poruszał. Na płycie nie było żadnych innych samolotów. Żadna maszyna nie startowała ani nie lądowała. Lotnisko wyglądało na zamknięte. Był wtorek, ósma rano.

Zbliżyliśmy się do terminalu i zobaczyłem, że jednak coś się tu dzieje. W dwóch długich rzędach stały dziesiątki samolotów wojskowych: harrierów i warthogów A-10. Żołnierze marines uwijali się, ładując i rozładowując dwuwirnikowe helikoptery Chinook.

Powoli docierało do mnie, że lotnisko zostało zajęte przez wojsko.

Rozdział 73

Kiedy poczułem szarpnięcie zatrzymującego się samolotu, zadzwonił mój telefon, ale nie rozpoznałem numeru na wyświetlaczu. Odebrałem w chwili, gdy stewardesa odblokowała drzwi, które otworzyły się na oścież z radosnym szumem.

– Panie Oz, mówi doktor Valery. Mam wyniki badań.

Doktor Mark Valery był biochemikiem na Uniwersytecie w Nowym Jorku. Poprosiłem go o przeprowadzenie analizy chemicznej brudu z mojego ubrania.

– Co pan znalazł? – zapytałem.

– Wygląda na to, że pańska teoria na temat feromonów to strzał w dziesiątkę – odparł. – Pana ubrania były nasączone unikalnym pod względem chemicznym węglowodorem podobnym do octanu dodecylu, powszechnie występującego feromonu mrówek. Mówię „podobnym", bo nie jest identyczny. Ten materiał ma własności, których nigdy dotąd nie spotkaliśmy.

– Co pan przez to rozumie? – zapytałem.

– Łańcuchy węglowe są dziwne. Bardzo dziwne. Substancja ma wyjątkowo dużą masę cząsteczkową. W przeciwieństwie do octanu dodecylu rozpuszcza się dość wolno, co może wyjaśniać jej niezwykle mocne oddziaływanie na większe zwierzęta. Ale okazuje się, że to nie wszystko. Chyba nie tylko zwierzęta wydzielają feromon. My też.

– O czym pan mówi?

– Krótko mówiąc, zapach człowieka jest bardzo złożony – odrzekł doktor Valery. – Mamy kilka rodzajów gruczołów wydzielających różne substancje. Pot wydzielają gruczoły ekrynowe, a także gruczoły apokrynowe znajdujące się w bardziej owłosionych częściach ciała. Jest jeszcze łój.

– Substancja zawierająca nasz zapach – dopowiedziałem.

– Zgadza się. To właśnie łój wyczuwają psy tropiące konkretną osobę. Nasz olfaktoryczny odcisk palca. Przemysł perfumeryjny od lat prowadzi eksperymenty nad wykorzystaniem łoju. Sam pomagałem przeprowadzać niektóre z nich. Łój podobnie jak feromony jest pełen węglowodorów. Dlatego właśnie, kiedy usłyszałem o pańskiej przełomowej hipotezie, postanowiłem zbadać wymazy z ludzkiej skóry. Przeprowadziłem badania na sobie i kilku pracownikach laboratorium.

– I co pan odkrył? – zapytałem.

– Okazuje się, że nasz łój różni się chemicznie od niektórych próbek, które znalazłem w podobnym badaniu przeprowadzonym w tysiąc dziewięćset dziewięćdziesiątym czwartym roku. Nie wiem, czy to kwestia powietrza, diety, może przenikania plastiku do środowiska czy jeszcze czegoś innego, ale pierwsze wyniki testów wskazują, że w naszym łoju pojawił się nowy związek. Z pentanolem i maślanem metylu w składzie. Co więcej, struktura chemiczna tego nowego związku przypomina feromony, które wzywają do ataku, występujące u kilku gatunków owadów.

Wpatrywałem się w podłogę samolotu, próbując ułożyć sobie w głowie to, co właśnie usłyszałem.

– Twierdzi pan, że zwierzęta atakują z powodu naszego zapachu? – spytałem. – To nie tylko ich wina, ale i nasza.

– Proszę nad tym pomyśleć, panie Oz – odrzekł Valery. – Układ węchowy u większości ssaków jest niewiarygodnie silny. Węch psa jest około stu tysięcy razy czulszy od ludzkiego. Powonienie to podstawowy zmysł. I chyba zwierzakom nie podoba się to, co czują.

Rozdział 74

Myśląc o nowych informacjach i ich jeszcze bardziej niepokojących konsekwencjach, które wirowały mi w głowie, wysiadłem z samolotu, a dwaj żołnierze zaprowadzili mnie do błyszczącej czernią i chromem kawalkady rządowych samochodów czekających z pomrukiem silników przy hangarze.

Skoro jednym z winowajców tego chaosu był nasz naturalny zapach, jak mieliśmy temu zaradzić? Jak ludzie mogli zmienić własną woń na poziomie molekularnym? Jak to się mogło stać tak nagle? I dlaczego?

Podszedłem do pojazdów: oznakowanego radiowozu stołecznej policji, czarnego chevroleta suburbana i wojskowego hummera.

Żołnierz w mundurze maskującym podał mi rękę na powitanie. Był krępym Latynosem i miał krótko ostrzyżone, wygolone po bokach włosy, które wyglądały jak jarmułka z jeża.

– Pan Oz? – zapytał z krzywym uśmiechem. – Pan jest tym naukowcem od zwierząt, zgadza się? Widziałem pana u Oprah Winfrey. Witam w strefie wojennej, dawniej znanej pod nazwą Waszyngton. Jestem sierżant Alvarez, ale proszę mi mówić Mark. Ma pan jakieś bagaże, szkło laboratoryjne czy coś, co mogę wziąć?

– Tym razem jestem bez szkła – odparłem z roztargnieniem, gdy otwierał mi drzwi samochodu.

– To po co pan przyjechał? – spytał, sadowiąc się za kierownicą. – Niech zgadnę. Zobaczyć drzewka wiśniowe, mecz Natsów?

Ruszyliśmy. Próbowałem myśleć. Chciałem, żeby się wreszcie zamknął.

– Szczerze mówiąc, rozpoczynam zupełnie nowy program badań personelu korpusu piechoty morskiej na obecność narkotyków – powiedziałem. – Kiedy dojedziemy do Białego Domu, będę musiał pobrać od pana próbkę moczu.

Upłynęła długa minuta ciszy.

– To był żart – wyjaśniłem. – Przepraszam, mam dużo rzeczy do przemyślenia.

– No problemo, doktorze. Za dużo gadam. Każdy to panu powie – rzekł Alvarez. – Niech pan siedzi i główkuje, co zrobić z tą katastrofą. Zamykam gębę na kłódkę. Raz-dwa i już.

Gdy kilka minut później znaleźliśmy się obok Pentagonu, zbliżając się do wjazdu na drogę I-395 przed mostem, usłyszałem dźwięk, który z początku wziąłem za gęganie.

Nagle od strony przydrożnych drzew wysypała się masa zwierząt. Spomiędzy pni wyskakiwało jedno kudłate ciało za drugim. Psy. Owczarki holenderskie, brązowe mastify, foxhoundy, bloodhoundy, charty angielskie, mieszańce wszelkiej możliwej maści i rozmiarów. Psy warczały i ujadały – słychać było jeden wielki zgiełk. Horda jeżyła sierść, pryskała drobinami śliny z pysków.

Zwierzęta w większości były brudne, wyglądały na oszalałe, chore, wygłodzone i udręczone. Skórę wielu z nich pokrywały takie same białawe, jakby grzybicze plamy, które widziałem u psów w podziemiach Bryant Park. Okropne. Współczułem im.

Zbliżając się do naszej kawalkady, gromada psów nie zawahała się ani przez chwilę. Stado wysypało się na jezdnię jak lemingi skaczące ze skały, prosto pod koła jadącego z przodu radiowozu. Sierżant Alvarez omal nie wjechał mu w kufer, gdy policyjny radiowóz gwałtownie zahamował.

– Kurwa, co wyprawiacie, palanty? – bluznął Alvarez do zestawu słuchawkowego, zwracając się do kierowcy radiowozu. – Teraz nie czas na przepuszczanie zwierząt przez drogę, ciemna maso! Jedź, jedź!

Rozległ się skowyt i żałosne skomlenie, a potem przyprawiający o mdłości łomot pod kołami miażdżącymi ciała psów. Nasz samochód chwiał się i kołysał jak ponton na morzu podczas sztormu. Myśleliśmy, że już po wszystkim, ale nagle na maskę rzucił się wilczarz irlandzki, którego pysk przypominał twarz Lona Chaneya juniora w mocnej charakteryzacji*.

Sierżant Alvarez wdusił pedał gazu, a bestia prześlizgnęła się po przedniej szybie na dach i spadła. Odwróciłem się i zdążyłem jeszcze zobaczyć, jak psa przejeżdża hummer za nami.

– Cholera, chciał nas zeżreć na śniadanie, co? – rzucił Alvarez, ścierając pot ze swojego jeża. – Może pan już pobrać próbkę moczu z moich spodni, profesorze X.

---

* Lon Chaney junior (1906–1973) – amerykański aktor znany z ról wilkołaków i potworów.

Przez moment patrzyliśmy na siebie, po czym obaj parsk-
nęliśmy nerwowym śmiechem.

– Rozumiem już, dlaczego politycy tak się niepokoją – powiedziałem.

Żołnierz skinął głową, wyciągając z kabury czterdziestkę-
piątkę i wsuwając ją do uchwytu na napoje.

– Typowe dla Waszyngtonu, nie? – odrzekł. – Nic nie jest
problemem, dopóki nie zdarzy się w stolicy.

Rozdział 75

Waszyngton był wyludniony. Minęliśmy posterunek wojskowy po drugiej stronie Potomacu. W nieskazitelnym zwykle National Mall wszędzie leżały porozrzucane ciała psów; pływały nawet w sadzawce. Woda była ciemna i mętna.

Gdy zbliżaliśmy się do Białego Domu, zauważyłem, że otacza go nowe wysokie ogrodzenie pod napięciem. W każdym narożniku kompleksu stał humvee wyposażony w coś, co przypominało antenę satelitarną, która była zamontowana na dachu.

– Co to jest? – zapytałem.

– ADS – wyjaśnił sierżant Alvarez. – Active Denial System*. To rodzaj mikrofalowego nadajnika, który parzy skórę. Boli jak jasna cholera. Podobno sprawdza się przy tłumieniu zamieszek. Na szczęście działa też na najlepszego nieprzyjaciela człowieka.

Stanęliśmy w kolejce za dwoma innymi konwojami czekającymi przy kompleksie Białego Domu na East Executive

---

* System aktywnej blokady.

Avenue. Nawet gdy nadeszła nasza kolej, musieliśmy czekać jeszcze dwadzieścia minut na zakończenie procedury sprawdzania i weryfikowania dokumentów przez orwellowski zespół agentów bezpieczeństwa przy bramie.

Kiedy oficer wojskowy o dziecinnych rysach twarzy wreszcie wprowadził mnie do Zachodniego Skrzydła, dostrzegłem Leahy'ego. Stał na końcu korytarza przed zamkniętymi podwójnymi drzwiami i zażarcie kłócił się z jakimś pracownikiem administracji.

Za drzwiami była sala konferencyjna, do której wchodziło i z której wychodziło wielu wojskowych. Ich mundury połyskiwały od metalu. Pracownik administracji stanowczo pokręcił głową na słowa Leahy'ego i odszedł, gdy się zbliżyłem.

– Dzieje się coś poważnego, Oz – oznajmił Leahy przy biurku sekretarki, chwytając mnie za marynarkę.

– O co chodzi? – spytałem.

– Nie chcą słuchać – rzekł siwowłosy funkcjonariusz NSA bardziej do siebie niż do mnie. – Nie mogę w to uwierzyć. Nie chcą mnie słuchać.

– Kto nie chce słuchać? – nie rozumiałem.

Leahy ruchem głowy wskazał drzwi niedaleko nas.

– Wyjdziemy na powietrze?

Przy kolumnadzie Białego Domu Leahy wyciągnął paczkę marlboro.

– Nie palę od dziesięciu lat – powiedział. Trzasnął zapałką i przytknął płomyczek do papierosa.

Miałem ochotę złapać go za klapy.

– Chciałeś, żebym przyjechał. Jestem. O co chodzi?

Nie odpowiedział. Zaciągnął się, zatrzymał na moment dym w płucach i powoli wypuścił nosem dwie szare smugi.

Życiu mojej rodziny w Nowym Jorku zagrażało niebezpieczeństwo, a ten osioł drażnił się ze mną. Kiedy Leahy
znów wkładał papierosa do ust, wytrąciłem mu go z ręki.

– Przestań się ze mną bawić w pieprzoną ciuciubabkę! –
zażądałem. – O CO CHODZI?

– Wojsku udało się przekonać prezydent, że można rozwiązać sprawę bronią konwencjonalną. Mają zdjęcia satelitar-
ne kilku siedlisk zwierząt i chcą je zaatakować napalmem.
Myślą, że bombami zmiotą je z powierzchni ziemi. Rozsądne
argumenty przestały do nich trafiać, Oz. Chcą po prostu
wyciągnąć swoje zabawki.

Wziął następnego papierosa.

– Drwal każdy problem chce rozwiązać siekierą – dodał
i zapalił.

– Ależ to idiotyzm, Leahy. Prezydent Hardinson jest przecież znana z umiarkowanych poglądów, prawda? Jest prag-
matyczna. Słucha głosu rozsądku.

Leahy rozejrzał się po kolumnadzie.

– Pewnie mamy tu podsłuch. Powinienem o tym wiedzieć,
nie? Ale pieprzyć to. Kto nas może słuchać? To ściśle tajne,
Oz. Ani słowa, jasne? Córka prezydent nie żyje.

Hę? Zdębiałem.

– Co? – spytałem. – Allie?

Leahy skinął głową.

– Na razie nie ujawniamy tego prasie. Z tego, co słyszałem,
powiedziała matce, że Dodger uciekł. Ale nie uciekł. Schowała
go na poddaszu nad prywatną częścią mieszkalną rodziny
prezydenckiej. Tam ją właśnie znaleźli. Pies... zresztą sam
się domyślasz.

– Kto ją znalazł?

– Secret Service. Prezydent pożyczyła broń od jednego

z agentów i osobiście zastrzeliła psa. Teraz nie jest sobą. Podpisuje wszystko, co jej podsuną wojskowi.

– No to jesteśmy w dupie.

– Zgadza się – przytaknął Leahy. – I właśnie tam wojsko ma wszystkie argumenty, że to sprawa ekologiczna. Nie chcą już słuchać żadnych naukowców. Chcą krwi i będą ją mieli.

Rozdział 76

Baza lotnicza MacDill
Sześć i pół kilometra na południowy zachód
od Tampy na Florydzie

Kontroler ruchu lotniczego porucznik Frank White z wy-
studiowaną nonszalancją miesza mleko w pierwszej kawie
podczas swojej zmiany, wchodząc do głównego pomieszczenia wieży kontroli lotów. Chudy trzydziestolatek podchodzi
do swojego stanowiska, myśląc ze smutkiem o wyprawie na
ryby, którą planował na ten weekend, zanim w eterze zawrzało
od katastroficznych teorii. Kiedy ich słucha, siłą woli po-
wstrzymuje się od przewracania oczami.

MacDill jest spokojną i zaciszną bazą latających cystern,
więc praca porucznika jest zwykle kaszką z mlekiem. Jego
najtrudniejsze zadanie polega na powstrzymaniu dwudziesto-
trzyletnich rekrutów, żółtodziobów mających najwyżej trzydzieści wylatanych godzin, przed ułańską fantazją podczas
podchodzenia do lądowania, żeby nie zmienili płyty lotniska
w piec do pizzy.

White patrzy zaskoczony na pas startowy numer jeden,
gdzie z jakiegoś powodu na drodze do kołowania czeka
w gotowości do startu dwadzieścia kilka myśliwców F-16.

Z niedowierzaniem gapi się na lądujący na pasie numer dwa czarny bombowiec B-2 typu Stealth.

Wszystkie myśliwce są najeżone podwieszanym uzbrojeniem. Jeden z inżynierów obsługi technicznej w rozmowie w szatni przysięgał, że to same ładunki zapalające – bomby termitowe ze sproszkowanym aluminium, magnezem, białym fosforem. Nie był pewien, ale twierdził, że B-2 jest prawdopodobnie uzbrojony w bomby termobaryczne.

Cholera, myśli White. Równie dobrze to mogą być pieprzone głowice jądrowe.

Dwadzieścia minut później dzwoni stojący przy jego stanowisku radarowym telefon kodowanej linii łączącej wieżę z dowództwem. Dzięki kawie White czuje się już prawie przytomny. Rozkazy, jakie otrzymuje przez telefon, są krótkie i lakoniczne, sformułowane z wojskową precyzją. W słowach ani w tonie nie ma absolutnie nic, co sugerowałoby ściemę.

– Dowództwo NORAD* z Cheyenne. Z kim rozmawiam?

– Porucznik Frank White.

– Posłuchaj, White. Nie mam przed sobą wszystkich współrzędnych, ale macie usunąć cały cywilny ruch powietrzny w pasie na południe od Tampy i na północ od wysp Keys. Trzeba wyczyścić niebo do pułapu osiemdziesięciu pięciu tysięcy stóp.

White spogląda na swoje odbicie w szybie wieży kontroli lotów i na moment mruży oczy, lokalizując w myślach ten obszar.

– To nie jest Park Narodowy Everglades?

– Nie słyszałem ostatniego zdania, synu. Co powiedziałeś?

---

* NORAD (North American Aerospace Defense Command) – Dowództwo Obrony Północnoamerykańskiej Przestrzeni Powietrznej.

Niech to szlag, myśli porucznik White. Co to znaczy? O co chodzi?

– Powiedziałem, tak jest, oczywiście. Na południe od Tampy i na północ od Keys.

Chwilę później jest na jednym ze stanowisk i wykonuje rozkazy. Słyszy trzask w słuchawce.

– Wieża, tu dwa pięć trzy. Zakończyliśmy procedurę przedstartową. Mamy pozwolenie na start?

White prostuje się na krześle. Dwa pięć trzy to sygnał wywoławczy B-2.

– Tak, dwa trzy pięć. Masz pozwolenie na start, pas numer jeden.

Pozwolenie, ale nie wiem, na co, myśli porucznik White, siorbiąc fusy po kawie i patrząc na potężny samolot kołujący na pas.

Rozdział 77

Centrum operacyjne NORAD
Baza dowodzenia sił powietrznych Cheyenne
Mountain Colorado Springs, Kolorado

Gdy o dziewiątej rano w kompleksie siedziby dowództwa rozbrzmiewa syrena wzywająca wszystkich na stanowiska, słychać ją wyraźnie w okolicach całej góry, aż na zielonych przedmieściach Colorado Springs. Nowi mieszkańcy miasta, usłyszawszy przeraźliwy ryk alarmu, mogą mimochodem pomyśleć, że to syrena ochotniczej straży pożarnej, po czym wracają do lektury gazet i do śniadania. Ludzie, których rodziny pracują w bazie, natychmiast wychodzą z pracy czy z zajęć jogi i jadą do szkoły po dzieci.

Alarm cichnie dokładnie po pięciu minutach. Potem dwoje superwytrzymałych dwudziestopięciotonowych stalowych drzwi, chroniących wojskowy bunkier odporny podobno na atak jądrowy, po raz pierwszy od jedenastego września zaczyna się zamykać.

Korytarze i pomieszczenia podziemnej bazy odchodzą od wydrążonego w granicie szerokiego głównego tunelu wielkości mniej więcej tunelu kolejowego sięgającego prawie środka góry. Oszklone centrum operacyjne wysokości dwóch pięter znajduje się na końcu sieci pomieszczeń, najbliżej zachodniego zbocza Cheyenne. Pracują w nim technicy sił powietrznych siedzący w oddzielnych boksach, którzy przekazują rozkazy do mikrofonów, słuchając skrzeków i trzasków wojskowych transmisji radiowych.

Dwie ściany w centrum operacyjnym, przeciwległa do wejścia i po prawej od wejścia, zajmują ekrany wielkie jak w multipleksie. Ekran na wprost pokazuje mapy komputerowe i pulsujące monitory radarów, a ten po prawej wyświetla mozaikę przekazów wideo w czasie rzeczywistym, montaż obrazów z kamer zainstalowanych na samolotach bezzałogowych i wojskowych maszynach znajdujących się w powietrzu.

Przed drzwiami swojego przeszklonego gabinetu, znajdującego się powyżej poziomu centrum operacyjnego, stoi oparty o poręcz schodów dowódca NORAD Michael McMarshall i słucha operatorów podających i odbierających kody i współrzędne. Szeptem odmawia *Zdrowaś Mario* za swoich ludzi i połyka na sucho trzy ostatnie pastylki advilu z plastikowej fiolki, którą trzyma w ręku.

McMarshall był dowódcą podczas pierwszych godzin chaosu po zamachach z jedenastego września, ale wszystko wskazuje na to, że ta historia będzie wyglądać nieco gorzej.

Wraca do gabinetu i staje za biurkiem, stołem kreślarskim podniesionym na wysokość brzucha. Zawsze stoi w pracy z powodu urazu pleców, którego doznał w wypadku podczas lotu szkoleniowego trzydzieści lat temu.

Przegląda plik fotografii. Zdjęcia pochodzą z najnowocześniejszych satelitów wojskowych Lacrosse i bezzałogowych statków powietrznych. Georadary oraz systemy czujników podczerwieni zarejestrowały bardzo niepokojące dane. Właściwie w każdym zakątku kraju zgromadziły się szokująco liczne skupiska rojów zwierząt, jak je teraz nazywano.

Zgodnie z rozkazami wstępna fala bombardowań miała objąć największe gniazda w pobliżu gęsto zaludnionych obszarów. Pierwsze w kolejce są Miami, Chicago i St. Louis. Dobra wiadomość, jeśli w ogóle można mówić o dobrej wiadomości, jest taka, że skupiska zwierząt znajdują się głównie na terenie parków: Everglades niedaleko Miami, Lincoln Park w Chicago, Forest Park w St. Louis. Lotnictwo od dwóch dni współpracuje z siłami lądowymi, ewakuując ludność ze stref bombardowania, by ograniczyć straty cywilne.

No i tak to wygląda. McMarshall zamyśla się na chwilę. Stany Zjednoczone rozpoczęły właśnie kampanię bombową przeciwko sobie samym. Idiotyzm do kwadratu rodem z *Paragrafu 22*.

Ale nie tylko Stany. Wie, że działają też Rosja, kilka państw europejskich oraz Chiny, prowadząc równolegle własne kampanie przeciwko rojom zwierząt pustoszących ich kraje.

Muszą coś zrobić. Choć nie informuje się o tym oficjalnie, ataki się szerzą. W obszarach dotkniętych kataklizmem, czyli już prawie wszędzie, szpitale są pełne. Ludzie zaszywają się w domach, jak gdyby w powietrzu wisiała zaraza. Żegluga, transport lotniczy, rynki papierów wartościowych zostały sparaliżowane. Cały uprzemysłowiony świat powoli przestaje funkcjonować. I nieprędko ruszy, jeżeli wszyscy na ziemi dwadzieścia cztery godziny na dobę boją się, że zostaną rozszarpani przez psy.

McMarshall słyszy delikatne pukanie w szybę.

– Panie generale, B-2 z MacDill za chwilę zrzuci ładunki – informuje go dziarski młody oficer z entuzjastycznym uśmiechem, który ze względu na okoliczności wygląda dość irytująco. Buty McMarshalla stukają na metalowym pomoście wychodzącym na centrum operacyjne.

Gdy generał staje przy poręczy, cały przedni ekran wypełnia widok z samolotu. Mimo że to czarno-biały obraz z kamery termowizyjnej, jest zaskakująco ostry. To rzeczywiście Floryda. McMarshall dostrzega liście palm, nabrzeże, stary samochód.

– Przed podejściem do celu zmieniamy kurs – mówi operator systemu uzbrojenia przez trzaski na wojskowym kanale. – I zwiewamy – oznajmia.

Ekran zalewa biel. Chwilę później rozlega się huk bomby burzącej, który słychać przez otwarty mikrofon pilota. Ciężki grzmot trwa i trwa, a ekran jaśnieje ogniem płonących bagien Florydy.

– Dowalić im! – krzyczy adiutant McMarshalla. Gwiżdże na palcach i zaczyna klaskać. Kilku innych członków załogi niepewnie dołącza się do aplauzu.

McMarshall obraca się na pięcie i wraca za biurko. W dolnej szufladzie leży awaryjna fiolka advilu.

Rozdział 78

Leahy organizował dla mnie transport powrotny do Nowego Jorku, a ja spędziłem resztę poranka w ciasnym, głośnym i zdecydowanie nieprezydenckim pokoju personelu w głębi Wschodniego Skrzydła Białego Domu. Całe pomieszczenie wrzało od gorączkowej pracy związanej z rozpoczętymi działaniami wojskowymi. Wokół mnie, a nawet na korytarzu, siedzieli lub stali zbici w grupki przy gniazdkach elektrycznych oficerowie sił powietrznych i politycy, pochyleni nad swoimi smartfonami i laptopami. Niesłabnący ani na chwilę szmer głosów mieszał się z nieustannym głuchym dudnieniem – warkotem helikopterów, które lądowały i startowały z Ogrodu Jacqueline Kennedy. Miałem wrażenie, jakbym wsadził głowę do ula.

Słysząc ciche pochrapywanie agenta Secret Service o profesjonalnie nijakim wyglądzie, który wykorzystał chwilę przerwy, żeby uciąć sobie drzemkę na kanapie obok mnie, oglądałem migoczące obrazki z CNN w telewizorze zamontowanym wysoko w rogu pokoju. Pokazywano mnóstwo relacji z ataków zwierząt, ale nie było nic o akcji wojskowej, którą właśnie zarządzono. Ciekawe, czy to dlatego, że jeszcze się nie zaczęła, czy po prostu władze wprowadziły blokadę informacji na ten temat.

Całkiem niewykluczone, pomyślałem, spoglądając na chmarę kłębiących się dookoła żołnierzy i rządowych oficjeli.

Parę razy próbowałem się dodzwonić do Chloe, żeby jej powiedzieć, co się dzieje, ale po dwóch dzwonkach włączała się poczta głosowa, co mi się zdecydowanie nie podobało. SMS-y chyba też nie działały. Przypuszczałem, że nastąpiło przeciążenie sieci z powodu dużej liczby rozmów. W każdym razie miałem taką nadzieję.

Leahy przyszedł po mnie wczesnym popołudniem i wyprowadził przez tłum na korytarz.

– Tym razem, niestety, nie będzie gulfstreama, Oz, ale udało mi się załatwić panu miejsce w wojskowym transportowcu C-130, który za mniej więcej dwie godziny leci z Reagan National do Nowego Jorku.

– Jak przebiega akcja wojskowa? Są jakieś wiadomości?

– Wiem tyle co pan – odparł. Zaprowadził mnie po schodach do jakiegoś służbowego korytarza na dole. – Ciągle nic mi nie mówią.

Minęliśmy sterty racji żywnościowych i zmierzającego do drzwi kucharza w wykrochmalonym białym stroju, rzucającego soczystymi przekleństwami do telefonu. Kilka stopni niżej znajdował się mały parking zatłoczony lincolnami town car i pojazdami wojskowymi. Na skraju parkingu, obok czarnego chevroleta suburbana, który mnie tu przywiózł, stał sierżant Alvarez. Pomachał do mnie wesoło, jak gdyby świat wcale się nie kończył.

– Będę się tu dalej uwijać – obiecał Leahy, ściskając mi rękę z ojcowską serdecznością, która miała mi dodać otuchy, ale nie dodała. – A pan po powrocie do Nowego Jorku niech przygotuje prezentację dla prezydent i jej personelu, żeby wyjaśnić naukową stronę sprawy, kiedy będą skłonni pana wysłuchać. To by nam ogromnie pomogło. Spróbuję zorganizować telekonferencję dzisiaj wieczorem, najpóźniej jutro rano.

Telekonferencję? Fantastyczny pomysł. Czemu nie pomyślałem o tym wcześniej? Chwileczkę, oczywiście, że pomyślałem. Ciekawe, ile tysięcy dolarów z kieszeni podatnika zmarnowano na moją bezsensowną wycieczkę do stolicy. Uznałem jednak, że nie będę się tym przejmował. Najważniejszy był teraz dla mnie powrót do domu i do rodziny.

– Załatwione, panie Leahy – powiedziałem i pobiegłem do samochodu.

Rozdział 79

Kiedy otworzyłem drzwi po stronie pasażera i wsiadłem do suburbana, sierżant Alvarez siedział już za kierownicą i ładował karabin M16. Skończyło się VIP-owskie traktowanie. Sierżant miał teraz na sobie kamizelkę kuloodporną z kevlaru oraz kamizelkę taktyczną.

Nie musiał mi tłumaczyć, że na ulicach Waszyngtonu jest coraz gorzej. Pomyślałem o Chloe i Elim w Nowym Jorku. Chciałem się już znaleźć w powietrzu.

Dwie przecznice na południe od Białego Domu, tuż przed skrętem w lewo w Constitution Avenue, usłyszeliśmy muzykę.

Z głośników samochodu zaparkowanego na rogu President's Park rozkręconych na cały regulator jodłowała Ani DiFranco. Wokół auta stało trzydziestu czy czterdziestu młodych ludzi, wielu z nich w bluzach z kapturem ozdobionych godłami uczelni, i popijali piwo. Niektórzy pomalowali twarze, upodobniając się do zwierząt. Wyczułem zapach trawki. Mieli ręcznie zrobione tablice z napisami:

MIĘSO TO MORDERSTWO! ZEMSTA BOLI, CO?!!!
HURA! HURA! NIE MA JAK NATURA!

Wszystko oszalało, pomyślałem, kręcąc głową. Zwierzęta, prezydent, studenci.

Kiedy mijaliśmy National Mall, myślałem o wszystkich wspaniałych historycznych zgromadzeniach, których to miejsce było świadkiem. O Martinie Lutherze Kingu, wygłaszającym pamiętne przemówienie *Mam marzenie*, o inauguracjach kolejnych prezydentów. A teraz na powierzchni sadzawki pływały martwe psy.

W drodze na lotnisko tym razem dostaliśmy się na drugi brzeg Potomacu mostem Arlington. Niecały kilometr dalej zbliżyliśmy się do wiaduktu. Stała na nim następna grupa młodych naiwnych demonstrantów. W przeciwieństwie do dzieciaków, które widzieliśmy niedaleko Białego Domu, raczej nieszkodliwych, ci tutaj, w kominiarkach i czarnych bandanach, wyglądali znacznie groźniej. Wymachiwali czarnymi flagami.

Nagle przed samochodem coś śmignęło i przednia szyba rozprysła się w drobny mak.

Poczułem w oczach drobiny szkła, a tuż obok mojej głowy przeleciał kubełek z masą szpachlową, który ktoś zrzucił z wiaduktu. Wiaderko wylądowało na tylnym siedzeniu.

SUV przyspieszył i gwałtownie skręcił w lewo. Odwróciłem się i zobaczyłem, że Alvarez ma zakrwawioną całą twarz. Leżał bezwładnie na kierownicy, nie dając znaku życia.

Złapałem za kierownicę i usiłowałem wyprostować samochód. Wóz z prędkością prawie stu trzydziestu na godzinę otarł się o betonową barierę. Rozległ się zgrzyt metalu, posypały się iskry, szarpnęło nas w górę i przechyleni przejechaliśmy po barierce jeszcze jakieś piętnaście metrów, aż w końcu siła rozpędu przewróciła auto.

Rozdział 80

Ciemno. Z początku pomyślałem, że rytmiczne łup, łup, łup to bicie mojego serca. Potem otworzyłem oczy. Zorientowałem się, że ten hałas wydają wycieraczki, bezsensownie waląc w rozbitą przednią szybę. Rozbitą szybę samochodu przewróconego kołami do góry. SUV zatrzymał się na dachu na lewym pasie. A ja przypięty pasami bezpieczeństwa do fotela zwisałem głową w dół jak nietoperz. Czułem, że z nosa na włosy spływa mi gorąca krew. Kichnąłem, rozbryzgując mgiełkę czerwonych kropelek na swój jedyny porządny garnitur. Zamrugałem i popatrzyłem przez dziurę w szybie. Myśli snuły mi się w głowie powoli i ospale.

Hm. No i co teraz?

Odwróciłem się do Alvareza. Tak jak ja wisiał głową w dół, wciąż był nieprzytomny i krwawił z głębokiej rany na skroni.

Sięgnąłem do jego pasów, ale gdy spojrzałem przez okno, znieruchomiałem. Na tle miarowego stukotu wycieraczek, które strącały odłamki szkła do wnętrza samochodu, usłyszałem dziwny dźwięk przypominający sapanie. Za oknem od strony pasażera coś się poruszyło.

Zmrużyłem oczy i przyjrzałem się. To coś było brązowe. Brązowe.

W oknie pojawił się olbrzymi pysk i małe, okrągłe błyszczące oczka.

Ach, tak, pomyślałem. To niedźwiedź.

Przyglądał mi się przez okno z niemal kpiącą miną. Tego, co poczułem, nie nazwałbym strachem. Ogarnął mnie rodzaj lęku, który można porównać do sytuacji, gdy człowiek jest tak smutny, że zaczyna się śmiać. Koło strachu zakręciło się i znalazło się po drugiej stronie. No i już, pomyślałem.

Nie bardzo było wiadomo, skąd niedźwiedź grizzly wziął się na tym odcinku drogi obok naszego rozbitego samochodu. Nie było też wiadomo, co robił w Waszyngtonie. Uciekł z zoo? Intuicja podpowiadała mi, że raczej nie pracuje w pomocy drogowej.

Niedźwiedź znów krótko sapnął i przycisnął wilgotny pysk do szyby samochodu. Powąchał ją, a potem wydał stłumiony, gardłowy jęk, drapiąc w szybę łapą dwa razy większą od rękawicy bejsbolowej.

Zgrzyt niedźwiedzich pazurów o szkło wyrwał mnie z chwilowego napadu nieświadomości. Usiłowałem odpiąć pasy i jednocześnie wyciągnąłem rękę w stronę tylnego siedzenia, szukając po omacku karabinu sierżanta Alvareza.

Dałem sobie spokój z karabinem, bo niedźwiedź odsunął się od mojego okna i przeszedł na przód auta. Poczułem raptowne szarpnięcie w górę, gdy zwierzę zaczęło się wciskać pod maskę przewróconego suburbana.

A więc tak będzie wyglądać moja śmierć, pomyślałem. Zostanę zjedzony przez niedźwiedzia grizzly, wisząc głową w dół w rozwalonym aucie. Przynajmniej ciekawie. Gdyby przed laty ktoś spojrzał w kryształową kulę i przepowiedział mi, jak umrę, na pewno bym nie uwierzył.

Odwróciłem się do Alvareza i potrząsnąłem nim, żeby się ocknął. Nie miałem pojęcia, z jakiego powodu. Żeby nie przespał własnej śmierci? Sam nie wiedziałem. Pewnie nie chciałem umierać w samotności. W każdym razie był kompletnie zamroczony.

Niedźwiedź wsunął swoje cielsko pod maskę i wciskał nos w dziurę wybitą przez wiaderko ze szpachlą. Węsząc i sapiąc, zaczął wyjmować strzaskaną szybę. Szarpał szkło jak dziecko usiłujące rozerwać opakowanie cukierka, które nie chce się rozwinąć.

Nagle przypomniałem sobie o granatach wiszących jak awokado na kamizelce sierżanta. Odpiąłem pierwszy, który mogłem dosięgnąć. Zębami wyciągnąłem zawleczkę i z całych sił rzuciłem granat w niedźwiedzia, kiedy wsadzał głowę pod deskę rozdzielczą.

Sycząca puszka odbiła się z brzękiem od łba niedźwiedzia, który ryknął i gwałtownie się cofnął. Grizzly ryczący prosto w twarz – ciekawe doświadczenie. Zwierzę potrząsnęło łbem, jak gdyby ktoś je uderzył.

Zamiast eksplodować, wirujący granat znieruchomiał na asfalcie pod maską i buchnął kanarkowożółtym dymem. Od jego gryzących kłębów zapiekły mnie oczy. Dym palił jak ogień. Zasłoniłem usta i zacząłem kaszleć.

Znów sięgnąłem do kamizelki Alvareza i udało mi się zdjąć drugi granat. Ale kiedy byłem już gotów go rzucić, okazało się, że nie jest to potrzebne. Zobaczyłem przez okno, że niedźwiedź robi odwrót, sadząc przez trawę za poboczem drogi.

Długą minutę później, kiedy dym się rozwiał, w końcu zdołałem się wyplątać. Kiedy udało mi się wypiąć z pasów

Alvareza, kaszlał, jakby miał wypluć płuca. Wyczołgaliśmy się z rozbitego samochodu. Suburban wyglądał, jak gdyby walnął w niego czołem John Belushi.

– Co się stało, do cholery? – wykrztusił Alvarez. Bezwładnie opierał się o betonową barierkę, dotykał twarzy i przyglądał się krwi na palcach.

– Jak pszczoły – powiedziałem do siebie, kiedy patrzyłem na resztki dymu unoszącego się spod auta.

– Jakie pszczoły? – zapytał Alvarez, grzebiąc w samochodzie w poszukiwaniu karabinu. – Dobrze się pan czuje, profesorze? Uderzył się pan w głowę?

– Kiedy zwierzęta wyczuwają nasz zapach, chcą nas zaatakować – wyjaśniłem, kucając obok Alvareza za przewróconym suburbanem. – Wszystko, co maskuje nasz zapach, sprawia, że stajemy się niewidoczni. Dlatego właśnie dym wypędził niedźwiedzia. I stłumił nasz zapach.

– Bez kitu – odrzekł w roztargnieniu Alvarez i zarzucił broń na ramię.

– To ma sens – kontynuowałem, myśląc na głos. – W ten sam sposób używają dymu pszczelarze. Kiedy pszczelarz potrząsa gniazdem, pszczoły wytwarzają feromon, który jest sygnałem do zmasowanego ataku. Tyle że nic się nie dzieje, bo dym blokuje ten sygnał.

– Czyli to się właśnie stało ze wszystkimi zwierzętami, profesorze? Dlatego łączą się w roje? Jakby coś im się poprzestawiało?

– Właśnie. Coś im się poprzestawiało – przytaknąłem. – A teraz dzwoń do swoich kumpli z marines, żeby nas stąd zabrali. Trzeba im powiedzieć, jak zwalczać to cholerstwo.

Rozdział 81

Wojskowa strefa bezpieczeństwa na Manhattanie
Upper East Side, Nowy Jork

Zbierając wieczorem śmieci z awaryjnej siedziby rządowej przy Piątej Alei, starszy szeregowy Donald Rodale czuje, że winda towarowa lekko cuchnie. Kiedy o wpół do siódmej kończy pracę, ze sterty śliskich, pełnych worków, sięgających mu do piersi, unosi się gęsta mieszanka zapachów, od których do oczu napływają mu łzy, a lunch w żołądku niebezpiecznie bulgocze.

Zatrzymuje starą ręczną windę w przyziemiu, a wyjątkowo lepki i ciężki związany taśmami worek zsuwa się ze szczytu piramidy i z mokrym pláśnięciem uderza go w obie nogi z tyłu.

Trafiony, zatopiony, myśli Rodale.

Otwiera bramę na dziedziniec za budynkiem i wynosi jeden po drugim worki ze śmieciami, wrzucając je do plastikowego pojemnika na kółkach. Gdy pojemnik wypełnia się po brzegi, Rodale pcha go po stromej rampie prowadzącej na Osiemdziesiątą Pierwszą.

Staje na szczycie pochylni, dyszy mokry od potu i z niezadowoleniem marszczy czoło. Mała budka przy bramie jest pusta. Strażnik ma obowiązek wyłączyć prąd w ogrodzeniu i ubezpieczać go M16, kiedy Rodale będzie przechodził przez ulicę, żeby wrzucić śmieci do kontenera. Ale strażnik zaginął bez wieści.

Co robić? Strażnik, który zwykle siedzi w budce, nazywa się Quinlan i jest gliną. W porządku gość. Rodale nie chce wpakować faceta w kłopoty przez to, że nie zastał go na posterunku.

Problem w tym, że jeżeli będzie dłużej czekał, spóźni się i nie pomoże Suskindowi, wyjątkowo humorzastemu fiutowi, przy przenośnych toaletach obok muzeum po drugiej stronie ulicy. Cokolwiek zrobi, będzie miał przesrane.

Rodale spogląda przez ogrodzenie z siatki w głąb długiego i ciemnego korytarza Osiemdziesiątej Pierwszej. Ulica jest pusta. Nie widać nic oprócz drzew, pustych chodników i domów szeregowych z cegły i granitu. Żadnych stad wściekłych i krwiożerczych zwierząt. Nie ma zupełnie nikogo.

Pieprzyć to, myśli Rodale. Uwinę się w sekundę. Wsadza głowę do budki wartowniczej, naciska wyłącznik napięcia w ogrodzeniu i otwiera bramę.

Wytacza pojemnik na ulicę. Kółka głośno turkoczą po betonie, gdy spycha go z krawężnika w stronę zielonego kontenera z falistych płyt z włókna szklanego, do którego wrzucają śmieci.

Sięgając do klamki na drzwiach kontenera, aby ją unieść, Rodale zauważa coś dziwnego. Jest już uniesiona. Czyżby wczoraj zapomniał zamknąć?

Drzwi uchylają się z cichym skrzypnięciem. Rodale otwiera je na całą szerokość. Ciemne wnętrze kontenera śmierdzi jeszcze bardziej niż winda. Czymś gnijącym, martwym. Rodale wstrzymuje oddech. Przewraca pojemnik i zaczyna wrzucać pełne śmieci worki jak najdalej w głąb kontenera. Cięższe

323

łapie oburącz i robi obrót jak dyskobol, aby zwiększyć odległość. Ma przy tym nawet odrobinę, ale tylko odrobinę, zabawy.

Gdy mniej więcej połowa worków znika w ciemnej czeluści, słyszy jakiś dźwięk. Jak gdyby coś się poruszyło. Nie zagląda do kontenera. Przypuszcza, że jeden z wrzuconych przed chwilą worków zsunął się w stronę drzwi.

Chwyta następny worek. Ciężkie cholerstwo. Musi go unieść obiema rękami. Szykując się do olimpijskiego rzutu, bierze szeroki zamach, kiedy z ciemnego wnętrza kontenera wyłania się szympans. Rodale stoi w otwartych drzwiach, wciąż trzymając worek ze śmieciami.

Tak, to naprawdę szympans. Twarz jak dziwna gumowa maska, urocze błyszczące oczy jak z żyłkowanego brązowego szkła. Szympans ma na głowie czapkę. Zniszczoną, przetartą i brudną, ale widać, że kiedyś była czerwona.

Zwierzę patrzy prosto na niego. Wygląda, jakby chciało mu coś powiedzieć.

W ciągu ostatnich dwóch tygodni, odkąd zaczęło się to całe cholerne wariactwo, widział atakujące psy i szczury. Ale szympans? Tego zupełnie się nie spodziewał.

– Hej! – woła w głąb kontenera. Jego głos odbija się od wąskich ścian. Nie wie, co jeszcze powiedzieć. – Nic ci nie jest?

W odpowiedzi szympans wielkimi czarnymi dłońmi łapie go za koszulę, rzuca się naprzód i odgryza mu nos.

Rodale osuwa się na kolana, ból wyrywa mu z gardła krzyk jak długi szal. Po ustach i podbródku płyną strużki krwi, wyciekają spomiędzy palców przyciśniętych do twarzy. Szympans wydaje wysoki, przenikliwy dźwięk. Z domu za kontenerem zaczynają wyłaniać się zwierzęta.

Wychodzą przez okna, z wylotów alejek, z mosiężnej szczeliny na listy w czerwonych drzwiach domu. W ciągu kilku chwil ulicę zapełniają zdziczałe parchate psy, szopy i setki kotów. Ale zdecydowanie najliczniejszą grupą są szczury. Tysiące tłustych, czerwonookich szczurów. Wylewają się na ulicę, tworząc żywy dywan. Popiskującą czarną falę. Rodale rzuca się do ucieczki, trzymając dłonie przy twarzy. Chce wrócić za ogrodzenie. Chmara zwierząt podcina mu nogi w pół kroku. Wpada do morza psów i szczurów, rozpaczliwie wymachuje rękami i nogami jak tonący. Otacza go mrowie szczurów. Wbiegają mu na nogi, ręce, plecy. Rodale wije się na ziemi, okładając się pięściami. Ostre jak igły zęby siekają i kłują jego skórę, rozrywają ciało od pachwin do brody.

Ułamki sekund później szczury szarpią jego mięśnie i wnętrzności. Tysiące drobnych zębów przecina ścięgna, a potem odrywa mięso od kości.

Attyla wypluwa nos żołnierza i biegnie na ukos przez ulicę. Sadzi długimi susami w kierunku otwartej bramy.

Horda zwierząt, wyjąc i kłapiąc zębami, rusza za nim.

Rozdział 82

Gdy Chloe w ogromnej spiżarni natrafia na dużą plastikową miskę, popcorn w brzęczącej mikrofalówce, który przedtem z rzadka wydawał ciche pif-paf, zaczyna trzaskać bez opamiętania.

Przy okazji zauważa też zapas kubków z błyskawicznymi zupkami, stojących nad półką, na której przed chwilą znalazła miskę. Dobrze wiedzieć, ile mają jedzenia, bo nie wiadomo, jak długo tu zostaną. W końcu sytuacja się poprawi, myśli, schodząc ze składanych schodków. Trzeba to po prostu przetrzymać.

Wraca do jasnej kuchni, całej w marmurach, i na chwilę znajduje pociechę w aromacie masła i soli. Zapachu, który kojarzy się z rodziną, szczęściem, poczuciem bezpieczeństwa.

Nic z tego. Słabnąca w ciągu całego dnia determinacja ostatecznie się ulatnia. Chloe rzuca miskę na bok i zasłania twarz rękami.

Pocieszający zapach, śmiechu warte. Wie, że nie będzie mogła się już niczym pocieszyć.

Jej rodzina została rozdzielona. Nikt nie jest szczęśliwy. Nikt nie jest bezpieczny.

Choć nigdy nie mówiła o tym Ozowi, na studiach miała ataki paniki, na tyle poważne, że rodzina przekonała ją, by poddała się terapii. Po prawie roku ciężkiej pracy oraz krótkiej hospitalizacji wreszcie udało się je pokonać. Od wyjazdu Oza czuje, że tamte lęki powoli wracają. Ten sam uporczywy strach, ten sam paraliż, to samo chorobliwe samopotępienie.

Beznadziejna, szepcze jej wewnętrzny głos, kiedy Chloe z drżeniem pochyla się nad kuchennym blatem. Jesteś beznadziejna. Jako żona, matka, kobieta i człowiek. Teraz zdarzą się już tylko dwie rzeczy. Najpierw doprowadzi do śmierci syna, a potem samą siebie.

Przeszywający do szpiku kości pisk minutnika mikrofalówki wyrywa ją z otchłani, w którą przed chwilą zaczęła się pogrążać. Chloe zaciska dłonie na zimnej krawędzi marmurowego blatu, aż bieleją jej kostki. Wierzchem dłoni ociera łzy i przegląda się w oszklonej szafce nad zlewem. Potem wrzuca parujący popcorn do miski i idzie do salonu.

W ogromnym pokoju Eli siedzi po turecku na perskim dywanie i wpatruje się szeroko otwartymi oczami w płaski, monolityczny ekran telewizora na ścianie. Właśnie leci powtórka *Simpsonów*. Homer traci panowanie nad kierownicą i ucieka z samochodu. Rysunkowy bohater daje nura do włazu kanalizacyjnego i pada twarzą na gorącą rurę, która bucha parą.

W normalnych warunkach Chloe nie pozwoliłaby Eliemu oglądać programu, który nie ma choćby odrobiny wartości edukacyjnych. Ale w tych okolicznościach klęka obok syna i przytula go, wdychając jego zapach i słuchając, jak chichocze.

– Podoba mi się ten gruby, żółty pan, mamusiu – mówi Eli.

Chloe całuje syna w czubek głowy i coś sobie przypomina.

Jedną z metod, która pozwalała jej nie dopuścić do ataku paniki, były ćwiczenia fizyczne. Codziennie po zajęciach chodziła na basen, żeby popływać przed kolacją. Gimnastyka oczyszczała jej umysł. Naprawdę pomagała.

Ostatnio w ogóle nie chce się rozstawać z Elim. Prawdę mówiąc, miałaby ochotę włożyć go do nosidełka i mieć stale przy sobie, jak wtedy, gdy był niemowlęciem. Niepokój huczy jej w głowie niczym uporczywa wiertarka. Potwierdzeniem tego było jej drobne załamanie w kuchni. Jeżeli mają przeżyć, musi się uspokoić. Musi być silna.

– Eli, posłuchaj, kochanie – mówi, stawiając przed nim popcorn, jak gdyby składała ofiarę jakiemuś bożkowi. – Mamusia pójdzie teraz poćwiczyć w pokoju za kuchnią, dobrze?

– Dobrze – odpowiada odruchowo chłopiec. Wpatruje się w telewizor nieobecnym, zahipnotyzowanym wzrokiem. Jego drobna, gładka rączka bezwiednie nurkuje w misce, a następnie podnosi do ust garść popcornu.

Chloe jest w małym pokoju do ćwiczeń i właśnie zamierza wejść na ruchomą bieżnię, gdy nagle słyszy jakiś dźwięk. Dobiega od strony okna. Stłumiony, daleki trzask przypominający odgłos prażonego popcornu.

Wolno wychodzi do przedpokoju. Otwiera drzwi na korytarz i słyszy więcej dźwięków. Na którymś z niższych pięter rozlega się dziwny warkot, a zaraz potem potężny łomot, jakby kamienna pięść waliła w zamknięte drzwi.

Chloe przygryza wargę aż do krwi. Strzelanina, myśli. Ktoś strzela.

Zatrzaskuje drzwi mieszkania tak gwałtownie, że przewraca wazon stojący na staroświeckim stoliku tuż obok niej. Przekręca wszystkie zamki, czując, jak serce dudni jej w piersi do rytmu z bronią maszynową.

Rozdział 83

Zanim ktoś się pojawił, żeby nas zabrać z miejsca kraksy, musieliśmy trochę poczekać.

Dziwnie się czułem, czekając na otwartej przestrzeni – znudzenie mieszało się z przerażeniem. Cały czas stałem na pasie zieleni pośrodku autostrady, oparty o rozbitego chevroleta suburbana, i rozglądałem się po płaskiej, pustej drodze. Patrzyłem przez celownik M16 Alvareza i modliłem się, żebyśmy nie zostali zauważeni przez kolejne zwierzę.

Mniej więcej piętnaście minut po naszym telefonie pojawił się humvee z zamontowanym na dachu rzędem mocnych świateł. Z samochodu wyskoczyło dwóch żołnierzy marines. Na masce leżał martwy bernardyn przymocowany elastycznymi linkami. Zbierali trofea. To była wojna.

Ciekawe, kto był górą.

– Kurwa, czemu to tak długo trwało? – zapytał Alvarez.

– Walki są już wszędzie, sierżancie – odparł kierowca, muskularny, czarnoskóry mężczyzna o udręczonym spojrzeniu. – Musieliśmy sobie torować drogę ogniem. Pentagon został zaatakowany. Sfora psów zajęła lotnisko Reagana.

Hangary, terminal, wszystko. Żadne samoloty nie mogą startować ani lądować, dopóki sytuacja nie zostanie opanowana. Fantastycznie. Żadnych lotów, pomyślałem, gdy na tylnym siedzeniu hummera ostrożnie kładliśmy Alvareza, zakrwawionego jak rzeźnicki fartuch i rzucającego mięsem. Jak, do cholery, miałem się dostać do domu? Utknąłem na amen. Kierowca wcisnął gaz do dechy i odstawił nas do bazy Korpusu Piechoty Morskiej obok Białego Domu. W drodze nie natknęliśmy się bezpośrednio na żadne hordy zwierząt, ale w bocznych uliczkach, zaułkach i w oknach widzieliśmy ruch i przemykające cienie. Wydawało się, jak gdyby inwazja ogarnęła całe miasto.

Kiedy w miarę bezpieczny siedziałem w zatłoczonym namiocie medycznym w bazie, gdzie zakładano mi szwy na łokciu, pojawiła się atrakcyjna, drobna kobieta o rudawych włosach. W ręku miała walkie-talkie, a na piersi identyfikator z Białego Domu, przypięty do klapy drogiej marynarki.

– Czy jest tu Jackson Oz?! – zawołała. – Szukam pana Jacksona Oza.

Rozglądała się uważnie po namiocie, a ja przez chwilę siedziałem w milczeniu. Ciekawe, jaką niespodziankę chowali dla mnie w zanadrzu tym razem. Kontrolę podatkową?

Przyjechałem tu, żeby pomóc, tymczasem byłem pozostawiony samemu sobie i oddzielony od rodziny, podczas gdy świat ogarniał chaos. Ach, jeszcze wypadek, dwadzieścia szwów i spotkanie z niedźwiedziem.

Kiedy jednak rudowłosa odwróciła się do wyjścia, zawołałem:

– Ja jestem Jackson Oz. O co chodzi?!

Uniosła brwi i powiedziała do walkie-talkie:

– Znalazłam go. Zaraz go przyprowadzę.

– Dokąd? – zapytałem.

– Rianna Morton, zastępca sekretarza gabinetu – przedstawiła się, wyciągając rękę.

– Dokąd? – powtórzyłem.

– Właśnie zaczyna się przerwa w posiedzeniu gabinetu – odparła. – Pan Leahy mówił, że ma pan przygotowaną prezentację.

Pięć minut później znalazłem się z powrotem na terenie Białego Domu i szybkim krokiem szedłem z Morton przez Ogród Jacqueline Kennedy, mijając kwiatowe rabaty i bukszpany. Przeszliśmy przez drzwi w suterenie, pokonaliśmy schody i skręciliśmy w prawo w majestatyczny korytarz wyłożony drewnem i ozdobiony kominkami, stylowymi regałami pełnymi książek i popiersiami z brązu.

Chyba jednak tym razem mnie nie zwodzą, pomyślałem, gdy zdałem sobie sprawę, że jesteśmy w Zachodnim Skrzydle.

W przedsionku Sali Posiedzeń Gabinetu potężnie zbudowany żołnierz marines w niebieskim mundurze i białych rękawiczkach sprawdził moje dokumenty. Za jego plecami w tłumie osób w garniturach dostrzegłem wiceprezydenta i sekretarza stanu. Żartowali, mówiąc coś o karteczkach przyklejonych na telefonach BlackBerry, których nie wolno im było przynieść na posiedzenie.

Stolicy kraju, tak jak prawdopodobnie całemu światu, groziła katastrofa, tymczasem dobrze chronieni politycy przerzucali się zgrabnymi bon motami.

Nic dziwnego, że ludziom tak się podoba w Waszyngtonie, pomyślałem.

Rozdział 84

Usłyszałem za sobą znajomy głos, który zawołał mnie po imieniu.

Rozległo się ciche brzęczenie urządzenia elektrycznego, a potem szeregi postaci w garniturach rozstąpiły się, by przepuścić Charlesa Groha, który podjechał do mnie na wózku. Chwyciłem go za rękę.

– Nareszcie jakaś przyjazna twarz – powiedziałem. – Jakie wieści? Słyszałeś coś?

– Oz, dobrze się czujesz?

Przypomniałem sobie, że jestem brudny i zakrwawiony. Miałem podwinięte rękawy, a rozluźniony krawat kołysał się absurdalnie na tle koszuli w czerwone cętki.

– Nic mi nie jest. Miałem wypadek samochodowy i zaatakował mnie niedźwiedź. Później ci opowiem. Jakieś wiadomości ze świata?

– To nic nie dało, Oz – odrzekł doktor Groh, gdy ruszyłem za jego wózkiem od linii bezpieczeństwa na drugą stronę korytarza. – Bombardowanie okazało się akcją głośną, wrzaskliwą, a gówno znaczącą*. Ochłonęli już po ataku wściekłości i chcą posłuchać, co mamy do powiedzenia.

– Musimy poświęcić chwilę, żeby wymienić uwagi – zaproponowałem i wskazałem mu ustronny kąt.

– Słusznie, Oz – zgodził się, wyciągając cienki szary laptop MacBook Air ze skórzanej torby wiszącej na oparciu wózka. – Trzeba dotrzeć do wyjątkowo twardych głów.

Kiedy mniej więcej piętnaście minut później weszliśmy do Sali Posiedzeń Gabinetu, doradcy siedzieli pod ścianami jak kaczki na strzelnicy. Rianna Morton wskazała mi krzesło na końcu prostokątnego stołu. Było najbardziej oddalone od drzwi. Gdy nalewała z dzbanka wodę z lodem do stojącej przede mną szklanki, zauważyłem kilka lśniących monitorów ustawionych na stolikach na kółkach. Na jednym z ekranów zobaczyłem kanclerza Niemiec szepczącego z doradcą. Na innym był brytyjski premier.

– W trakcie posiedzenia będziemy rozmawiać z kilkoma głowami państw na świecie przez łącza wideokonferencyjne – wyjaśniła. – Za moment powinien do nas dołączyć przywódca Chin.

Starałem się, bez większego powodzenia, opanować zdenerwowanie, jakie wywołała we mnie ta informacja, kiedy na sali pojawiła się prezydent Hardinson. Wszyscy obecni zerwali się z miejsc. Z wyjątkiem doktora Groha.

Po raz pierwszy osobiście zobaczyłem prezydent Marlenę Hardinson, której osobowość rzeczywiście robiła wrażenie. Nieco krępa kobieta miała mocno podkrążone, ciemnozielone, nieco sowie oczy, w których malowała się niemal onieśmie-

---

* Parafraza fragmentu monologu Makbeta (akt V, scena 5, przekład Józef Paszkowski).

lająca inteligencja. W perłach i ciemnogranatowym żakiecie wyglądała naprawdę dostojnie.

– Zaczynajmy – powiedziała, dając wszystkim znak, żeby usiedli. W jej głosie brzmiała znajoma chrypka, którą słyszałem tysiące razy w telewizji, ale dziwnie było usłyszeć ją na żywo. Uśmiechnęła się, zajmując miejsce pośrodku stołu. W jej uśmiechu nie było odrobiny ciepła. Przypomniałem sobie, że wczoraj zginęła jej nastoletnia córka – i że nie powinienem o tym wiedzieć.

– Panie Oz, doktorze Groh – zwróciła się do nas. – Proszę nam powiedzieć, co panowie wiedzą.

Wszystkie oczy skierowały się na mnie. Głęboko nabrałem powietrza.

– Dziękuję, pani prezydent – powiedziałem. – Proszę państwa, nazywam się Jackson Oz i od dziesięciu lat badam aberracyjne zachowania zwierząt znane dziś jako KOCZ. Zwierzęta atakują ludzi, odkąd człowiek pojawił się na Ziemi, ale od około piętnastu lat odnotowujemy niepokojący i gwałtowny wzrost agresji zwierząt wobec ludzi.

Ponadto od tego czasu zwierzęta przejawiają również zachowania nie tylko nietypowe dla swojego gatunku, ale i dla ssaków w ogóle. Na całym świecie, jak już z pewnością państwo zauważyli, zwierzęta gromadzą się w stada i przypuszczają zmasowany atak na ludzi. Nie dzieje się to przypadkowo. Zwierzęta formują roje jak owady.

– Owady? – zapytał sekretarz obrony. – Dlaczego? I dlaczego teraz?

– Przez nieumyślne zmiany w środowisku spowodowane przez człowieka, panie sekretarzu – włączył się Charles Groh, wciskając klawisz w laptopie, by uruchomić prezentację w PowerPoint.

Zaczekałem, aż na ekranie pojawi się wykres przedstawiający węglowodory, po czym kontynuowałem:

– W ostatnim czasie ludzkość wprowadziła do środowiska dwa elementy, które występują dziś powszechnie, a wcześniej były nieobecne: promieniowanie elektromagnetyczne i produkty ropopochodne. Ropa naftowa to związek organiczny złożony głównie z węglowodorów. Naszym zdaniem, w ciągu ostatnich piętnastu lat eksplozja promieniowania elektromagnetycznego za sprawą telefonów komórkowych zaczęła gotować, że się tak wyrażę, otaczające nas węglowodory, w konsekwencji zmieniając ich budowę chemiczną.

Nowy węglowodór działa podobnie jak zwierzęce feromony. Tyle że znacznie silniej. To substancja zanieczyszczająca środowisko, przypominająca feromon, która sprawia, że zwierzęta wariują. Mówiąc w skrócie, jesteśmy przekonani, że zwierzęta zaczęły się zachowywać inaczej, ponieważ zmieniliśmy zapach w środowisku.

– Feromony? – zdziwił się sekretarz stanu. – Wydawało mi się, że działają tylko na owady.

Charles Groh pokręcił głową.

– Wiele zwierząt reaguje na feromony. Porozumiewanie się, gromadzenie jedzenia, zachowania godowe, agresja... to wszystko wiąże się z zapachem. Być może dlatego szczególnie wrażliwe są na nie psy. Ich węch jest sto tysięcy razy czulszy od naszego.

– Ale dlaczego atakują tylko ludzi? – zapytała prezydent. – Czemu nie siebie nawzajem?

– Tu w grę wchodzi następny czynnik – wyjaśniłem. – Wygląda na to, że z powodu używanych przez nas produktów ropopochodnych ludzki zapach upodabnia się do feromonu, który jest sygnałem do ataku. Przyciąga zwierzęta, które

335

rzucają się na nas z taką samą zajadłością jak osy, gdy ktoś poruszy ich gniazdo.

– Hm – chrząknęła prezydent. Zabrzmiała w tym nuta wzburzenia. – Zanieczyszczenie toksycznym feromonem. Jak można to zwalczyć?

Spojrzeliśmy po sobie z Charlesem Grohem. Nadeszła pora na najgorsze. Co trzeba zrobić.

– Pierwszym krokiem – powiedziałem – powinno być usunięcie czynników, które powodują zaburzenia w środowisku.

– Mielibyśmy usunąć produkty z ropy naftowej? – zapytała prezydent.

– I telefony komórkowe? – dodał sekretarz stanu.

Skinąłem głową im obojgu, po czym spojrzałem na twarze wokół stołu i na ekranach.

– Panie i panowie, drastyczna sytuacja wymaga drastycznych kroków – rzekłem. – Oto co, moim zdaniem, powinniśmy zrobić.

Rozdział 85

Wytężając słuch i nie odrywając wzroku od drzwi wejściowych, które właśnie zamknęła na dwa zamki, Chloe siedzi na skrzypiącym krześle w stylu Ludwika XIV w wąskim przedpokoju.

Od pół godziny siedzi i nasłuchuje kanonady broni maszynowej, która wstrząsa całym budynkiem, dudni za ścianami i odbija się echem w korytarzach. Hałas potężnieje, wspina się z piętra na piętro jak pożar. Wkrótce dosięgnie ich piętra i pochłonie ją razem z synem.

Mimo to Chloe nie może się ruszyć z miejsca. Przygniata ją tak ogromny strach, że czuje się niemal sparaliżowana. Nie potrafi zmobilizować się do działania, nie potrafi myśleć, nie potrafi zaplanować następnego kroku. Może jedynie siedzieć i patrzeć na smugę światła pod drzwiami, zastanawiając się, co się za chwilę wydarzy.

Zaciska szczęki z dwa, trzy razy większą siłą, gdy słyszy dźwięk, który wyraźnie dobiega z korytarza obok mieszkania. Krótkie skrzypnięcie, a potem cichy brzęk. Po chwili słyszy to jeszcze raz. Skrzypnięcie i brzęk. Zdaje sobie sprawę, że coś napiera na drzwi klatki schodowej w korytarzu.

Sprawdza je.

Coś, co nie jest człowiekiem.

Nie jest już chyba nawet zwierzęciem, myśli.

To prawda. Zmagają się z czymś, czego świat dotąd jeszcze nie widział. Chloe nazywa to w myślach degeneracją, przeciwieństwem ewolucji. Jak gdyby wymazano naturę wszystkich zwierząt stojących na wyższym stopniu rozwoju, zastępując ją obcym instynktem świata owadów, instynktem pierwotnym, straszniejszym i okrutniejszym, niż ludzkość kiedykolwiek poznała.

Myśli o swojej pracy biologa, o niestrudzonym katalogowaniu gatunków i rodzajów zwierząt. Cały jej wysiłek poszedł na marne – wszystkie zwierzęta stapiają się w jeden twór, wędrowny amalgamat sierści, kości i zębów, który nie różni się niczym od innych niszczycielskich żywiołów. Szalejące morze ożywionej protoplazmy, które stara się zrobić to samo co potok ognistej lawy. Dokonać zmiany. Pochłonąć swój cel, dopóki zupełnie nie zniknie. Pożreć.

Dlaczego tak się dzieje? Kto to naprawdę wie?

Istnienia nie sposób pojąć. Gwiazdy rodzą się po to, by wybuchnąć. Stworzenia polują na inne stworzenia, a potem giną. Wszechświat to chaos irracjonalnych sił zmagających się ze sobą w walce, która nie ma końca. Jej ofiarą stała się właśnie ludzkość.

Chloe wreszcie wstaje. Na zdrętwiałych, sztywnych jak kołki nogach wolno wraca do salonu. Eli nadal tkwi przed telewizorem, wpatrzony w ekran szklistym wzrokiem. Ogląda film animowany, w którym przyjazne zwierzęta rozmawiają ze sobą. *Madagaskar*, przemyka jej przez głowę zupełnie zbędna myśl, przebijając jak ptak gęstą chmurę jej strachu. Chloe szuka pilota, ale szybko daje za wygraną i naciska przycisk na telewizorze.

– Co się stało, mamusiu? – pyta Eli. Oczy mu błyszczą. Jest niezwykle inteligentnym dzieckiem – posłusznym i wyczuwającym jej nastrój, zwłaszcza gdy Chloe nie żartuje.

Bierze syna na ręce. Idzie do rogu salonu i gasi światło. Siada na białej pluszowej kanapie pod płótnem w jaskrawych kolorach. Oto mój cały wielki plan, myśli.

Zaraz potem słyszy jakieś szybkie kroki pod drzwiami. A może to tylko wyobraźnia?

Nie wpuszczę cię! – myśli. Nie wpuszczę cię, wilku, za żadne skarby świata!

Ręce jej dygoczą. Zaciska je w pięści, żeby się uspokoiły.

– Co się stało, mamusiu? – szepcze Eli.

– Musisz mnie posłuchać, Eli – odpowiada szeptem Chloe. – Musimy być teraz cicho. Umiesz? Będziesz grzeczny, jeżeli mamusia cię poprosi?

– Tak – mówi chłopiec, ściskając jej dłoń. – Nie bądź smutna, mamusiu. Umiem być cicho.

Chloe stara się uspokoić oddech. Oddychać równo i niespiesznie. Stara się siłą woli stłumić pulsowanie w żołądku, w piersi i w głowie. Jej oczy wzbierają łzami. Stara się je powstrzymać. Kontury świata się rozmywają. Myśl. Opanuj to. Rzeczy odzyskują ostrość. Tak trzymać. Panuj nad tym. Panuj.

Skupia się, próbując zaplanować następny racjonalny krok. Myśli o budynku. Od frontu są schody, winda osobowa i winda towarowa. Chwileczkę, są jeszcze drugie schody, na które chyba można dostać się przez kuchenne drzwi. Z tyłu, gdzie wyrzuca śmieci. Może ta droga ucieczki jest jeszcze wolna. Mogłaby wziąć Eliego na ręce i wyjść tamtędy. Ale co potem? Zostać pod gołym niebem? Iść do innego budynku? Najlepiej siedzieć tu i mieć nadzieję, że nie zwrócą na siebie uwagi i...

Nagle rozlega się nowy dźwięk i serce na moment jej zamiera. Odgłos dobiega z prawej strony. Są tam oszklone drzwi. Chloe zupełnie o nich zapomniała.

Prowadzą na balkon.

Widzi, jak z góry spada na balkon jakiś cień i ląduje tuż za szybą. Potem drugi. I trzeci.

Powoli i ostrożnie Chloe pociąga Eliego na podłogę. Kładzie się na brzuchu obok stolika i przyciska syna do siebie, starając się jak najlepiej zasłonić go własnym ciałem. Powolutku unosi głowę, znów patrzy na drzwi balkonowe.

Trzy dorosłe szympansy przyciskają twarze do szyby, która pokrywa się parą ich gorących oddechów. Wyglądają jak dzieci z twarzami przyklejonymi do witryny sklepu ze słodyczami.

Są wielkie. Mają zjeżoną, sztywną sierść. Dwa z nich trzymają coś w rękach. Kije? Nie, to rury. Umiejętność posługiwania się narzędziami, myśli Chloe, która zachowała jeszcze wiedzę etologa.

Po chwili rozlega się głośny stukot. Szympansy uderzają rurami w oszklone drzwi.

Brzdęk, brzdęk, brzdęk.

Nagle szkło pęka z hukiem przypominającym potężny brzęk czyneli.

Rozdział 86

Trzaska szkło. Na drewnianą podłogę sypią się większe i mniejsze ostre trójkątne odłamki, dzwoniąc i pobrzękując. Szympansy wytłukują rurami resztki szyby z ramy. Samiec alfa rusza przodem, delikatnie odpycha dwa pozostałe, żeby ustąpiły mu z drogi. Ma zawadiacko nasuniętą na głowę czerwoną przetartą czapkę, która wygląda jak totem, jak korona barbarzyńskiego władcy.

To Attyla – a raczej zwierzę, które kiedyś było Attylą. Zupełnie się zmienił. Jego muskulatura jest napięta jak struna, wzrok chciwy i wygłodniały. Gdzieniegdzie ma przerzedzoną sierść. Cieknie mu z nosa. Wydaje się, jak gdyby zmieniła mu się cała fizjologia. Funkcje mózgu są stępione i wynaturzone, metabolizm przebiega w przyspieszonym tempie.

Attyla wsadza głowę do mieszkania, węszy.

Wszystko jest teraz zapachem. Słuch, wzrok – nawet dotyk – grają drugie skrzypce w orkiestrze zmysłów. Szympansy wiedzą, że w środku są ludzie. Wiedzą, że jest tu dorosła samica. Węch nie może ich mylić. Czują pot i lekko słodkawą woń owulacji. Czują też zapach młodocianego osobnika.

Bliskość ofiar pobudza ich gruczoły ślinowe. Chcą je pożreć, pragną ich jak ogień pragnie tlenu.

Zwierzęta porozumiewają się już prawie wyłącznie za pomocą węchu. Emocje i zamiary są wyczuwalne w zapachu ciała, potu.

Szympans pragnie zdobyczy bardziej niż jego dwaj towarzysze. Od wielu godzin nie zabił żadnej ofiary i głód zżerający jego żołądek jest jak długie pazury, które chcą go rozerwać na pół.

Attyla już ma wejść z balkonu do mieszkania, gdy nagle wietrzy coś innego. W zapachu drugiego człowieka, tego młodego, jest jakaś bardzo subtelna, prawie niewyczuwalna nuta, która delikatnie przenika przez szczelnie okrywającą zwierzę zasłonę wściekłości.

Na czerwonym ekranie umysłu Attyli wyświetla się cień wspomnienia. Pojawia się twarz mężczyzny, rozmyta, niewyraźna, ale to na pewno twarz. Zbliża się do krat maleńkiej, ciasnej klatki, w której jest uwięziony. Mężczyzna otwiera drzwi klatki, przytula go, mówi do niego łagodnym, uspokajającym głosem. Pierwsza dobroć, jakiej zaznał.

Potrząsając głową w oszołomieniu, w jakie wprawiła go ta dziwna wizja, Attyla przystaje w roztrzaskanych drzwiach balkonowych. Ten człowiek jest w mieszkaniu, w jakiś sposób ukryty w chłopcu. Mimo to w szympansie kipi gniew, ogromny gniew. Impuls walczy w nim z pamięcią.

Dwie małpy, dyszące żądzą krwi, usiłują przepchać się obok niego.

Attyla łapie za ramię pierwszą, a potem drugą. Odciąga je od drzwi z powrotem na balkon. Znajdą inne mięso.

– Hiiaaa! – wrzeszczy przeraźliwie. To ostry, wysoki i zgrzytliwy krzyk. – Hiiaaa! Hiiaaa! Hiiaaa!

Rozdział 87

– Mamusiu! Mamusiu! Obudź się! Słuchaj!

Chloe mruga i otwiera oczy. Z balkonu dobiega wysoki, przenikliwy dźwięk wydawany przez małpę. Szympansy wyraźnie szamoczą się ze sobą.

Chloe siada na podłodze.

Wyciąga ręce i mocno obejmuje ramionami syna. Kiedy patrzy na popychające się i wrzeszczące zwierzęta, poznaje charakterystyczny dźwięk wydawany przez szympansa. To okrzyk ostrzegawczy – rodzaj syreny, którą ostrzegają się szympansy, gdy zbliża się zagrożenie.

Jeden z nich ostrzega pozostałe, żeby nie wchodziły?

Po chwili małpy przestają się bić. Największa z nich, która wygląda cudacznie w starej postrzępionej czerwonej czapce, podbiega do balustrady i wskakuje na nią, przywołując dwie pozostałe. Chwilę później wszystkie trzy zsuwają się z balustrady i znikają.

Chloe drży, gdy powoli wypuszcza powietrze z płuc. Szympansy chciały zaatakować, ale nagle zrezygnowały.

Attyla. Jak to możliwe, że to był on? A raczej jak to możliwe, że to nie był on – ile w tym mieście jest szympansów na wolności?

Chloe siedzi na podłodze z Elim w ciemności. Zza rozbitych drzwi balkonowych słyszy okrzyki ludzi, którzy śpiewają i skandują w Central Parku. Jak gdyby istoty ludzkie cofały się w rozwoju i na powrót stawały się prymitywne. Może teraz ludzie zaczną reagować na feromony. Powstaną ludzkie zombie i dołączą do czworonożnych. Wszystko jest możliwe.

Eli szamoce się w jej ramionach jak olbrzymia ryba. Usiłuje się uwolnić z uścisku matki.

– Nie. Zostań tu – mówi ostrym szeptem Chloe.

– Zaraz wrócę.

Myśli, że chłopiec musi iść do toalety. Ale pojawia się już po chwili i coś jej podaje. To miska z popcornem.

– Tatuś mówił, że mam się tobą opiekować, jak go nie będzie – wyjaśnia. – Proszę.

Chloe go całuje.

Rozlega się ciężkie walenie go drzwi.

– Armia Stanów Zjednoczonych! – woła męski głos. – Jest tam kto?!

Chloe chwyta Eliego i przypada do drzwi. Wpuszcza młodego, jasnowłosego żołnierza w okularach, który uśmiecha się w świetle latarki.

– Dzięki Bogu, że żyjecie – mówi, opuszczając karabin. – Ktoś wyłączył napięcie w ogrodzeniu i w jakiś sposób zwierzęta dostały się przez suterenę. Chyba udało nam się opanować sytuację. Jest pani ranna? Synowi nic się nie stało?

– Wszystko w porządku – odpowiada Chloe. – Szympansy próbowały wejść przez balkon, ale uciekły.

– A więc były tutaj. – Żołnierz kręci głową. – Widziałem, jak coś spada z balkonu na pierwszym piętrze i przeskakuje przez ogrodzenie.

– Ile osób jest poszkodowanych? Ucierpiały inne rodziny?

– Skłamałbym, gdybym powiedział, że nie – przyznaje żołnierz. – Najbardziej trzy rodziny na trzecim piętrze. Na razie mamy sześć ofiar. Ciągle przeszukujemy budynek. Tymczasem... – dodaje i coś jej wręcza.

Chloe w milczeniu patrzy na przedmiot.

To płaski czarny pistolet.

– Nie możemy być równocześnie wszędzie, proszę pani. Być może będzie musiała pani tego użyć, żeby się obronić przed następną falą.

– A jeżeli nie będę umiała?

– To tym bardziej się pani przyda – mówi żołnierz, wpycha jej broń do ręki i odwraca się do wyjścia.

Chloe trzyma w dłoni ciemny, zimny i ciężki pistolet. Jego dotyk jest okropny. Doskonale wie, co miał na myśli żołnierz, mówiąc, że broń może się jej przydać. Chciał przez to powiedzieć, że powinna zastrzelić Eliego i siebie, zamiast dać się pożreć żywcem.

– Mamusiu, to prawdziwy pistolet? – pyta Eli.

– Nie.

Rozdział 88

Orędzie, jak zaczęto w Białym Domu nazywać wystąpienie, zostaje wygłoszone nazajutrz punktualnie o godzinie 9.00, a potem jest powtarzane bez przerwy przez resztę dnia. Wszystkie stacje telewizyjne i radiowe przerywają normalny program. Orędzie jest nadawane przez megafony z helikopterów i przez głośniki umieszczone na krążących ulicami wojskowych samochodach.

Na ponaddziesięciometrowym telebimie na One Times Square pojawia się obraz z Gabinetu Owalnego. Za biurkiem siedzi czterdziesty piąty prezydent Stanów Zjednoczonych, Marlena Grace Hardinson. Przydymionymi, ciemnozielonymi oczyma spogląda w obiektyw kamery i zaczyna, wymawiając słowa powoli i starannie:

– „Drodzy rodacy, chciałabym wam powiedzieć »dzień dobry«, ale jak wszyscy wiemy, nie jest to dobry dzień dla wielu z nas. Właśnie przeżywamy czarne chwile w całej historii ludzkości.

Mówię to na podstawie własnego bolesnego i gorzkiego doświadczenia. Wczoraj zginęła moja córka Allison. Zaatakował ją nasz pies. To tragedia, z której, być może, ani ja, ani mój mąż Richard nigdy się nie otrząśniemy. Jednak musimy żyć dalej. Wszyscy musimy żyć dalej i będziemy. Ponieważ tak czynią Stany Zjednoczone.

Mimo wysiłków naszej armii w całym kraju, a nawet na całym globie, zwierzęta nadal w okrutny sposób atakują ludzi. Po wnikliwych i intensywnych badaniach nasi naukowcy doszli do przekonania, że odkryli niektóre z czynników odpowiedzialnych za zwierzęcą agresję.

Od wielu lat toczy się gorąca debata na temat przemysłowego zanieczyszczania środowiska jako jednej z przyczyn globalnego ocieplenia. Wydaje się, że badając wpływ działalności przemysłowej na zmiany klimatyczne i związane z tym zagrożenia, nie dostrzegaliśmy przy tym innego problemu, który niepostrzeżenie rozwijał się od wielu lat tuż obok nas. Jego sednem jest destabilizacja biosfery.

Okazuje się, że aberracyjne zachowania zwierząt mogą mieć bezpośredni związek z działalnością człowieka. Znaczne nagromadzenie produktów ropopochodnych bogatych w węglowodory, do którego doszło w ostatnich latach, w połączeniu z promieniowaniem wytwarzanym przez telefony komórkowe doprowadziło do zmian w środowisku, na które reagują zwierzęta. Z wyjaśnień naukowców wynika, że węglowodory, zwykle spotykane w środowisku człowieka, uległy nieznacznym modyfikacjom, przeobrażając się w substancję odbieraną przez zmysły wielu zwierząt jako feromon zmieniający ich zachowanie. Te nowe, przenoszone drogą powietrzną cząstki chemiczne sprawiają, że zwierzęta gromadzą się w stada i atakują człowieka.

Mając na uwadze bezpieczeństwo publiczne, musimy zrobić wszystko, co w naszej mocy, aby odwrócić ten proces. Dlatego właśnie zwracam się do narodu amerykańskiego, aby zjednoczył się dziś z resztą świata. Choć zdaję sobie sprawę, że będzie to ogromnie trudne, na najbliższe dwa tygodnie musimy zaprzestać korzystania z telefonów komórkowych i energii elektrycznej, a także ze stosowania paliw kopalnych. Słowem, aby zrobić pierwszy krok do rozwiązania katastrofalnej sytuacji, musimy dosłownie oczyścić atmosferę – z promieniowania i produktów ropopochodnych.

Właśnie podpisałam nadzwyczajny dekret, który przewiduje wyłączenie wszystkich stacji przekaźnikowych telefonii komórkowej oraz elektrowni na terenie Stanów Zjednoczonych dziś o północy. Zabrania się korzystania z przenośnych generatorów z wyjątkiem szpitali i wyznaczonego personelu ratunkowego. Wprowadza się również zakaz poruszania się pojazdami mechanicznymi, a każda osoba, która go złamie, zostanie aresztowana. Głowy najważniejszych państw uprzemysłowionych, wśród nich Wielkiej Brytanii, Francji, Rosji, Chin i Japonii, zgodziły się zastosować te same procedury. Będą państwo informowani o kolejnych instrukcjach. Ta dwutygodniowa przerwa jest niezbędna, aby nasi naukowcy mogli zweryfikować i potwierdzić przyczyny konfliktu między zwierzętami a człowiekiem i abyśmy mogli opracować kompleksowy plan na przyszłość. Dziękuję za współpracę. Niech Bóg błogosławi Amerykę i nas wszystkich".

Rozdział 89

Zanim zaczęło się prezydenckie przemówienie, Charles Groh i ja piliśmy kawę w restauracji Mess w Białym Domu, próbując przeprowadzić burzę mózgów. Był to raczej lekki kapuśniaczek, drobny deszczyk mózgów, bo na rozpętanie prawdziwej burzy byliśmy po prostu zbyt skonani.

W rzeczywistości jednak czekaliśmy, wpatrując się w zegar, aż wskazówka minutowa przesunie się naprzód, by wraz z godzinową utworzyć odwrócone L, czyli punktualnie godzinę dziewiątą. Wtedy ruszyliśmy za przejętymi ludźmi do lśniącej stalą kuchni i stanęliśmy obok zebranego tam całego personelu kuchennego, który z uwagą i w milczeniu patrzył w zamontowany na ścianie telewizor.

Kiedy orędzie się zakończyło, przez tłum przebiegł szmer zaniepokojonych głosów.

– Wyłączą prąd, a wojsko będzie przymykać ludzi za jeżdżenie własnym samochodem? – odezwał się krępy, czarnoskóry kucharz. Ktoś wyłączył telewizor. – To ma być ten nowy wspaniały plan?

Wyraźnie wątpił w jego powodzenie. Jak zresztą wszyscy

pozostali. Nawet ja miałem wątpliwości, a przecież byłem głównym architektem tego nowego wspaniałego planu.

– Jakie to uczucie? – zapytał doktor Groh, gdy wróciliśmy do naszego stołu w prawie pustej sali.

– Jakie uczucie?

– Kiedy wreszcie dostaje się to, czego się chciało – wyjaśnił. – Od kiedy próbowałeś ostrzec ludzi? Od prawie dziesięciu lat? Teraz cię słuchają. To musi być dziwne uczucie dostać w końcu to, o co człowiek się stara.

– Mam tylko nadzieję, że właśnie o to chodzi.

Wypiłem resztę kawy i spojrzałem na osad na dnie kubka, jakbym był Cyganką wróżącą z fusów. Zastanowiłem się nad tym. Na pewno miałem bardzo mieszane uczucia. Cieszyłem się, że przerwano idiotyczne naloty dywanowe, problem jednak polegał na tym, że moja teoria współzależności ropy naftowej, promieniowania i feromonów pozostawała tylko teorią. I niczym więcej.

Istniało duże prawdopodobieństwo, że mogę się zupełnie mylić albo mieć rację tylko w połowie. Nie sposób było wykluczyć innych czynników oddziałujących na to zjawisko. Być może promieniowanie, energia elektryczna i ropa naftowa nie mają z tym nic wspólnego – że zwęszyliśmy fałszywy trop (cha, cha). Taka już jest nauka. Nie udziela odpowiedzi. Stawia hipotezy, przeprowadza badania i stawia nowe. Miałem więc swoje hipotezy i teraz zostaną one zbadane. Wyłączenie światła na całym świecie było bezprecedensowym historycznym wydarzeniem. A jeżeli nie da żadnych rezultatów?

– Charles, mam wrażenie, jakby ciężar całego świata spoczywał na moich barkach – powiedziałem. – Krótko mówiąc, boję się jak jasna cholera.

Doktor Groh wzruszył ramionami.

Gdy wróciliśmy do Sali Posiedzeń Gabinetu na następną część narady, wszyscy sprawiali wrażenie wyczerpanych i lekko oszołomionych. Ale był to rodzaj pozytywnego wyczerpania i oszołomienia, jakie można zobaczyć u ludzi nieszczędzących wysiłku, aby zdążyć z pracą w wyznaczonym terminie, ślęczących przez całe noce o pizzy i czarnej kawie, zmęczone spojrzenia pełnych poświęcenia ludzi kończących trudne zadanie.

Kiedy weszła prezydent, w zatłoczonej sali wybuchły spontaniczne brawa.

Sekretarz energetyki w euforii gwizdnął na palcach, ale ja nawet nie uniosłem rąk do oklasków. Niczego nie zakończyliśmy. To był dopiero początek drogi, jak sądziłem, długiej i żmudnej. Nie mogłem się przyłączyć do tej manifestacji samozadowolenia.

Poinformowanie społeczeństwa to jedno.

Zmuszenie go do przestrzegania nakazów to coś zupełnie innego.

Aby plan się powiódł, ludzie musieli naprawdę przestać korzystać z elektryczności i samochodów.

Potrafili to zrobić?

Wszystko zależało od tego, czy ludzie zastosują się do nowych nadzwyczajnych rozporządzeń. Realistycznie rzecz biorąc, mieliśmy do dyspozycji o wiele za mało wojska, żeby wyegzekwować przestrzeganie kryzysowych przepisów. Mogliśmy więc liczyć jedynie na dobrą wolę ludzi. Na szkoleniu dla oficerów na samym początku uczą między innymi tego, aby nie wydawać żadnego rozkazu, jeżeli nie ma się pewności, że zostanie wykonany. Prawo, którego nie można wyegzekwować, jest coraz swobodniej łamane. Jak powiedział Fryderyk Wielki, dyplomacja bez armat jest jak muzyka bez instrumentów.

Kiedy prezydent zajęła miejsce na środku sali, próbowałem myśleć o innych sytuacjach, w których wzywano Amerykanów do poświęceń dla dobra kraju. Albo dla dobra świata, jak mogło być teraz. Dobrym przykładem była druga wojna światowa. Przypomniałem też sobie wszystkie akcje charytatywne i gesty solidarności, które mnożyły się w Nowym Jorku po jedenastym września. Przecież to się może powtórzyć, prawda?

Prezydent Hardinson odchrząknęła, a ja trzymałem kciuki pod stołem. Miałem taką nadzieję. Modliłem się, żeby tak było.

Teraz wszystko zależało od nas.

Rozdział 90

Ze względu na obciążenie sieci oraz konieczność ciągłości dostaw energii duże systemy zasilania wymagają pewnego czasu, aby wstrzymać pracę, nie niszcząc urządzeń. Sieć w Stanach Zjednoczonych została ostatecznie wyłączona dopiero dwanaście godzin po terminie wyznaczonym przez prezydent. Brak prądu jest dla niektórych zaskoczeniem. Gdy wszystko wokół powoli się zatrzymuje, w pewnych rejonach przestają działać pompy wodne, a ludzie zostają uwięzieni w windach. A potem zalega cisza i ciemność. Ale większość ludzi jest na to przygotowana.

O 21.00 czasu wschodniego wszystkie elektrownie, linie lotnicze i zakłady przemysłowe w Stanach Zjednoczonych i Europie są wyłączone, podobnie jak wszystkie komercyjne sieci łączności komórkowej. W Stanach Zjednoczonych wysyła się oddziały wojska, aby zatrzymały ruch kołowy. Po raz pierwszy satelita Centrum Systemów Kosmicznych i Rakietowych Sił Powietrznych USA monitorujący powierzchnię Ziemi nocą pokazuje tylko czarny obraz w miejscu, gdzie zawsze jarzyły się pajęczyny krystalicznych nitek światła w Nowy Jorku, Paryżu, Londynie. Ciemność.

Gdy różanopalca jutrzenka rozjaśnia niebo nad górami Wirunga w Rwandzie, Barbara Hatfield budzi się w kontenerze, który ośrodek badań zoologicznych wykorzystywał jako magazyn. Prymatolog zamknęła się tam przed prawie trzema tygodniami, aby nie rozdarły jej na strzępy goryle ani nosorożce, które pojawiły się nie wiadomo skąd.

Jest w poważnych tarapatach. Kontener w ciągu dnia jest piekarnikiem, a w nocy lodówką. Skończyło się jedzenie. Został tylko galon wody. Barbara jest słaba, głodna, odwodniona. Odizolowana od wydarzeń w pozostałej części świata, nie rozumie, dlaczego nikt nie przyszedł jej z pomocą. Dlaczego od trzech tygodni nie było samolotu z dostawą zapasów? Izolacja. Głód. Osamotnienie. Strach. Gorączkuje, ma halucynacje, granice między rzeczywistością, koszmarem a snem rozmywają się i nikną. Została ukarana przez Boga, porzucona w sercu dżungli, żeby umrzeć w cierpieniach.

Z wielkim wysiłkiem podnosi się, pełznie na czworakach do szczeliny przy jednym z zawiasów i wygląda przez nią.

Widok ją zdumiewa. Na polanie na skraju lasu widzi goryle. Ale są z nimi samice. Kiedy rozpętało się to szaleństwo, samice gdzieś zniknęły. Teraz wróciły. Goryle nie są już groźne. Robią to, co zwykle: jedzą, parzą się, bawią się z młodymi i leniuchują.

Barbara staje na wiotkich, słabych nogach i otwiera zasuwę drzwi kontenera. Wychodzi na zewnątrz. Goryle patrzą w jej stronę. Barbara cofa się o krok i potyka. Metal pod jej stopami wydaje głuchy brzęk i łomot, a ona łapie się krawędzi drzwi, żeby nie upaść.

Powinna się schronić w bezpiecznym wnętrzu kontenera? Znowu ją zaatakują?

Nie rusza się jednak i patrzy, jak goryle powoli człapią

w stronę dżungli, znikając między drzewami i we mgle unoszącej się nisko nad ziemią.

W Delhi promienie słońca leniwie padają na morze płaskich dachów, na ciemne i ciche miasto. Władze surowo egzekwują przestrzeganie globalnego zakazu używania energii. Dwie nowe elektrownie na wschód od miasta zostały wyłączone, podobnie jak wszystkie wieże przekaźnikowe, zamknięto też stacje benzynowe.

W Yamuna Pushta, rozległych slumsach we wschodniej części miasta, ulice, zwykle zatłoczone, są prawie puste, jeżeli nie liczyć wózków ręcznych i riksz. Migranci zamieszkujący slumsy niepewnie wyglądają przez szpary swoich bud. Są łatwym łupem dla grasujących stad indogów i kotów z dżungli, które opanowały miasto.

Zerkając ze swoich kryjówek, widzą na ulicach jakiś ruch. Zwierzęta – lamparty, tygrysy – idą na północ. Umorusane sadzą dziecko chowa się przerażone za oknem, ale po chwili wysuwa głowę, żeby się przyjrzeć przechodzącemu ulicą lampartowi. Zwierzę oddala się nieśpiesznym, ociężałym krokiem, wolno poruszając łopatkami i kołysząc ogonem jak wahadłem. Wielkie koty wyprowadzają się z miasta, wracają do dżungli, gdzie jest ich miejsce.

To samo dzieje się na całym świecie. W Londynie, Paryżu, Rzymie, Bejrucie, Iowa City. Zwierzęta opuszczają miasta.

Ogromne stada zwierząt rozpraszają się i wracają do domu jak tłum widzów po meczu.

Rozdział 91

Gdy w drugim dniu globalnego paraliżu energetycznego nad Nowym Jorkiem wschodzi słońce, Chloe od dwóch godzin jest już na nogach. Nie ma prądu, więc zapala świeczkę i spędza spokojny czas przedświtu na przeglądaniu rodzinnych fotografii. Cieszy się, że je zapakowała przed wyjazdem do kwatery w rządowym centrum ewakuacji.

Odwraca strony albumu, uśmiechając się do siebie. Nie potrafi rozstrzygnąć, które lubi najbardziej: zdjęcia ze ślubu czy zdjęcie Oza w szpitalu, pierwszy raz trzymającego na rękach Eliego. A może fotografię dwuletniego Eliego, który goni mewę na pikniku w parku Jones Beach.

Wybiera zdjęcie Oza w jaskrawoniebieskiej hawajskiej koszuli i smokingu, czekającego na nią przy ołtarzu. Chyba ze względu na wyraz jego twarzy. Uśmiech i ten błysk w brązowych oczach – radość i szczęście utrwalone w stop-klatce. Boże, ależ za nim tęskni. Boże, jak ciężko żyć w rozłące.

Nie może jednak znów ulec panice i depresji. Musi mieć nadzieję. Wie, że niebawem będą razem.

Bo się powiodło.

Plan się powiódł.

Poprzedniego dnia wieczorem wraz z kilkoma naukowcami wyszła na dach budynku. Trzymała w dłoni ciepłą rączkę Eliego i patrzyli w niebo. Widzieli gwiazdy.

Dla Chloe firmament nad nią wyglądał jak nocne niebo nad domem jej dzieciństwa, domem jej dziadka na francuskiej wsi.

Eli był dzieckiem z miasta. Nigdy nie widział tylu gwiazd. Pokazywała mu konstelacje i planety. Wenus, Merkurego. Jowisza i Saturna, mrugające z dali giganty. Galaktyka rozwija się jak falująca wstęga gwiezdnego dymu.

Oczywiście widzieli gwiazdy, ponieważ wszystkie światła w mieście były wyłączone. Nawet uliczne latarnie. W żyłach miasta nie płynęła ani jedna kropelka prądu. Chloe nasłuchiwała jakiegokolwiek śladu ciągłej wibracji, którą wcześniej był Nowy Jork. Nie dobiegał żaden dźwięk. Ciemność i cisza. Miasto było koralową muszlą ciemności i ciszy.

Stojąc na dachu i trzymając Eliego za rękę, Chloe poczuła gorące łzy zbierające się w kącikach oczu, a potem spływające po policzkach. Ich powodem był po części smutek, a po części chłodna radość na widok tego budzącego grozę, nikomu niepotrzebnego, samotnego piękna.

Nareszcie coś się posuwa do przodu, myśli, gładząc palcem twarz męża na fotografii. Tak jej podpowiada intuicja. Uda się, przetrwają to.

Po śniadaniu Chloe postanawia zabrać Eliego na balkon, żeby się trochę przewietrzyli. Gdy wchodzi do pokoju, do którego o mały włos nie wdarły się zwierzęta, dłonie wilgotnieją jej od potu. Zmiata kawałki rozbitego szkła, po czym otwiera drzwi balkonowe i oboje wychodzą na zewnątrz.

Jest przepiękny wrześniowy dzień. Bezchmurne niebo, słońce, lekki wiaterek.

– Posłuchaj, mamusiu – mówi Eli.

Nasłuchuje. Jedynym dźwiękiem jest szum wiatru poruszającego liśćmi rozkołysanych drzew w Central Parku.

– Nic nie słyszę, Eli.

– Aha! – odpowiada chłopiec. – Ktoś wyłączył Nowy Jork! Chloe się uśmiecha. To prawda. Na ulicach panuje cisza i bezruch. Blask poranka przesącza się przez boczne uliczki, maluje złote pasy ciepła na Piątej Alei.

Jest w tym coś smutnego, a zarazem cudownego. Widoczny za drzewami w oddali dach hotelu Plaza równie dobrze mógłby być świątynią Majów. Odnosi się wrażenie, jak gdyby cofnęli się w czasie.

Chloe otacza ramieniem synka. Swojego drobnego, ciepłego, radosnego synka. Przez chwilę, po raz pierwszy od bardzo dawna, czuje się prawie bezpieczna, prawie szczęśliwa.

Znów myśli o Ozie. O dotyku jego skóry pod jej palcami. O jego głupkowatym amerykańskim śmiechu.

Na pewno wszystko z nim dobrze. Wkrótce znowu go zobaczy. Całuje syna, ocierając łzę, która drży na jej nosie.

Świat się nie skończy.

Rozdział 92

Leżąc na wznak na skale nad boiskiem do softballu niedaleko karuzeli w Central Parku, Attyla przygląda się białej chmurze płynącej wysoko po błękitnym oceanie nieba. Wydaje ciche płaczliwe skomlenie, jak gdyby wzdychał. Ma opuszczone ramiona, rozluźnione mięśnie. Jest już spokojny.

Ogromne stado zwierząt, które przed kilkoma dniami prowadził do Central Parku, znacznie się przerzedziło. Najpierw odeszły szczury, po nich koty. Zostało kilka psów, ale nawet one zaczynają zataczać coraz szersze kręgi, włócząc się bez celu jak elektrony w niestabilnym atomie.

Silny zapach w powietrzu, który zmuszał Attylę do działania, jest teraz słabym, nieznacznie wyczuwalnym śladem. Osłabiony, wyczerpany, ledwie żywy od fizycznego wysiłku drzemie na nagrzanej słońcem skale. Na języku czuje mocny metaliczny posmak krwi, który lekko przyprawia go o mdłości.

Chce teraz tylko spać, spać i nic więcej.

Drzemie przez cały dzień, od czasu do czasu wstaje i spaceruje, żeby popatrzeć na ciche i nieruchome miasto, a potem znów zapada w drzemkę. Na białe budynki pada łagodne światło. Urocze brązowe oczy Attyli ospale mrugają. Słucha ciszy. Jest piękna. A powietrze chłodne i czyste.

Czuje, że robi się głodny, ale to normalny głód. Nie szalone pragnienie mordu. Nie chce już zabijać. Żądza krwi wypaliła się jak gorączka. Attyla wraca do zdrowia.

Po chwili siada, gdy inny szympans gramoli się na skałę i sadowi się obok niego. To duża samica, która uciekła z zoo w Central Parku. Trzyma coś w ręku. Pomarańczę. Owoc wygląda jak kulka ognia, jak słoneczko. Szympansica obiera go długimi palcami i podaje Attyli. Ten rozrywa pomarańczę na pół i oddaje jej drugą połówkę.

Jedzą razem. Smakuje im chłodny, słodki i lepki sok. Samica przytula się do niego i zaczyna go iskać. Potem kładą się obok siebie na rozgrzanej skale. Czując ciepło szympansicy i ciepło ziemi, Attyla się uspokaja. Zamyka oczy i znów zapada w sen.

Rozdział 93

Następne dwa dni spotkań ciągnęły się jak guma arabska. W świetle lampionów i świec niewiele było widać, dlatego posiedzenia przeniosły się na zewnątrz, do Ogrodu Różanego. Siedzieliśmy przy stołach na sprężynujących metalowych krzesłach ogrodowych, przytrzymując dokumenty przyciskami do papieru, żeby wiatr nie rozniósł ich po południowym trawniku.

Trzeciego dnia, mając serdecznie dość siedzenia w czterech ścianach ciemnej, zawalonej papierami przyczepy i wojskowym obozie, odwołałem popołudniowe spotkania. Słyszałem, że od ponad dwóch dni Waszyngton jest wolny od hord zwierząt, chciałem się więc przekonać na własne oczy, czy to prawda.

Wpadłem na sierżanta Alvareza, który wychodził z jadalni w obozie, i namówiłem go, żeby mi towarzyszył. Gdy kilka minut później spotkaliśmy się przy północno-zachodniej bramie, miał na sobie kamizelkę i hełm z kevlaru, a w rękach gładką i płaską czarną strzelbę z magazynkiem bębnowym.

– Jak kostka? – spytałem.

– Coraz lepiej. Podoba się panu moja laska? – zapytał i potrząsnął potężną bronią. Wyjaśnił, że to strzelba automatyczna AA-12, która strzelając ogniem ciągłym, opróżnia bębenek z trzydziestu dwóch naboi śrutowych 12/70 w mgnieniu oka. –

Można by pomyśleć, że taka siła ognia jest bezsensownie duża, ale chyba nie ma nic lepszego, gdybyśmy wpadli na stado uzbrojone w zęby i pazury – dodał. – Rozdawali je, więc sobie wziąłem. Zgodnie z procedurą WRC.

– WRC?

– W razie czego.

Miasto za bramami Białego Domu było ciche i spokojne. Najbardziej zaskakiwała cisza. Można było usłyszeć szum wiatru.

Centrum nadal było odgrodzone, ale wpuszczano niektórych mieszkańców, żeby sprawdzili, co się dzieje z ich mieniem. Zagadnęliśmy parę osób wchodzących i wychodzących z domów – dwie uczennice szkoły pielęgniarskiej z Uniwersytetu Georgetown, agenta FBI, lobbystkę i jej syna. Odnosiłem wrażenie, jak gdyby Waszyngton stał się wioską.

Przynajmniej na razie.

Optymizm tych ludzi i ich gotowość do współpracy dodały mi otuchy. Wiedziałem jednak, że to dopiero początek. Trwał jeszcze miesiąc miodowy. Jak ludzie będą się czuć po tygodniu bez gorącego prysznica i klimatyzacji? Jak zaczną być głodni, bo zaopatrzenie kraju w żywność w dużym stopniu zależy od transportu?

Byliśmy na Constitution Avenue, gdy zza rogu wyłonił się pies, czarny labrador. Alvarez odruchowo uniósł swoją nową zabawkę, gotowy rozerwać zwierzę na drobne kawałki. Ale pies nawet na nas nie spojrzał. Przeszedł ulicą, zatrzymując się tylko przy hydrancie przeciwpożarowym, żeby się załatwić.

Popatrzyliśmy na siebie z Alvarezem. A potem wybuchnęliśmy śmiechem.

– Dzwoń do „Timesa" – powiedziałem. – Mam dla nich nagłówek na jutro. „Pies sika na hydrant!".

Rozdział 94

Tego wieczoru i przez prawie cały następny dzień Charles Groh i ja uczestniczyliśmy w romantycznych naradach strategicznych przy blasku świec, spotykając się z przedstawicielami Centrum Zwalczania i Zapobiegania Chorobom, oraz różnych formacji wojska. Po szybkiej kolacji drzemałem na kanapie w przyczepie zaparkowanej na południowym trawniku, kiedy poczułem, że ktoś figlarnie szarpie mnie za stopę.

Usiadłem, a obok mnie usiadł szef sekcji NSA Leahy. Leahy'emu i jego agencji powierzono zadanie monitorowania skutków wyłączenia prądu i zamknięcia zakładów przemysłowych wśród populacji zwierząt. Czekałem na wiadomości od niego. Uśmiechnął się enigmatycznie i podał mi kubek kawy.

– Chyba dłużej nie wytrzymam tego napięcia – powiedziałem, ziewając i biorąc kawę. – Co nowego, kolego?

Leahy uśmiechnął się promiennie.

– Chodź, zobacz sam, mały geniuszu.

Wyszliśmy z przyczepy i ruszyliśmy w kierunku innej, stojącej obok Ogrodu Różanego, która miała zamontowaną z boku antenę satelitarną. Do urządzeń w przyczepie był podłączony grzechoczący ręczny generator prądu. Było to centrum łączności. Kilkunastu techników i wojskowych rzucało krótkie komunikaty do telefonów, wpatrywało się w monitory, pokazywało palcami jakieś jasne obiekty na ekranach. Leahy wyrwał z faksu kilka stron i podał mi.

– Nasyć wzrok, Czarnoksiężniku z Oz – rzekł. – W czwartek przed wyłączeniami codziennie dostawaliśmy zgłoszenia o tysiącach ataków w całym kraju. Popatrz na wczorajszą liczbę zgłoszeń w Stanach.

Zerknąłem na kartkę.

– Dobrze czytam? Trzy?

– Nie inaczej – odparł. – Ale to nie wszystko. Dostajemy coraz więcej informacji o psach wracających do właścicieli. Zamrożenie przemysłu i łączności komórkowej naprawdę zniszczyło ten feromon w powietrzu. Twój plan to było coś więcej niż strzał w dziesiątkę, Oz. To był wielki szlem. Będzie o tobie bardzo głośno. Chyba właśnie ocaliłeś świat.

Leahy objął mnie ramieniem.

– Dlatego zabieramy cię stąd, mały. Użyłem swoich dojść. Odstawię cię z powrotem do rodziny w Nueva York.

Spojrzałem na niego. Czy to było w ogóle możliwe? Miałem wrażenie, jakbym ostatni raz widział Chloe i Eliego wiele tygodni temu.

– Kurczę, chyba żartujesz.

– Ależ w żadnym wypadku. I nie nazywaj mnie kurczakiem*. W tym momencie właśnie tankują twój rydwan. Znowu polecisz gulfstreamem.

---

* Fragment dialogu z filmu *Czy leci z nami pilot?*

Pomyślałem o Chloe, o tym, że naprawdę będę mógł dotknąć żony, objąć ją, wtulić twarz w jej szyję. No i o Elim. Chciałem go wziąć na barana i chodzić z nim wszędzie, pokazując mu wszystko, co... Zaraz, zaraz. Co ja wyprawiam, do cholery? Co mi chodzi po głowie?

Co oni mi proponowali? Żebym złamał zakaz? I skoro „użyli dojść" dla mnie, dla kogo jeszcze to robili?

– Chwileczkę – powiedziałem. – Na niczym innym nie zależy mi tak bardzo jak na spotkaniu z rodziną, ale jest jeszcze za wcześnie. Nie ma mowy o żadnych lotach i podróżach. Żadnych silników spalinowych, zero prądu przez najbliższe dwa tygodnie. Taki był plan. Przecież dobrze wiesz.

– Jeden dwudziestominutowy lot nie spowoduje katastrofy. Zresztą należy ci się.

– Należy? – żachnąłem się, czując ogarniającą mnie falę wściekłości. Chwyciłem go za klapy marynarki. – Taki jest Waszyngton, co? Zakazy są dla maluczkich, tak? A nam się należy. Chodzi o przyszłość cywilizacji, nie rozumiecie tego, idioci? Myślicie, że skończy się na tym wielkim wyłączeniu? To dopiero początek początku!

– Puść moją marynarkę – powiedział Leahy.

Pchnąłem go.

– Uważasz, że to się uda bez prawdziwych poświęceń? Bez poświęceń ze strony wszystkich? Zakazy używania paliwa, komórek, elektryczności muszą dotyczyć każdego. NSA, wojska, VIP-ów. Nawet prezydenta i całego przenajświętszego Kongresu. To dopiero faza numer jeden. Nie rozumiesz tego? Trzeba to zrobić, dopóki nie znajdziemy ostatecznego rozwiązania.

Jeżeli wszystko wróci do normy, to w zoo znowu będzie pora karmienia. Przekaż wszystkim szychom, żeby z powrotem zakorkowały szampana i odwołały rezerwacje na polach golfowych. Pora przyjąć to na klatę jak cała reszta.

– Uspokój się – powiedział Leahy. – Jasne. Rozumiem. Masz rację.

– Co ty powiesz? Zadziwiające – odparłem, wychodząc. – Ale mam taką nadzieję. Dla dobra świata.

Rozdział 95

W sobotę rano nie poszedłem na żadne z zaplanowanych spotkań. Chcieli ze mną pogadać członkowie senackiej Komisji Środowiska i Infrastruktury, a także grupy patologów klinicznych z Centrum Zwalczania i Zapobiegania Chorobom. Ale po kłótni z Leahym robiło mi się niedobrze na widok decydentów, którzy uważali, że wszystko już zostało załatwione. Dla nich cała sprawa była tylko punktem, o który mogli sobie poszerzyć CV, historią, którą kiedyś będą opowiadać wnukom. Najpierw jednak musieli zrozumieć, że jeżeli nie potraktują jej poważnie, nie będzie żadnych wnuków, którym mogliby ją opowiedzieć.

Zamiast marnować czas na głupstwa, postanowiłem zrobić coś pożytecznego, coś, co należało zrobić. Zgłosiłem się do pomocy oddziałowi marines, który miał uprzątnąć ulice i zebrać ciała ofiar.

To była scena jak z przełomu wieków, ściślej mówiąc, dziewiętnastego i dwudziestego. Z farmy w Rockville w Marylandzie sprowadzono konie, żeby pociągnęły wypożyczone w U-Haul przyczepy. Do południa przyczepy były wyładowane po brzegi zwłokami w workach.

Mając doświadczenia ze służby w Iraku, myślałem, że poradzę sobie z tym zadaniem. Myliłem się. Pierwszym dzieckiem, które zobaczyłem, była mała Azjatka w uliczce za pralnią chemiczną w Dupont Circle. Wyglądała na osiem, dziewięć lat. Jej wnętrzności były rozwleczone po całej ulicy jak spaghetti. Sierżant Alvarez i ja włożyliśmy ją do worka i położyliśmy w przyczepie. To mnie załamało. Zerwałem z rąk cuchnące gumowe rękawiczki, na chwilę usiadłem na krawężniku między zaparkowanymi samochodami i zacząłem płakać.

Życie straciło tylu ludzi.

Późnym popołudniem dotarliśmy na cmentarz w Arlington. Zawartość przyczep zaprzężonych w konie została załadowana do pojemników do przechowywania zwłok ustawionych w rzędzie w pobliżu Grobu Nieznanego Żołnierza. Kiedy opuszczaliśmy cmentarz, wojskowy trębacz grał pożegnalny sygnał *Taps*.

Gdy z sierżantem Alvarezem wracaliśmy pieszo przez most, zmierzając do bazy marines obok Białego Domu, robiło się już ciemno.

Szliśmy obsadzoną drzewami uliczką uroczych staroświeckich domków niedaleko Uniwersytetu Waszyngtona.

Nagle zobaczyłem zaparkowanego przed domem błyszczącego chromem żółtego hummera z włączonym silnikiem. Kiedy podszedłem do samochodu, sięgnąłem do środka i przekręciłem kluczyk, zobaczyłem wybiegającego na ulicę wysokiego, przystojnego mężczyznę w czapce bejsbolowej Yankees i wymiętym granatowym garniturze. Wyglądał na wkurzonego.

– Co pan wyrabia, do cholery? – zapytał.

– Powinienem pana zapytać o to samo. Być może spadł

pan z księżyca, ale obowiązuje zakaz korzystania z samochodów.

– Co ty nie powiesz, Sherlocku – odparł facet, spoglądając na sierżanta Alvareza i pokazując mi legitymację. – Gary Sterling, kongresman z Nowego Jorku. A to moje mieszkanie. Jadę na Long Island zabrać parę rzeczy.

– Kto tak powiedział? – spytałem.

Z wewnętrznej kieszeni marynarki wysupłał dokument.

– Prezydent – odpowiedział. Nawet się nie starał ukryć pogardliwego uśmiechu.

Spojrzałem na kartkę. Nie mogłem uwierzyć własnym oczom. Było to prezydenckie rozporządzenie, które mimo zakazu pozwalało okazicielowi prowadzić pojazd mechaniczny. Patrzyłem w osłupieniu na pieczęć i podpis pani prezydent.

Chyba nie powinienem być w takim szoku, a jednak byłem. Każdy musi przestrzegać zasad, z wyjątkiem tych, którzy nie muszą. Przecież dobrze o tym wiedziałem. W końcu to był Waszyngton. Obawiałem się, że do tego dojdzie.

Kongresman Sterling wyrwał mi zezwolenie z ręki i natychmiast odpalił samochód. Ale nie mogłem na to pozwolić. Bez względu na to, czy miał papier, czy nie, jeszcze raz wyciągnąłem rękę i wyłączyłem silnik. Wyciągnąłem kluczyki ze stacyjki.

– Ślepy pan jest? Pokazałem panu zezwolenie – obruszył się kongresman.

Zacisnąłem kluczyki w prawej dłoni, a lewą, zaciśniętą w pięść, uniosłem do góry. Ręce mi drżały. Zdawałem sobie sprawę, że to szaleństwo. Ale chyba jak na jeden dzień zobaczyłem za dużo. Zobaczyłem za dużo ciał. Czy ten facet w ogóle się tym przejmował? Najwyraźniej odpowiedź brzmiała: nie.

– Gówno mnie to obchodzi! – powiedziałem. – Uważa pan, że prawo pana nie obowiązuje? Jest pan ponad nim, tak? Otóż nie sądzę. Mam pańskie zezwolenie głęboko w dupie. Niech pan sam sobie weźmie kluczyki.

Włożyłem je do kieszeni.

Co zrobił? Po prostu obrócił się na pięcie i wszedł po schodach prowadzących do drzwi domu. Kiedy stanął na górze, wyciągnął komórkę, wcisnął klawisz i najspokojniej w świecie zaczął z kimś rozmawiać.

– Co jest grane, do cholery? Ten idiota łamie dwa paragrafy za jednym zamachem. Ma i hummera, i komórkę na chodzie? – zdumiał się Alvarez.

Kilka minut później rozległ się pomruk wojskowego hummera. Sierżant Alvarez wyprężył się na baczność, kiedy zza kierownicy wysiadł pułkownik piechoty morskiej. Powiedział coś do Alvareza, który bardzo niechętnie przekazał mi jego słowa.

– Przykro mi, Oz, ale to prawda. Wydają takie zezwolenia, czy jak je tam zwał. Zupełnie legalnie. Ten fiut ma rację. Albo oddasz mu kluczyki, albo będę cię musiał aresztować.

Przygryzłem wargi. Przez chwilę z niedowierzaniem kręciłem głową.

– Zgoda, w porządku. Wszyscy macie rację. Przepraszam. Poniosło mnie – powiedziałem. Kongresman zszedł po schodach na ulicę. Podszedłem do niego. Wyciągnąłem rękę z kluczykami na wysokości krawężnika. Kiedy po nie sięgał, rzuciłem je w bok, prosto do kratki ściekowej.

– Ojej! – powiedziałem. – Ależ ze mnie niezdara. Przez cały dzień nosiłem zwłoki i trochę mi osłabły ręce. To naprawdę moja wina.

Mimo piorunującego wzroku pułkownika Alvarezowi trudno było powstrzymać uśmiech. Odszedłem i nikt nie próbował mnie zatrzymać.

Nasz Guy Smiley z *Ulicy Sezamkowej* zakipiał świętym oburzeniem. Przeklinał jak szewc, wręcz pienił się z wściekłości. W końcu pokazał mi środkowy palec.

– Nic nowego, prawda, kongresmanie? – Pomachałem do niego odrobinę kobiecym gestem. – Jestem przecież obywatelem Stanów Zjednoczonych. Ciągle nam mówicie, żebyśmy się odpieprzyli. To wychodzi wam najlepiej.

Ale to było krótkie, małe zwycięstwo. Kiedy szedłem ulicą o zmierzchu, wciąż gotując się ze złości, słyszałem ten dźwięk w całym mieście: warkot uruchamianych generatorów spalinowych, szum włączanych klimatyzatorów. Wszyscy ludzie na świecie wracali do swoich starych sztuczek. A ja myślałem, że dźwięk trąbki na cmentarzu jest smutny.

Wtedy to do mnie dotarło. Uświadomiłem to sobie jasno w gasnącym fioletowym blasku słońca zachodzącego nad Waszyngtonem. Słuchałem narastających w ciemności hałasów i już wiedziałem.

Nie ma ratunku. Przegraliśmy. To koniec.

Rozdział 96

O zachodzie słońca trzeciego dnia Wielkiego Zatrzymania, jak ludzie zaczęli to nazywać, śmiertelną ciszę środkowego Manhattanu zakłóca głośny warkot. Chloe, która gra właśnie z Elim w Candy Land w znajdującej się w głębi mieszkania sypialni zalanej blaskiem gasnącego słońca, wstaje i podchodzi do okna. Rozgląda się po niebie nad Central Parkiem. Dźwięk przybiera na sile i po chwili widzi jego źródło. Nad miastem dudni sześć dwuwirnikowych helikopterów Chinook, które zbliżają się od strony West Side. Przelatują przez lukę między wieżowcami Time Warner Center, stojącymi jak słupki bramki na końcu Central Parku, niedaleko Columbus Circle, po czym kierują się na północny wschód i lecą nad zieloną połacią parku w stronę rządowej Strefy Bezpieczeństwa.

– Nie – szepcze Chloe. – Nie, nie, NIE!

Z nieba dobiega następny huk. Na zachód mknie boeing 747, mrugając czerwonymi i zielonymi światełkami. To pierwszy samolot, jaki Chloe widzi od tygodnia.

– Co się stało? – pyta Eli.

– Helikoptery i samoloty – odpowiada Chloe. – Dlaczego łamią zakaz? Przecież minęły dopiero trzy dni.

Wychodzi na balkon. To prawda. Na całej Central Park West w luksusowych apartamentowcach zaczynają migotać światła jak drobinki błyszczących landrynek. Słyszy szum uruchamianych generatorów, które łomoczą w paskudnym jednostajnym rytmie.

Patrzy, jak z bocznej ulicy na Piątą Aleję wyjeżdża pick-up. Potem motocykl. Za nim terenowy mercedes.

Zresztą dzieje się tak nie tylko w Nowym Jorku.

Ponieważ zwierzęta przestały atakować, ludzie nabrali odwagi. Obraz z wojskowego satelity pokazuje zapalające się światła w Dallas, Cincinnati, Dublinie, Mediolanie, Madrycie. Nazajutrz rano kominy w Pekinie wyrzucają już kłęby dymu unoszące się w powietrze jak czarne satynowe szale. Kanadyjski parlament uchyla zakaz używania telefonów komórkowych. Za przykładem Kanady idzie Meksyk i Unia Europejska.

Na całym świecie ludzie wracają do pracy. Ruszają elektrownie węglowe i jądrowe, włączają się stacje przekaźnikowe. W powietrze znów wzbijają się chmury petrochemikaliów i węglowodorów, komórki i maszty przekaźnikowe emitują promieniowanie elektromagnetyczne, które błyskawicznie spowija kraj jak niewidzialny trujący gaz. Odbudowują się wiązania chemiczne. Energia miesza się z materią, aby stworzyć coś nowego.

Zmiany nie da się cofnąć. Takie jest życie, tak jest urządzony świat.

To koniec Wielkiego Zatrzymania.

I ludzkiej cywilizacji.

Rozdział 97

Attyla budzi się na swojej nasłonecznionej skale w Central Parku. Jest teraz spięty, bardzo spięty. Czuje, jak adrenalina buzuje mu w żyłach, pulsuje w sercu, pompuje krew do mózgu i mięśni. Czuje uderzenie energii. Iskrzą pobudzone dendryty i synapsy. Prąd przebiega przez całe ciało, zaburzając działanie struktur komórek w mózgu, tej hiperwrażliwej, naelektryzowanej bryle. Wzrasta ciśnienie krwi.

Wysycha mu ślina, a na skórze pojawia się pot. Jeży się sierść na grzbiecie.

Attyla przygotowuje się do ataku. Coś wyzwoliło w jego mózgu ten impuls i nie zamierza go wyłączać. Oddech staje się ciężki i głośny, w miarę jak wzbiera w nim coraz większy gniew. Wydaje z siebie krótkie, urywane sapnięcia, jak gdyby warczał.

W powietrzu znów pojawia się ten zapach. Wzywa go, każe mu się zerwać na nogi. Samica obok niego też kipi złością, w jej oczach płonie wściekłość i zniecierpliwienie.

Kiedy Attyla schodzi ze skały, zwierzęta już tam są. Zajmują całe boisko do softballu, przykrywają je jak żywy dywan. Stado jest większe i bardziej spragnione krwi niż poprzednio.

Attyla prowadzi chmarę na wschód, w stronę świateł apartamentowca. Nie odrywa wzroku od tarasów w wieżowcach. Wie, jak się na nie wspiąć, jak wejść do środka. Pójdzie sam i otworzy drzwi innym. Zapach mu to mówi. Tym razem się uda.

Po litości, jaką okazał człowiekowi, nie pozostało nawet wspomnienie. Bo Attyla nie ma już wspomnień. Zna zapach. Zapach jest panem, przyjacielem, towarzyszem. Zapach jest wszystkim.

Sześćdziesiątą Piątą jadą na motocyklu mężczyzna i kobieta, przecinając park. Attyla pohukuje, aby zwołać pozostałe zwierzęta, ale to zbyteczne. W obłoku feromonów dźwięki nie są potrzebne. Zwierzęta wiedzą, czego chce, czując woń jego oddechu i potu. Rozkazy przybierają formę zapachów. Masa porusza się, posłuszna jego woli niemal jak jego własna ręka.

Z mostu na motocykl spada z rykiem kaskada ciał. Dwoje pięćdziesięciokilkuletnich ludzi to małżeństwo. Fala najpierw pochłania kobietę, która krzyczy, gdy w jej ciało zagłębiają się zęby i pazury. Attyla, który znalazł się na dole kotłowaniny, wyrywa kawały ciała z nogi kobiety, mrużąc oczy przed strumieniem tętniczej krwi.

Mężczyzna, emerytowany policjant z Queens, sięga po broń, której nie nosi u pasa od 1999 roku. Szczur odgryza mu mały palec u lewej dłoni na wysokości pierwszego stawu. Po chwili wiewiórka z piskiem wpija się w jego twarz, sięga pazurkami oczu. Gdy rottweiler zaciska szczęki na jego kroczu, mężczyzna osuwa się na ziemię.

Zwierzęta rozszarpują ludzi na kawałki, ćwiartują ich sprawnie jak piły rzeźnicze. W ciągu niecałych trzech minut zostaje po nich tylko bardzo brudna bielizna.

Umazany krwią po rzezi, Attyla rusza na czele hordy w kierunku zapachu ludzi. Wszystkie zwierzęta poruszają się razem w tym samym tempie, jak komórki w układzie krwionośnym. Nie ma już Attyli. Stał się czymś więcej. Owładnęło nim coś nowego. Jest teraz samą energią, pozbawioną duszy strukturą kości, krwi i mięsa, napędzaną impulsami elektrycznymi i lawiną substancji chemicznych. Rusza w stronę dźwięków, w stronę świateł.

Rozdział 98

Och, jak szybko karta się odwróciła. Karta czerwona jak krew.

Wraz z odgłosem generatorów rozległy się krzyki i huk kanonady. Naprawdę byliśmy aż tak głupi? Najwyraźniej tak. Dochodziła północ, gdy gwałtownie otworzyły się drzwi mojej przyczepy i w ciemności zarysowała się sylwetka Alvareza.

– Bierz dupę w troki, Oz. Zostaliśmy napadnięci. Ewakuują Biały Dom.

Wschodnie Skrzydło zostało opanowane. Do budynku symbolu ciągną zewsząd setki tysięcy ssaków – psów, szopów, szczurów, wiewiórek, oposów – roją się jak mrówki. Ostrzał nie milkł już ani na chwilę. Biegnąc z Alvarezem, zobaczyłem jasną pomarańczową łunę na południowy wschód od nas. Pokazałem mu ją.

– Co...

– Kapitol się pali – wyjaśnił krótko. Biegliśmy dalej.

Alvarez wepchnął mnie do czekającego samochodu. Pełniący wartę przy wschodniej bramie żołnierz marines leżał na ziemi. Po jego galowym granatowym mundurze płynęła krew, twarz miał ogryzioną do kości. Alvarez spojrzał w jego stronę, uniósł strzelbę AA-12 i jakby od niechcenia posłał grad kul w kierunku stada pokrytych parchami psów, które ciągle szarpały ciało.

– Niech Bóg ma nas w swojej opiece – mruknął, żegnając się.

– W opiece? – powtórzyłem. – Przecież Bóg zniszczył Sodomę i Gomorę. Wiem, że jestem tylko naukowcem, ale wygląda na to, że znowu strasznie się na nas wkurzył.

Godzinę później byłem na pokładzie wojskowego boeinga 737 lecącego do Nowego Jorku.

Wobec opanowania Białego Domu przez zwierzęta opracowano nowy plan. Rząd przenosił się na północ. Bardzo daleką północ. Ściślej mówiąc, tak daleką, jak tylko się dało. Naukowcy i rządzący mieli spakować manatki i przegrupować się do bazy lotniczej Thule w północnej Grenlandii, tysiąc dwieście kilometrów na północ od koła podbiegunowego.

Jedyna dobra wiadomość była taka, że najpierw lecieliśmy do Nowego Jorku po pozostałych naukowców, którzy uczestniczyli w spotkaniu.

Wspaniale, pomyślałem. To oznacza, że przeczekam apokalipsę zaszyty w igloo z Harveyem Saltonstallem. Później się dowiedziałem, że Harveya rozszarpały psy.

– Och – powiedziałem.

Poinformowano mnie, że rodziny muszą zostać, ale nawet nie chciałem o tym słyszeć.

Znalazłem Leahy'ego w pobliżu kokpitu.

Dotąd nie miałem ochoty zgrywać ważniaka, jednak w tym momencie uznałem, że pora walnąć z grubej rury.

– Albo sprowadzisz na lotnisko moją żonę i dziecko, Leahy, albo zabierajcie się na Grenlandię, palanty, i sami kombinujcie, co z tym zrobić.

Gdy Chloe i Eli ukazali się w drzwiach samolotu, złapałem ich i posadziłem na fotelach. Ściskaliśmy się i płakaliśmy bez końca. Przez krótką straszną chwilę myślałem, że mogę ich już nigdy nie zobaczyć, ale na szczęście przynajmniej raz się myliłem.

Samolot wystartował błyskawicznie i wzniósł się w powietrze. Kiedy mknęliśmy nad Kanadą, zaczął padać deszcz, ale boeing wspiął się na większą wysokość. Znaleźliśmy się nad chmurami i wnętrze kabiny zalał jasny blask. Wysoko po prawej od nas po zimnym niebie wspinał się lśniący księżyc w pełni, a chmury przemykały pod nami jak rzeka srebrnego jedwabiu.

Wtedy Eli coś dostrzegł.

– Tatusiu! Patrz!

Siedział mi na kolanach, pokazując palcem na okno.

Z chmury na wschodzie uniosła się dziwna masa. Wyglądała jak ciemny, poruszający się stożek. Chmura? Była czarna i gęsta. Furkocząca. Żywa.

Chyba lecieliśmy w jej stronę. A może to ona zbliżała się do nas? Z początku pomyślałem, że to chmara ptaków. Niewyobrażalne mnóstwo ptaków w jednym miejscu. Ale nagle zdałem sobie sprawę, że to nietoperze. Stado miało kształt odwróconej, nieustannie wirującej piramidy, w której zwierzęta bezmyślnie zataczały koła, goniąc się nawzajem, wzlatując coraz wyżej i wyżej...

Bom!

– Pasy! – usłyszałem w głośnikach. Chwilę później wlecieliśmy prosto w czarny obłok.

Chwyciłem żonę i syna i mocno objąłem. Rozległ się dźwięk, jakby w samolot rąbnęła pięść Boga. To była ogromna, czarna, szaleńczo trzepocząca chmura. Nietoperze tłukły

379

w kadłub, rozpryskiwały się na miazgę w oknach, silniki wsysały je i wypluwały w postaci krwawego konfetti. Chwilę później zakrztusił się prawy silnik i zaraz potem zaczęliśmy opadać. Zamknąłem oczy i przycisnąłem do serca swoją rodzinę, a maszyna z jazgotem pikowała w kierunku ziemi.

Na szczęście – w dwóch słowach – nasz pilot był weteranem wojny w Iraku, przyzwyczajonym do wykonywania manewrów unikowych. W ciągu zaledwie paru sekund straciliśmy dobre paręset metrów wysokości.

Kiedy jednak uciekliśmy przed tornadem nietoperzy, pilotowi jakimś cudem udało się ponownie uruchomić silnik, zawrócić i skierować samolot na południowy zachód. Zdołaliśmy awaryjnie wylądować w Syracuse.

Dowiedzieliśmy się potem, że inni nie mieli tyle szczęścia. Trzy maszyny pasażerskie spadły. Setki innych zaginęły. Ile jeszcze ofiar pochłonie ta wojna, zanim się zakończy? – myślałem, tuląc do siebie rodzinę w zatłoczonym terminalu lotniska Hancock International. Nie wiedziałem. Nikt nie wiedział.

Epilog

Baza lotnicza Thule
Qaanaaq, Grenlandia

Gdzieś w głębi duszy wciąż wierzę, że da się odwrócić losy świata. Jeszcze nie wiem jak, ale tego dokonamy. Nie ma większej siły we wszechświecie od odporności psychicznej człowieka w połączeniu z jego intelektem. Człowiek kombinuje, majstruje i bada, nie ustając w wysiłkach, dopóki nie znajdzie rozwiązania.

Jak doskonałym tworem jest człowiek, jak wielkim przez rozum, powiada Hamlet. Jak niewyczerpanym w swych zdolnościach. Pojętnością zbliżonym do bóstwa*.

Wiem, że się nam uda. Bo z miejsca, w którym to piszę, widzę swojego syna Eliego. Kiedy przyglądam się jego niewinnej twarzy, tak bardzo podobnej do twarzy jego matki, wiem, że pozostanie tylko jedna rzecz, jedno uczucie.

Miłość, którą dostałem od matki i ojca, rośnie w nim dzień po dniu i nadejdzie czas, gdy mój syn przekaże ją swojej żonie i dziecku, i sztafeta będzie biec dalej.

Przetrwamy, bo choć wszystko psujemy, mamy w sobie

---

* *Hamlet* (akt II, scena II), przekład Józef Paszkowski.

381

nadzieję, wiarę i wolę, aby to wszystko naprawić – dla siebie i dla tych, których kochamy.

Właśnie to robimy. Naprawiamy świat.

Czy rzeczywiście?

Nie wiem.

Może.

Zapisuję to wszystko w bunkrze. Jest listopad, pora zimna, temperatura utrzymuje się w okolicach minus dwudziestu pięciu stopni.

Na zewnątrz jest teraz ciemno. Nasz nowy dom prawie zawsze tonie w ciemnościach. Ściany dygoczą od uderzeń wiatru. Nawet we śnie słyszę jego nieustanne wycie. Jak gdyby ziemia była w żałobie.

W mroku panującym przez niemal dwadzieścia cztery godziny na dobę gwiżdże wiatr, który z prędkością stu kilometrów na godzinę dmie od gór w stronę białej pustyni lądolodu. Tej ziemi nie zamieszkują prawie żadne ssaki, więc możemy bezpiecznie używać generatorów i łączności radiowej. Mamy szczęście.

Bez względu na pogodę wkładam swój arktyczny kombinezon i raz dziennie wychodzę, aby popatrzeć ze smutkiem na bezlitosny horyzont. Traktuję to jak pewnego rodzaju pielgrzymkę, pokutę za swoje grzechy, za grzechy nas wszystkich. Nie czuję się przez to lepiej, mimo to wychodzę. Chyba wreszcie znalazłem coś na kształt religii. Pewnie tak wpływa na człowieka koniec świata.

Było kilka samobójstw, głównie wśród ludzi z Waszyngtonu – senatorów i kongresmanów przyzwyczajonych do wygodnego życia. Tu już nie ma wygodnego życia.

Kontakty ze Stanami są sporadyczne. Z kontynentu nadal przychodzą dostawy, ale słyszeliśmy pogłoski, że do Ameryki wrócił chaos. Na ulicach grasują bandyckie szajki, które walczą ze zwierzętami i ze sobą nawzajem. Od wielu lat niektórzy w naszym kraju głosili konieczność powrotu człowieka do natury. Zdaje się, że ich życzenie w końcu się spełniło.

W godzinach samotności i nudy rozmyślam o tym, co się stało. W przeciwieństwie do wielu moich kolegów nie winię za to rozwoju technicznego. Ropa naftowa usprawniła życie ludzkości. Podobnie jak telefony komórkowe. Nikt nie wiedział, że połączenie jednego z drugim doprowadzi do katastrofy biologicznej. Schrzaniliśmy sprawę. Zdarza się.

Ale wczoraj w nocy znów miałem ten sen. Często mi się śni. Sen o spirali śmierci. O mrówkach, które widziałem na Kostaryce. Krąg na piasku. Falujący czarny wir. Tysiące mrówek zataczających nieskończone koło. Podążają na oślep jedna za drugą, każda uczepiona tropu feromonów swojej poprzedniczki. Biegną bez wytchnienia, wciąż w kółko, w kółko. Biegną, by zabiegać się na śmierć. Zamknięta pętla. Wąż połykający własny ogon. Symbol bezsensu. Uwięzione w pętli mrówki biegają w kółko jak oszalałe – zdesperowane, głupie, skazane na zagładę.